HOROSCOPE 2018

Catalogage avant publication de Bibliothèque et Archives nationales du Québec et Bibliothèque et Archives Canada

Aubry, Jacqueline

Horoscope

(Astrologie)

ISSN 0842-1161
ISBN 978-2-7640-2665-6

1. Horoscopes. I. Aubry, Alexandre, 1971- . II. Titre. III. Collection : Collection Astrologie.

BF1728.A2A92 133.5'4 C89-030786-5

DISTRIBUTEURS EXCLUSIFS :

Pour le Canada et les États-Unis :
MESSAGERIES ADP inc.*
Téléphone : 450-640-1237
Internet : www.messageries-adp.com
* filiale du Groupe Sogides inc.,
filiale de Québecor Média inc.

Pour la France et les autres pays :
INTERFORUM editis
Téléphone : 33 (0) 1 49 59 11 56/91
Service commandes France Métropolitaine
Téléphone : 33 (0) 2 38 32 71 00
Internet : www.interforum.fr
Service commandes Export – DOM-TOM
Internet : www.interforum.fr
Courriel : cdes-export@interforum.fr

Pour la Suisse :
INTERFORUM editis SUISSE
Téléphone : 41 (0) 26 460 80 60
Internet : www.interforumsuisse.ch
Courriel : office@interforumsuisse.ch
Distributeur : OLF S.A.
Commandes :
Téléphone : 41 (0) 26 467 53 33
Internet : www.olf.ch
Courriel : information@olf.ch

Pour la Belgique et le Luxembourg :
INTERFORUM BENELUX S.A.
Téléphone : 32 (0) 10 42 03 20
Internet : www.interforum.be
Courriel : info@interforum.be

07-17

Imprimé au Canada

Dépôt légal : 2017
Bibliothèque et Archives nationales du Québec

ISBN 978-2-7640-2665-6

Gouvernement du Québec – Programme de crédit d'impôt pour l'édition de livres – Gestion SODEC – www.sodec.gouv.qc.ca

L'Éditeur bénéficie du soutien de la Société de développement des entreprises culturelles du Québec pour son programme d'édition.

Conseil des Arts du Canada   Canada Council for the Arts

Nous remercions le Conseil des Arts du Canada de l'aide accordée à notre programme de publication.

Financé par le gouvernement du Canada
Funded by the Government of Canada | Canada

Nous reconnaissons l'aide financière du gouvernement du Canada par l'entremise du Fonds du livre du Canada pour nos activités d'édition.

Jacqueline & Alexandre

AUBRY

HOROSCOPE 2018

LES ÉDITIONS
Québec-Livres
Une société de Québecor Média

Avant-propos

Transformation extrême

Nous aurons droit à Jupiter en Scorpion jusqu'en novembre prochain, donc une année qui apportera une forme de transformation, tout comme si notre société s'installait dans un cocon pour lui permettre de déployer ce qu'il y a de meilleur en elle. Le phénomène est particulier chez la chenille qui deviendra un papillon. Après avoir rampé pendant toute une vie, celle-ci traversera une période d'isolement qui la transformera complètement. Elle sera une toute nouvelle forme de vie qui possédera un potentiel et des capacités exceptionnelles comparativement à ce qu'elle était auparavant. Avons-nous le droit de croire que c'est également ce qui se produira dans notre propre monde ? La tendance protectionniste et isolationniste que nous connaissons dans nos sociétés est sûrement associée à la période de chrysalide de la chenille qui deviendra papillon. Ce parallèle permet de bien comprendre que notre monde est en profond changement et qu'une nouvelle réalité émergera d'ici les prochaines années.

Notre monde subit une transformation extrême depuis quelques années et se dirige tranquillement vers un concept de société différent de ce que nos grands-parents ont connu. Ne serait-ce que l'arrivée d'Internet qui a modifié considérablement nos comportements et nos façons de vivre, la réalité virtuelle est probablement le mode de vie par excellence de la jeunesse. De plus, le développement technologique a complètement dépassé l'entendement. Avec la miniaturisation, il est impossible de comprendre le principe de tout appareil simplement en tentant de regarder son fonctionnement. L'intelligence artificielle est de plus en plus une réalité omniprésente dans notre quotidien.

Si vous avez lu l'avant-propos de l'édition de l'an passé, vous comprendrez que nous ne sommes qu'au début de cette période de transformation, et que la grande révolution s'accomplira au cours des cinq à six prochaines années. Il y aura inévitablement conflit entre l'ancien et le nouveau monde, un peu à l'image du développement du christianisme dans l'Empire romain. Mais contrairement à cette époque lointaine, quelques années suffiront, et non quelques siècles, pour mettre en place un monde plus juste, équitable et rempli de compassion pour son prochain.

Plutôt que de comparer les modèles de sociétés qui existent sur notre planète où le choc des cultures ne cesse de nourrir la manchette en présentant l'autre comme un envahisseur, voyons les choses comme un renouveau de l'individu. Jamais dans l'histoire nous n'avons accordé autant d'importance à notre «mieux-être». Nous sommes continuellement dans une quête de bonheur, et nous sommes bombardés d'informations et de requêtes pour cheminer dans une direction ou dans une autre. Tandis que de nombreuses personnes s'adonnent à la méditation, d'autres s'investissent dans le yoga ou dans le dépassement de soi en performant dans les marathons et gymnases. Des individus préfèrent voyager, explorer le monde et vivre sur l'adrénaline en parcourant les sommets rocheux ou les gratte-ciel, et d'autres encore se baignent avec les requins et les crocodiles.

Autrefois, l'humain devait se battre pour sa survie, mais aujourd'hui ce n'est plus nécessaire et le cortisol, l'hormone de stress, cherche d'autres moyens pour s'exprimer et s'apaiser. À une époque pas si lointaine, il nous fallait produire à la sueur de notre front la nourriture nécessaire à notre survie; il fallait aussi bâtir de solides fortifications pour protéger cette richesse des pillards qui sillonnaient les routes, et il fallait surtout se protéger du fléau le plus dévastateur, dame Nature, qui avait des sautes d'humeur, pouvant tout détruire sur son passage. Aujourd'hui, en 2018, toute la force de vaincre que nos ancêtres nous ont transmise génétiquement n'est plus nécessaire, et pour survivre à ce nouveau monde qui s'installe sur toute la planète, nous devons devenir un papillon. Nous n'avons plus besoin de cette multitude de pattes et de ce corps qui s'agrippent au feuillage pour se nourrir. Nous devons maintenant exploiter nos ailes et butiner. C'est un changement radical pour l'insecte, et nous sommes maintenant en plein cœur de ce processus. Le message de Jupiter en Scorpion est le suivant : rappelons-nous que la transformation est en cours, que rien ne peut l'arrêter, et malgré la douleur et les difficultés nous passerons au travers.

L'ère du Verseau

Si vous avez lu nos horoscopes annuels depuis plusieurs années, vous constatez que nous faisons régulièrement référence à l'ère du Verseau qui s'installe peu à peu. On peut considérer que l'on s'y prépare depuis la révolution industrielle au milieu du XIXe siècle, ou encore à partir de la fin de la Seconde Guerre mondiale tandis que la technologie prend de plus en plus de place dans notre monde. Avec l'arrivée d'Internet et en raison de tous les autres exploits technologiques, il va de soi que vous vivons une période de profonds changements qui se déploient sur plus d'une génération. Il s'agit certainement de l'ère du Verseau qui se prononce.

Les fameuses ères astrologiques sont calculées en fonction du phénomène cosmique appelé « la précession des équinoxes ». L'astrologie conventionnelle, ou tropicale, comme ce que pratiquent la plupart des astrologues, se base sur le point vernal pour identifier le commencement du Bélier, c'est-à-dire le moment précis où le jour et la nuit ont exactement la même durée, donc tout simplement l'arrivée officielle du printemps. Le zodiaque a été reconnu comme étant une série de constellations (amas d'étoiles) qui ceinture la Terre, formant ainsi une sorte de route où les planètes semblent circuler avec une certaine régularité autour de notre monde.

Il y a deux mille ans, le jour du printemps, on pouvait observer le Soleil se lever dans la constellation du Bélier. Ce qui a fait en sorte qu'on néglige le phénomène de précession des équinoxes au fil des siècles, voire qu'on l'ignore, même si certains penseurs de l'Antiquité l'avaient bel et bien reconnu. Mais l'interprétation de l'astrologie tropicale s'est véritablement identifiée au processus des saisons, ce qui a fait en sorte qu'il n'est plus nécessaire d'établir cette correction en fonction du déplacement des constellations dans le ciel. De toute façon, les frontières entre les constellations elles-mêmes ne sont pas clairement définies, et elles sont encore moins de grandeur égale, contrairement à nos signes qui occupent chacun 30 degrés pour compléter le cercle parfait de 360 degrés. Autrement, en astrologie, on a découpé le ciel en douze parts égales

(les douze signes du zodiaque) afin d'éviter toute confusion entre les véritables constellations qui, elles, ne sont pas toutes égales.

Mais si on observe aujourd'hui où se trouve le Soleil le jour du printemps, on réalisera qu'il est dans le Poissons, approximativement près du 5e degré, selon des calculs communément acceptés pour situer le zodiaque sidéral par rapport au tropical. Le Soleil reculera donc dans le zodiaque à raison d'un degré tous les 72 ans. Alors faites le calcul, nous sommes à 360 ans de la fameuse ère du Verseau. Peut-être que oui, mais peut-être que non aussi, les frontières entre les signes peuvent se chevaucher ; lorsque nous nous approcherons de plus en plus du fameux 0 degré, nous pourrons affirmer que nous serons dans l'ère du Verseau. Mais à 5 degrés, qui, soit dit en passant, n'a rien de véritablement scientifique, c'est plutôt une forme de convention, il est bien normal de ressentir que l'humanité accède à cette nouvelle ère lentement mais sûrement.

D'ailleurs, la transition entre le Bélier et le Poissons qui s'est produite il y a 2000 ans est on ne peut plus claire, mais elle s'est tout de même déroulée en quelques siècles, le temps que le christianisme élimine complètement les croyances païennes. Dans l'Antiquité, on vénérait justement de nombreuses divinités qui demandaient souvent des sacrifices, souvent représentés par l'agneau (ou le Bélier) sur l'autel ; on sait que le signe du Bélier est associé à l'agressivité et au sang, entre autres, venant ainsi bien caractériser cette période barbare et profondément divisée. L'Empire romain se développant, il étendit ses tentacules aux confins de l'Orient et vers les pays nordiques, imposant une certaine uniformité dans la culture. Et lorsque le christianisme a pris la place de religion officielle, on peut dire que l'ère du Poissons s'est véritablement amorcée.

Le signe du Poissons est un symbole spirituel, et le message de dévouement et du don de soi enseigné par Jésus est clairement une symbolique associée au Poissons. D'autant plus que le symbole utilisé par les premiers chrétiens pour s'identifier entre eux était un poisson. Donc, la transition entre les deux ères peut facilement atteindre de trois à quatre cents ans.

Pour l'ère du Verseau, on pourrait aussi fixer le commencement de la transition avec la découverte d'Uranus (planète associée au Verseau). Avant cet événement, en 1781, le bœuf et la charrue étaient le principal instrument pour nourrir une population, métaphore pour dire qu'on semblait être encore assez loin de la mécanisation. Au contraire, à peine quelques décennies plus tard, l'Europe s'est couverte de rails et le train à vapeur y circulait abondamment. Les premiers tracteurs pour labourer la terre apparaissaient. L'effet uranien a été radical sur l'intelligence humaine; du jour au lendemain, à l'échelle de l'évolution, nous sommes passés de la fabrication artisanale à la manipulation de l'atome, en passant par la découverte de l'électricité.

Le Verseau est un révolutionnaire également: il aime que justice soit faite et a horreur de la corruption. Ainsi, toujours avec la découverte d'Uranus, les révolutions américaine et française se sont suivies autour de cette même date, mettant fin à un régime autoritaire, à la monarchie, pour laisser plus de liberté à la population en cherchant à établir une égalité entre tous. Les résultats ont peut-être été mitigés mais, fondamentalement, nous y voyons les prémices des systèmes politiques démocratiques que l'on applique de nos jours.

En fait, l'ère du Verseau mettra fin à la corruption et donnera le pouvoir au peuple en apportant la justice sociale, la paix et une efficacité exemplaire pour régler tous les problèmes. Sous Jupiter en Scorpion en 2018, un élément déclencheur fera un autre pas important en direction de l'ère du Verseau. Notre humanité devra inévitablement sortir de sa zone de confort pour évoluer vers son épanouissement.

Position des planètes en 2018

Jupiter est en Scorpion, Saturne est en Capricorne, Uranus commencera à s'installer en Taureau, Neptune demeure en Poissons et Pluton poursuit sa course dans la seconde partie du Capricorne. Les petites planètes feront le tour du zodiaque, comme le Soleil, sauf Mars qui parcourra la deuxième moitié de ce même zodiaque, soit du Scorpion jusqu'au Poissons, en 2018.

Nous serons donc soumis à un climat général passablement complexe. Le monde dans lequel nous vivons s'est imposé des règles et des mesures qui ne peuvent être comprises par le commun des mortels, mais celles-ci favorisent l'harmonie et la sécurité des gens. Parfois, cette complexité devient un véritable chaos lorsque des événements hors du commun se présentent. Par exemple, en économie, lorsque l'on arrive en période de crise, il est important d'assouplir la réglementation pour faciliter le commerce et favoriser la reprise. Par contre, quand l'économie fonctionne à plein régime, elle se fait freiner par de nouvelles lois pour équilibrer les forces dans le marché. Dans un cas comme dans l'autre, il y a inévitablement une période transitoire qui n'est pas toujours facile à traverser. Il faudrait s'attendre à une surchauffe impressionnante, notamment avec l'immobilier, et le resserrement des règles pour calmer le jeu risque d'avoir l'effet pervers de nous plonger en récession.

La corruption est l'un des plus grands fléaux qui freinent le développement de toute société à cause de l'enrichissement d'une certaine élite qui ne mérite pas de telles faveurs. On réussira sûrement à démystifier les stratèges des politiciens et autres financiers qui faisaient des affaires louches dans les paradis fiscaux. S'il y a la moindre enquête de nature internationale au sujet de l'évasion fiscale, il y a de bonnes chances que l'on puisse avoir droit à des résultats intéressants. Heureusement pour ces voleurs et malheureusement pour nous, simples contribuables, ils ne feront face à la justice que lorsque Jupiter atteindra le Verseau en 2021.

Jupiter et le mythe du Scorpion

Le Scorpion protégeait l'île de la déesse Artémis. Celle-ci, voyant au loin un géant s'approcher dangereusement et craignant pour sa faune, fit donc appel au Scorpion pour le combattre aussitôt que celui-ci mettrait les pieds sur le rivage. Ce fut chose faite, et le géant fut tué sur le coup. Peu après, on réalisera que c'était une grave erreur : le géant était Orion, un allié, et il n'avait aucune intention malfaisante, il venait plutôt en tant que protecteur de la déesse. Réalisant sa méprise, la déesse décida aussitôt de se racheter en divinisant Orion et le Scorpion tandis qu'elle les installa dans le ciel : ils sont aujourd'hui les constellations du même nom. D'ailleurs, pour éviter un conflit entre eux dans les cieux, ils ont été placés chacun à l'extrémité de la voûte céleste. Orion est tout juste sous le Taureau, signe opposé au Scorpion ; ainsi, lorsque l'un se lève à l'horizon, l'autre disparaît tel un coucher de soleil.

Jupiter est une divinité très importante ; il est le roi des dieux, maître de l'Olympe, il règne sans trop de rigueur et préfère la justice à la tyrannie. Il s'affaire principalement à s'amuser ainsi qu'à profiter de son statut. Il est connu pour sa recherche de plaisir charnel et ressent une profonde joie à rendre sa femme jalouse de ses conquêtes. Il parcourt le monde en quête d'aventures et protège les gens devant les situations où l'injustice et la démesure font rage. Il fut l'un des justiciers de l'Antiquité en quelque sorte, et il s'intéresse à tout. Dans notre monde contemporain, ce dieu ou cette planète met en lumière diverses réalités que nous devons vivre ; il met en avant-plan la nouvelle aventure que nous réserve la vie. Comme il s'installe dans le signe du Scorpion pendant presque toute l'année 2018, on peut s'attendre à ce que cette histoire complexe, confuse et mal coordonnée ressurgisse. Le Scorpion détruira ce qu'on lui demandera de détruire, même s'il s'agit d'une erreur. Sa puissance ne permet pas de faire marche arrière, et nous ne pouvons qu'en assumer les conséquences. Qui sera Orion en 2018 ? Quel individu, quelle situation, quel mode de vie, quelle société ou quelle civilisation devront disparaître ?

Uranus en Taureau

Cette planète est la représentation du dieu Prométhée qui apporta le feu à l'homme, symbolisant ainsi la lumière, la connaissance et la civilisation à celui-ci. Quant au Taureau, il fait référence à un mythe associé à l'idolâtrie de la beauté ainsi qu'à la possession matérielle. N'avez-vous pas déjà entendu parler du veau d'or que Moïse a tenté de sortir du camp des juifs en exil ? De plus, si vous avez fait un tour à New York dans le quartier des affaires, vous y apercevrez le fameux Taureau de Wall Street. Ce signe du zodiaque est en partie associé à l'argent. Il y aura donc la lumière sur l'argent au cours de ce long transit de sept ans. En effet, Uranus en Taureau et Jupiter en Scorpion en face pendant une bonne partie de l'année augurent une vaste enquête sur le système financier et ses ratés. Peut-être que l'on visera Orion (si près du Taureau dans le ciel), provoquant ainsi un certain chaos dans notre monde, pour enfin le reléguer à l'histoire et poursuivre la vie dans une dynamique plus juste et équitable. Le système monétaire tel qu'on le connaît permet beaucoup trop de manipulations pour les initiés, et ses jours sont certainement comptés. Peut-être devrons-nous revenir à la valeur de l'or comme référence pour retrouver un monde où l'échange sera plus juste entre les peuples.

Pluton en Capricorne

Cette planète, qui fait appel au dieu des enfers, nous rappelle l'importance de préserver les acquis et de poursuivre la tradition en s'enracinant dans les terres de nos ancêtres. Elle veut que l'on protège notre monde et qu'on ne laisse pas entrer l'étranger, la civilisation et l'évolution. Plusieurs d'entre nous, partout sur la planète, s'accrochent aux vieilles religions qui n'ont pas su s'adapter à ce nouveau monde en transformation. Pluton tente de retenir tant bien que mal ce passé désabusé qui n'a plus lieu d'être. Il a peur de perdre ses repères, et il craint un avenir qu'il ne peut ni voir ni comprendre. Il est celui qui nous empêche de sauter à pieds joints dans l'ère du Verseau où l'humanité sera juste et harmonieuse en lui permettant une évolution perpétuelle en conformité avec sa nature propre. Pluton quittera le Capricorne en 2024 et, d'ici là, on se battra avec nos tripes pour conserver nos acquis et ce que l'on connaît au détriment d'un avenir meilleur (évidemment sans le savoir).

Neptune en Poissons

Magnifique planète où siègent l'intangible, les rêves, la créativité et la compassion. Tandis que celle-ci traverse sa position naturelle, son propre domaine ou son domicile, elle nous porte à approfondir la nature humaine et à nous reconnaître en tant qu'individu. Depuis 2012, année où cette planète est entrée en Poissons, les publications, ateliers, conférences et autres activités prônant le mieux-être ne cessent de se multiplier et occupent l'espace publicitaire avec bien plus de vigueur. Il s'agit également d'une preuve que notre monde est en transformation et qu'il faut maintenant redéfinir notre nature propre. Nous ne sommes plus les « chasseurs-cueilleurs » et autres « hommes de caverne », nous devons nous adapter à un mode de vie où le « danger » n'est plus une réalité quotidienne. Notre organisme doit s'y adapter aussi bien physiquement que psychiquement. Le rôle de Neptune est de nous aider à trouver cet état d'être au plus profond de nous-mêmes, là où la conscience individuelle et collective fusionne en une seule entité harmonieuse. Nous apprendrons à aimer notre prochain comme nous-mêmes.

Les prochaines générations

Elles n'auront pas peur du changement et elles auront l'audace d'offrir un monde plus inclusif où tous auront une place qui leur convient parfaitement. La génération Y, ou plutôt les gens qui sont nés avec Pluton en Scorpion entre 1983 et 1995, démontrent un sens profond pour la rébellion et ils ont le pouvoir de jeter par terre les institutions jugées archaïques afin de rebâtir le monde selon un nouveau modèle.

Nos jeunes qui sont nés entre 1995 et 2008, avec Pluton en Sagittaire, sont les nouveaux explorateurs et ils ouvriront leurs portes à la diversité. Il n'y a qu'un seul peuple sur cette planète : il s'agit des humains, selon eux. Lorsque cette génération atteindra une certaine maturité, il ne sera plus question d'exploiter la misère dans les pays pauvres pour fabriquer les produits que l'on achète à bas prix. Le musulman d'Algérie, l'Amérindien, l'aborigène d'Australie, l'homme d'affaires de New York ou le chaman d'Amazonie, tous seront d'un grand intérêt et tous les recoins de la planète seront explorés et exposés au grand jour sans jugement.

Les enfants nés entre 2008 et 2023 feront le lien entre les générations passées, présentes et futures. Pluton en Capricorne veut ancrer le souvenir dans la mémoire collective ainsi que respecter les traditions sans pour autant qu'elles soient un frein ou un fardeau à notre développement. Rome ne s'est pas bâtie en un seul jour ; lentement mais sûrement, cette génération aura l'immense obligation de conduire le nouveau monde avec des repères et des objectifs concrets et réalisables.

Quant aux enfants qui naîtront par la suite, de 2024 jusqu'en 2070, donc lorsque Pluton sera en Verseau et en Poissons, ils seront partie prenante du nouveau monde. Pour faire un comparatif, imaginons le paysan qui cultive son champ avec ses bœufs et sa charrue comme l'avaient fait son père, son grand-père ainsi que ses lointains ancêtres. Celui-ci voit arriver le tracteur qui révolutionnera l'agriculture en quelques décennies à peine, et ses enfants deviendront non pas des paysans, mais des comptables et des médecins ; ses petits-enfants seront ingénieurs, programmeurs ; ses arrière-petits-enfants occuperont des métiers que l'on ne connaît pas encore aujourd'hui. Bref, nous voilà à nouveau à cette croisée des chemins où l'avenir ne peut se deviner facilement, et il implique une autre évolution sans précédent qui transformera la nature même de l'être humain.

Élections générales au Québec

Elles se tiendront au plus tard le 1er octobre 2018, mais au moment d'écrire ces lignes, il est trop tôt pour connaître les candidats qui se présenteront. L'actuel premier ministre est Cancer (Philippe Couillard), tandis que ses principaux opposants sont Verseau (Jean-François Lisée) et Gémeaux (François Legault). Jupiter, qui sera en Scorpion, favorisera le Cancer, qui est signe d'eau. Mais le monde du Scorpion a besoin de changements, et ce ne sera assurément pas une année facile pour le chef actuel. Selon l'impact de la crise économique (il est possible qu'elle ne se soit pas encore déclarée au moment des élections), il y aura une montée importante des partis plus radicaux et socialistes, comme Québec Solidaire, puisqu'ils seront un symbole de changement important.

L'énergie propre

En 2018, nous ne serons pas encore prêts à faire un virage écologique. Les voitures consommeront encore de l'essence, bien des bâtiments seront chauffés avec du combustible et les industries continueront de rejeter d'innombrables produits chimiques dans l'air. Par contre, la position de Jupiter en Scorpion et de Mars en Scorpion au début de l'année pourrait bien déclencher une catastrophe qui incommodera un grand nombre de personnes, et nous ne pourrons rester indifférents. La Chine, l'Inde ou un de ces pays surpeuplés risquent d'être confrontés à un niveau de pollution dramatique, occasionnant bien des morts. Il y aura donc une prise de conscience majeure de ce problème qui pourrait aussi arriver chez nous. Il pourrait s'agir d'un problème avec une centrale nucléaire également. La suie du charbon et du pétrole est toujours une source de pollution très dangereuse pour la santé.

Heureusement, les problèmes environnementaux sonneront l'alarme et rappelleront nos engagements pour éviter la surchauffe trop rapidement. Il y aura d'énormes avancées en matière d'énergie propre, et le changement des mentalités se fera sentir de plus en plus. Les climatosceptiques seront la risée du monde scientifique, et des solutions originales se pointeront le bout du nez. L'année dernière, nous affirmions qu'il serait *cool* d'être plus respectueux de l'environnement, et en 2017 les voitures électriques ont eu la cote. Elles ont connu un développement sans précédent.

Le marché de l'emploi

Avec une économie en crise et en surchauffe en même temps, il ne sera pas toujours facile de dénicher des emplois convenables. Il faudra être polyvalent, prêt à affronter les changements et s'adapter à de nouvelles réalités dans tous les domaines. Le monde change, et les emplois également. Même les gouvernements n'offriront plus la sécurité d'emploi et préféreront avoir recours à des travailleurs autonomes. Mais les lois et les règlements étant conçus pour l'ancien monde, il ne sera pas facile d'y trouver une situation parfaite. Les syndicats auront de grandes manifestations à leur agenda et la paix sociale sera perturbée à plusieurs reprises afin d'éveiller l'attention de la population aux problèmes de style Uber. Le concept des fonds de pension pourrait être un sujet de manifestation important, la peur de l'avenir envahira certains domaines d'activité économique traditionnels.

La culture

Les arts devraient refléter une image plus sombre ou plus profonde. Les grands films seront portés vers l'émotion plutôt que vers le sensationnalisme. Même s'il se produit toujours un grand nombre de films d'action, ceux-ci devraient dévoiler une histoire plus intéressante ainsi que des intrigues particulières. Il ne serait pas étonnant que les films d'horreur aient la cote. Il y aura aussi plusieurs *remakes* à l'affiche ou en cours de production tout au long de l'année.

On misera également sur la vie plus réelle dans les différentes productions. On aura droit à des histoires plus près de nous et qui font appel à nos émotions, plutôt qu'à des cascades et à des prouesses. Les séries télévisées les plus populaires parleront plutôt de la vie ordinaire d'une mère de famille que d'un superhéros qui doit se battre avec des zombies. On sentira aussi le besoin de réfléchir et d'apprécier l'art à un second niveau.

Même chose en littérature : les histoires à suspense ou d'horreur et les drames auront toute l'attention. Il est possible aussi qu'une biographie fasse scandale : on y apprendra que telle ou telle personnalité n'aura pas été aussi pure que ce que l'on avait cru. Notamment, des fouilles archéologiques ou un document retrouvé pourraient prouver qu'un ancien monarque n'était pas celui qu'il prétendait être. Bref, on aura droit à de belles enquêtes qui lèveront le voile sur de nombreux points obscurs. D'ailleurs, l'actualité journalistique sera sûrement ponctuée d'histoires de scandales financiers.

Le sarcasme sera à l'honneur chez les humoristes qui s'en donneront à cœur joie, s'en prenant aux bourdes des politiciens et à leurs promesses non tenues, notamment. Toute forme de communication sera sûrement prononcée avec une certaine dérision. Les animateurs, les chroniqueurs et autres intervenants publics mettront en lumière les problèmes de la société avec vigueur. Il y aura sûrement un mouvement contestataire qui se généralisera dans les discours.

Il y aura possiblement une baisse de popularité dans les spectacles à grand déploiement : le public sera moins au rendez-vous, ou alors un événement compliquera la diffusion de ce type de représentation. Heureusement, ce ne sera que provisoire, on entendra sûrement parler du plus grand et impressionnant spectacle en préparation sous chapiteau que l'on n'a jamais vu.

Le climat politique mondial

La vague de tension devrait atteindre son apogée, et les conflits armés se limiteront à une forme plutôt conventionnelle de petite guerre en divers endroits dans le monde. Les coûts reliés à la guerre seront peut-être ce qui freinera l'escalade des tensions, permettant ainsi de trouver une voie pacifique aux problèmes.

Il y aura aussi un éveil des pays arabes pour trouver des solutions entre eux, puisque bien des conflits éclatent dans leurs propres territoires ou à proximité. De nombreux gouvernements de ces mêmes pays se sont enrichis sur le plan personnel et ils ont négligé leur population. De nouveaux soulèvements sont à prévoir. Il en résultera sûrement une meilleure répartition de l'argent dans cette partie du monde, ainsi qu'une société plus socialiste et équitable. Quelques pays arabes feront leur entrée dans un monde plus moderne avec des valeurs conformes à la réalité internationale.

Québec

Notre réputation n'est plus à faire concernant l'art et les productions artistiques. Nous connaîtrons une année exceptionnelle, et nos créateurs seront vus et entendus partout dans le monde. De plus, grâce à nos talents, le tourisme augmentera considérablement et nous aurons de plus en plus de contacts avec toutes les cultures de ce monde. De grands travaux feront l'envie de tous, par exemple le nouveau pont Champlain. Le Québec rayonnera, d'une manière ou d'une autre, dans le monde.

Les années électorales sont généralement surprenantes et nous n'y ferons pas exception cette fois-ci. Bien que notre premier ministre actuel (Cancer) ait de bonnes chances pour remporter à nouveau, les partis à tendance socialiste, tels que Québec Solidaire, devraient avoir le vent dans les voiles et connaître un succès impressionnant. Les politiques plus équitables et avant-gardistes auront la cote auprès des électeurs. L'État providence se réinventera, et un projet de société devrait enfin voir le jour. L'identité québécoise sera un enjeu important et notre distinction comme francophones dans une Amérique du Nord anglophone jouera enfin en notre faveur. À l'image des années 60 et 70 où le Québec faisait tous les efforts nécessaires pour s'élever en tant que nation, cette lueur patriotique fera surface à nouveau en raison des risques accrus d'assimilation.

Il y aura possiblement de grands problèmes avec certains hôpitaux et le système de santé dans son ensemble. Celui-ci n'est pas encore prêt pour affronter le vieillissement de la population qui est déjà bien enclenché. Il faudra inévitablement établir davantage de partenariat avec le privé pour combler des lacunes, et s'entendre avec des groupes de travailleurs pour améliorer les services. Les négociations seront ardues et ne pourront être terminées avant la fin de l'année.

Le système de justice pourrait se retrouver paralysé pendant une bonne partie de l'année en raison de grèves ou de lois trop faciles à contourner. Un scandale, ou une pratique frauduleuse répandue chez les criminels, pourraient être dévoilés au grand jour par nos journalistes, mais il sera difficile de les condamner. D'ailleurs, il est possible que certaines fraudes se trament dans les institutions d'enseignement, ce qui nous permettra de comprendre pourquoi de nombreux bâtiments ont été mal entretenus trop longtemps.

États-Unis

Avec un Donald Trump à la présidence (Gémeaux ascendant Lion), il serait possible qu'il démissionne ou qu'il se fasse montrer la porte. Une chose est sûre, son orgueil en prendra pour son rhume. De plus, sa misogynie risque de le faire mal paraître en plusieurs circonstances, et il n'aura d'autre choix que d'admettre certaines erreurs.

Les États-Unis devraient connaître une crise économique qui n'ébranlera pas trop l'emploi ou les bases de la société, et n'entraînera pas une nouvelle crise financière mondiale. Par contre, la dette risque de revenir hanter l'administration du pays, et un plusieurs compressions dans les programmes sociaux seront exercées. Notamment, à défaut de trouver une solution de rechange à l'Obamacare, on risque de mettre la hache dans tout le système, et il faudra des années avant de retrouver des soins de santé pour les moins nantis. Cette insouciance dans le domaine de la santé pourrait laisser introduire un virus qui en profitera pour se multiplier dans une population à court de ressources.

France

Ce pays, à qui on attribue le signe du Lion, devrait reprendre du poil de la bête économiquement et socialement. S'il prend soin de la base, soit la famille, l'industrie et l'agriculture, les gens ne pourront qu'être réconfortés et assurés d'un avenir plus intéressant. Il y aura aussi tout un déploiement concernant la restauration des monuments antiques. Les Français pourraient également prendre les commandes mondiales pour faire la guerre à l'industrie de la transformation alimentaire; ils prendront au sérieux l'épidémie d'obésité que la planète connaît. La France deviendra chef de file en ce qui concerne la santé en général, et sera omniprésente afin d'offrir des denrées dans les régions du monde où la famine règne.

En conclusion

Émotion : voilà le mot clé à retenir cette année. Qu'est-ce qu'une émotion ? Que faut-il faire avec elle ? Quel est son objectif ? À quoi sert-elle ? Simplement, elle fait de nous des êtres humains et non des machines.

Douze signes et douze ascendants

Cette part de l'astrologie totalise la somme de 144 signes étudiés et calculés dès le début de 2017 pour pouvoir vous les offrir en 2018; mais il est impossible de connaître les cartes du ciel, également nommées thèmes astrologiques, de tous les individus qui forment la masse planétaire. Il suffit d'une minute ou même de trente secondes de différence entre deux individus nés à la même date et à la même année, presque à la même heure, malgré quelques ressemblances, et les différences seront évidentes.

Il est possible qu'un jour l'intelligence artificielle puise dans les milliers d'informations astrales; ainsi, aux connaissances astrologiques, s'ajoutera le savoir provenant de la nuit des temps et de pays souvent éloignés les uns des autres ou disparus qui ont exploré la voûte céleste. Cela révélera dans les moindres détails qui vous êtes, quel type de bébé vous étiez, comment étaient vos parents, quel genre de musculature vous posséderez en grandissant, etc. Il sera possible de décrire votre apparence, la longueur de vos membres, etc. Bref, dès la première seconde de votre naissance, l'intelligence artificielle précisera toutes vos capacités et votre utilité dans ce monde. Notre intelligence mécanique relève principalement d'Uranus et de Mercure. Par contre, je reste persuadée qu'une machine, aussi sophistiquée soit-elle, ne peut définir précisément l'émotivité humaine, les subtilités de notre sensibilité; l'intelligence artificielle et mécanique ne pourra ni concevoir ni connaître le fonctionnement de nos perceptions, pas plus que leurs origines, ni non plus à quels moments elles surgissent avant au moins quelques centaines d'années. Neurones, interconnexions des synapses et astrocytes qui font constamment le ménage de nos méninges n'ont pas encore révélé le mystère qu'est lui-même le mot «intelligence». Comment se fait-il qu'un cancre devienne soudainement un visionnaire et un génie? Cela se produit dans toutes les classes de la société et quelle que soit la race de l'individu. Si les généticiens savent que notre ADN est intimement lié à l'intelligence et au génie, aucun d'eux ne peut expliquer et encore moins appliquer cette part de l'ADN qui fait d'un homme ou d'une femme ordinaire un héros, un savant qu'on hisse au rang de demi-dieu ou demi-déesse!

Comment bien lire votre horoscope

Qui ne connaît pas son signe du zodiaque ? Sans doute lirez-vous d'abord les pages concernant votre signe. Si vous êtes amateur ou grand connaisseur en astrologie, vous devriez connaître aussi votre ascendant. Les pages correspondant à votre ascendant refléteront des événements susceptibles de se produire en 2018.

Si vous êtes chevronné, vous connaissez sûrement la position des planètes de votre thème natal. Si vous possédez votre carte du ciel, vous en apprendrez davantage sur vous-même ainsi que sur ce qui est en devenir. Notamment, les passages concernant votre vie amoureuse seront des plus révélateurs en fonction du signe dans lequel se trouve la planète Vénus dans votre carte du ciel. Votre Mercure natal figurera plutôt dans les passages concernant le travail et la santé.

Par exemple, si votre signe est Scorpion, vous devez lire le Scorpion dans son ensemble. Si votre ascendant est Poissons, vous pouvez lire aussi ce signe dans son ensemble, mais en faisant surtout ressortir les passages qui traitent d'événements et moins d'émotions. Si vous avez Vénus en Balance, lisez les passages sur l'amour dans le signe de la Balance. Si votre Mercure est en Sagittaire, vous devez alors lire les passages liés au travail et à la santé dans le Sagittaire.

À travers ce méli-mélo, il se pourrait que vous y trouviez des contradictions ; il sera donc important de les interpréter correctement et de faire la part des choses. Par exemple, si vous trouvez que dans votre signe la santé est excellente, alors que dans l'ascendant on fait référence à des maux de tête, vous devrez en conclure que l'aspirine devrait faire l'affaire et qu'il n'est pas question ici de tumeur au cerveau !

Calcul de l'ascendant de manière simplifiée

Il faut d'abord connaître l'heure de naissance; si l'on est né où l'heure d'été était en vigueur, il faut la soustraire à son heure de naissance. Cherchez dans le tableau des heures sidérales le temps sidéral du jour de votre naissance. Si votre date de naissance ne s'y trouve pas, choisissez la date précédente la plus rapprochée et ajoutez-y quatre minutes pour chaque jour qui sépare cette date de votre jour de naissance. Par exemple, si vous êtes né le 18 août, le tableau donne l'information pour le 16 août, soit 21 h 34. Donc, il faut ajouter deux fois quatre minutes, soit huit minutes. Vous obtenez ainsi le temps sidéral du jour de votre naissance si vous êtes né le 18 août. N'oubliez pas que si le total des minutes dépasse 60, il faut soustraire 60 de ce total et ajouter une heure; par exemple, 4 h 50 plus 15 minutes donnent 4 h 65, ce qui fait plutôt 5 h 05.

Ajoutez à votre heure de naissance le temps sidéral du jour de votre naissance que vous trouverez dans le tableau des heures sidérales. C'est l'heure sidérale de la naissance. Si vous obtenez un résultat qui dépasse 24 heures, il faudra soustraire 24 heures du total obtenu; par exemple, si vous obtenez 35 h 14, il faudra soustraire 24 heures de ce résultat, ce qui donne 11 h 14, l'heure sidérale de votre naissance.

Maintenant, cherchez dans le tableau des ascendants le signe correspondant au temps sidéral de votre naissance que vous avez trouvé au cours de l'opération exécutée précédemment. Ce signe est donc votre ascendant. Évidemment, ce calcul ne tient pas compte du lieu de naissance et pourrait ne pas être parfaitement juste si votre ascendant se situe tout près d'un changement de signe.

Tableau des heures sidérales

Bélier		
22 mars – 11 h 54 26 mars – 12 h 10 31 mars – 12 h 30	1er avril – 12 h 34 5 avril – 12 h 50 10 avril – 13 h 10	15 avril – 13 h 29 20 avril – 13 h 49
Taureau		
21 avril – 13 h 53 25 avril – 14 h 09 30 avril – 14 h 29	1er mai – 14 h 33 5 mai – 14 h 48 10 mai – 15 h 08	15 mai – 15 h 28 21 mai – 15 h 51
Gémeaux		
22 mai – 15 h 55 26 mai – 16 h 07 31 mai – 16 h 31	1er juin – 16 h 35 5 juin – 16 h 51 10 juin – 17 h 10	15 juin – 17 h 30 21 juin – 17 h 54
Cancer		
22 juin – 17 h 58 26 juin – 18 h 13 30 juin – 18 h 29	1er juillet – 18 h 33 5 juillet – 18 h 49 10 juillet – 19 h 09	15 juillet – 19 h 28 19 juillet – 19 h 44 22 juillet – 19 h 56
Lion		
23 juillet – 20 h 00 27 juillet – 20 h 16 31 juillet – 20 h 31	1er août – 20 h 35 5 août – 20 h 51 10 août – 21 h 11	16 août – 21 h 34 22 août – 21 h 58
Vierge		
23 août – 22 h 02 28 août – 22 h 22 31 août – 22 h 34	1er septembre – 22 h 37 5 septembre – 22 h 53 10 septembre – 23 h 13	15 septembre – 23 h 33 21 septembre – 23 h 56
Balance		
22 septembre – 0 h 00 26 septembre – 0 h 16 30 septembre – 0 h 32	1er octobre – 0 h 35 5 octobre – 0 h 52 10 octobre – 1 h 11	15 octobre – 1 h 31 20 octobre – 1 h 51 23 octobre – 2 h 03
Scorpion		
24 octobre – 2 h 06 28 octobre – 2 h 22 31 octobre – 3 h 34	1er novembre – 2 h 38 5 novembre – 2 h 54 10 novembre – 3 h 13	16 novembre – 3 h 37 22 novembre – 4 h 01
Sagittaire		
23 novembre – 4 h 05 27 novembre – 4 h 20 30 novembre – 4 h 32	1er décembre – 4 h 36 5 décembre – 4 h 52 10 décembre – 5 h 12	16 décembre – 5 h 35 21 décembre – 5 h 55

Capricorne		
22 décembre – 5 h 59 26 décembre – 6 h 15 31 décembre – 6 h 35	1er janvier – 6 h 39 5 janvier – 6 h 54 10 janvier – 7 h 14	15 janvier – 7 h 34 20 janvier – 7 h 53
Verseau		
21 janvier – 7 h 57 26 janvier – 8 h 17 31 janvier – 8 h 37	1er février – 8 h 41 5 février – 8 h 56 10 février – 9 h 16	15 février – 9 h 36 19 février – 9 h 52
Poissons		
20 février – 9 h 56 24 février – 10 h 11 28 février – 10 h 27	1er mars – 10 h 31 5 mars – 10 h 47 10 mars – 11 h 07	16 mars – 11 h 30 21 mars – 11 h 50

Tableau des ascendants*

L'ascendant BÉLIER se situe entre 18 h 00 et 19 h 04.
L'ascendant TAUREAU se situe entre 19 h 05 et 20 h 24.
L'ascendant GÉMEAUX se situe entre 20 h 25 et 22 h 16.
L'ascendant CANCER se situe entre 22 h 17 et 0 h 40.
L'ascendant LION se situe entre 0 h 41 et 3 h 20.
L'ascendant VIERGE se situe entre 3 h 21 et 5 h 59.
L'ascendant BALANCE se situe entre 6 h 00 et 8 h 38.
L'ascendant SCORPION se situe entre 8 h 39 et 11 h 16.
L'ascendant SAGITTAIRE se situe entre 11 h 17 et 13 h 42.
L'ascendant CAPRICORNE se situe entre 13 h 43 et 15 h 33.
L'ascendant VERSEAU se situe entre 15 h 34 et 16 h 55.
L'ascendant POISSONS se situe entre 16 h 56 et 17 h 59.

* Il ne s'agit pas de l'heure de naissance, mais bien du résultat de votre calcul.

Bélier

(du 21 mars au 20 avril)

Au souvenir de Denise Aubry (mère de Jacqueline), Benjamine Hébert, Christopher Lee Donaldson, Érick Talbot, Gilles Lemieux

Vous êtes le symbole de l'action par excellence et vous vous devez d'être toujours en mouvement pour que votre esprit puisse connaître une certaine quiétude. Si vous avez l'impression de tourner en rond depuis des années, vous serez d'autant plus motivé pour entreprendre enfin une ligne droite en direction de vos différentes ambitions. L'ensemble de l'année 2018 sera probablement nécessaire pour réussir à définir un objectif en particulier, auquel vous vous consacrerez à fond. De plus, il sera nécessaire de sortir de votre zone de confort pour réussir à trouver cette avenue et cheminer vers le ou les buts que vous vous fixerez.

Volontairement ou non, vous devrez faire preuve d'un grand dévouement envers les gens, des amis, des proches et même de purs inconnus. Ce qui vous amènera, pour la première fois, à prendre conscience que les humains ne sont pas tous nés égaux, ce que vous aviez toujours cru jusqu'à présent. Vous aurez tout le potentiel nécessaire pour faire changer les choses non seulement en vous, mais dans la société aussi. Vous serez animé par un esprit de rébellion contre l'injustice sociale.

Personnellement, ce sera à la suite d'une situation qui ne sera pas des plus faciles à vivre sur le plan émotif que de nouveaux objectifs pourraient naître. Heureusement, vous êtes un signe qui accepte généralement les changements avec un certain enthousiasme ou, au pire, avec indifférence. Notamment, un déménagement pourrait s'annoncer tandis qu'un certain chaos se démarque autour de vous. Dans un scénario catastrophe, vous pourriez devoir quitter les lieux de toute urgence pour vous installer dans un refuge temporaire. Évidemment, il y a davantage de chances que vous soyez seulement contraint de déménager : vous dénicherez tout simplement un meilleur endroit où vivre.

Le chez-soi est aussi synonyme de famille, et il y aura potentiellement une situation déstabilisante avec celle-ci durant l'année. Par exemple, vous pourriez devoir prendre la déchirante décision d'installer vos vieux parents dans une résidence pour personnes âgées, n'étant plus en mesure de leur prodiguer les soins nécessaires. Vos enfants en sont possiblement à l'âge de voler de leurs propres ailes, ce qui apportera de grands changements à la maison. Vous pourriez ainsi réaliser que la maison est trop grande pour vous sans les enfants, et vous déciderez en toute spontanéité de la vendre.

Le mot « changement » est à retenir dans toutes les sphères de votre vie, du moins celles qui ont besoin de transformation. Et ces changements ne peuvent que vous être favorables en fin de compte puisqu'ils seront conformes à vos objectifs et à vos projets d'avenir. Ou alors, ils vous feront découvrir vos propres ambitions personnelles et professionnelles si vous êtes dans le doute à ce sujet.

Professionnellement, si vous vous sentez ramer à contre-courant depuis longtemps, la vie sera plus dure pour vous et vous imposera les changements nécessaires. Même si tous les messages vous invitent à quitter votre emploi et que vous ne faites que vous y accrocher, les éléments se mettront en place pour vous faire perdre votre boulot. Et aussitôt que vous serez disponible pour un nouveau poste, vous découvrirez une carrière des plus passionnantes. En quelques semaines à peine, vous nagerez dans l'abondance, le plaisir et le bonheur. Il ne suffisait que d'avoir le courage de faire le saut.

Si vous avez l'âme artistique, il est possible que vous réussissiez à exploiter vos talents à l'intérieur de vos nouvelles fonctions. Il s'agit peut-être aussi de votre dévouement et de votre côté humanitaire qui vous inviteront à vous impliquer activement dans une certaine direction professionnelle. À moins que vous ne soyez retraité, ce sera dans votre travail que vous accomplirez des gestes de grande générosité et des exploits humanitaires.

Bien entendu, de si grandes ambitions sociales risquent d'avoir quelques répercussions sur le plan personnel, notamment sur votre vie amoureuse. Trop souvent, vous serez plus préoccupé par le sort des autres qui sont à l'extérieur que par celui de ceux qui vivent sous votre toit. Votre amoureux, bien que compréhensif, pourrait manifester une certaine insatisfaction de manière lente, enfonçant votre couple dans une spirale négative tel un cercle vicieux. Encore une fois, le mot «changement» s'avère impératif à appliquer, sans pour autant vous engager dans la voie de la séparation. Il ne suffira que de s'offrir de nouveaux projets à faire en couple, par exemple repeindre ensemble la maison, vous acheter un chalet ou planifier un voyage de rêve d'ici l'automne prochain.

Si votre relation amoureuse est toute récente, il sera important de commencer à regarder plus attentivement votre avenir en commun et de fixer certains objectifs à court et à moyen termes. Plus l'année avancera, plus vous serez mûrs pour vivre ensemble. Vos inquiétudes quant à la perte de votre liberté s'évanouiront, et vous vous sentirez libre d'aimer et de partager votre quotidien. La peur de l'engagement ne sera plus un fardeau.

Vous êtes célibataire? La situation est beaucoup plus compliquée pour vous! En effet, vous ne cessez probablement pas de repousser tous les prétendants, même ceux qui sont des gens bien. Votre peur de l'amour est à son plus haut niveau, au point de la sentir de plus en plus insupportable. Comme tout le monde, vous avez besoin d'amour, et ce besoin commencera à devenir plus criant. Si vous avez subi des traumatismes sur le plan sexuel, ils feront surface d'une manière ou d'une autre, ou alors ce sont des blocages qui freinent vos projets de vous investir dans une vie de couple. Il y aura nécessairement un travail intérieur qui s'effectuera à ce sujet ; vous constaterez de nouveau que la sexualité n'est pas une activité sale et qu'elle mérite votre attention.

Évidemment, quiconque vous bousculerait dans le processus de développer une relation s'éjectera de lui-même de votre vie instantanément. Heureusement, il y aura bien une personne qui aura la patience et la délicatesse nécessaires pour redécouvrir les plaisirs d'une vie amoureuse. D'ailleurs, vos peurs et vos appréhensions se transformeront en plaisir et en joie de vivre.

En tant que retraité, vous êtes également soumis au mot « changement ». Si vous êtes nouvellement seul, le deuil de la situation s'effectuera avec une grande sérénité, et la lourdeur émotionnelle se dissipera vers la fin de l'année. Il s'agit d'un processus naturel qui s'échelonne dans le temps étape par étape. Il vous suffit d'en aborder une à la fois, et vous atteindrez le sommet sans ressentir de pression. Il est possible aussi qu'une situation moins agréable survienne à l'un de vos proches, et celui-ci aura besoin de vos services. Du moins, votre sens des responsabilités prendra le dessus sur vos capacités physiques et vous volerez au secours de ceux que vous aimez. Bien qu'épuisante, cette situation aura le mérite de vous faire sentir en vie !

Côté santé, des changements s'imposent pour que vous puissiez retrouver toute votre vitalité et reconnaître l'être actif que vous êtes naturellement. Vous découvrirez sûrement une forme de méditation ou de technique de mieux-être, laquelle vous conduira à une nouvelle façon de voir la vie. Non seulement vous pourriez diminuer des troubles d'hypertension, par exemple, mais vous vous offrirez également une espérance de vie considérable. Bref, si vous êtes à l'article de la mort, une thérapie qui change vos habitudes vous remettra sur pied, et vous aurez à nouveau de nombreuses années devant vous.

Bélier et ses ascendants en 2018

Bélier ascendant Bélier

Vous constaterez qu'autour de vous les gens sont plus hésitants, ou si prudents que presque personne ne passe à l'action comme vous le souhaitez. Vous êtes le digne représentant d'un signe régi par Mars, en double, aussi est-il rare qu'un Bélier/Bélier soit patient! Jusqu'au 9 novembre, Jupiter est en Scorpion, un signe de Mars comme le vôtre. Il traversera votre huitième signe et ascendant. Vous serez souvent précipité dans des changements non désirés, surprenants; étant tel un grand chevalier ou un soldat d'élite, vous ne perdrez pas votre sang-froid, vous vous adapterez à toutes ces nouvelles situations dont certaines pourraient changer radicalement le cours de votre destinée. Vous êtes né passionné. Si ce n'est l'amour ou la venue d'un enfant, ou encore la perte d'un être cher qui transforme vos plans d'avenir, peut-être serez-vous l'inventeur d'un appareil, d'un système ou poserez-vous un acte héroïque reconnu par tous, et qui changera à tout jamais l'image que vous avez de vous-même. Vous n'êtes pas incarné pour vivre une vie banale, et les occasions de vous démarquer seront nombreuses en 2018.

Bélier ascendant Taureau

Du 16 mai au 7 novembre, Uranus fait un premier passage dans votre signe. Vous vous accorderez plus de liberté, tant en paroles qu'en actes. Cet ascendant Taureau qui se voulait patient est soudainement pris d'une envie folle de se faire remarquer ou de clamer ce à quoi il croit ou pas. Si, jusqu'à présent, vous avez été discret, Uranus, planète très stimulante, vous donne le goût d'être à l'avant-scène. Bienvenue aux acteurs, vous aurez le rôle de votre vie. Si vous faites de la politique, vous oserez dire tout haut ce que pensent des masses de gens. Si vous êtes en commerce, vous aurez l'idée géniale qui vous permettra d'augmenter rapidement votre clientèle. Uranus est en lien direct avec les nouvelles technologies; si vous travaillez dans la recherche, qu'il s'agisse de biologie ou d'intelligence artificielle, vous aurez une idée extraordinaire, laquelle aura rapidement des répercussions sur vos finances. Il est possible que plus d'un parmi vous gagne une somme importante à la loterie.

Il y a un «mais» à la bonne fortune : il ne faudra pas la dépenser, ni investir en faisant confiance au premier venu !

Bélier ascendant Gémeaux

Vous dites généralement ce que vous pensez, mais en cette année, il faut taire quelques-unes de «vos» vérités ! Vous adorez avoir raison, 2018 est plutôt une année d'écoute, d'apprentissage, c'est le temps d'acquérir de nouvelles compétences et plus de sagesse. Oser n'est pas d'usage pour l'instant. Vous pouvez avoir l'air d'oser, mais assurez-vous d'avoir bien préparé vos discours avant de les prononcer ; quand il sera question d'argent, de placement, ne vous fiez pas au hasard, tout devra être évalué, recompté, planifié, organisé, car, à la moindre imprudence de votre part, vous pourriez beaucoup y perdre. Entre mai et novembre, Uranus est dans le douzième signe de votre ascendant et dans le deuxième signe du Bélier, ce qui symbolise vos biens, votre propriété, vos dépenses, vos revenus : n'achetez ni ne vendez sur un coup de tête. Si vous avez l'habitude de vous offrir des luxes que notre ultra-modernisme impose, vous devrez résister à la tentation. Au travail, vous vivrez des changements mais également des tensions que vous ne devrez pas alimenter. Préservez votre vie privée, bannissez la critique et aimez vos proches tels qu'ils sont, et non pas comme vous souhaiteriez qu'ils soient !

Bélier ascendant Cancer

Vous êtes un double signe cardinal, vous avez besoin d'action et d'une valorisation de vous-même. Pour obtenir ce que vous voulez de la vie, vous êtes capable de déplacer des montagnes. De plus, vous pouvez le faire tout en douceur, car vous êtes une main de fer dans un gant de velours. Votre Soleil étant dans le dixième signe de votre ascendant, vous êtes né pour la réussite, quel que soit le domaine dans lequel vous avez décidé d'exceller. Vous avez en cette année plus d'influence sur autrui que vous n'en aviez auparavant. Le ciel vous rend à la fois aimable et sévère, aussi tendre que dur, surtout dans le monde des affaires. Quel que soit votre âge, il n'est jamais trop tard pour bâtir, et quand vous le faites, vous visionnez votre projet dans sa durée. La plupart d'entre vous ne se dévouent pas à un travail ou à une cause pour eux seulement, ils ont à cœur de transmettre leurs biens et leurs valeurs à leurs enfants et à toute la société. Vous tirez votre force d'action de ceux que vous aimez et qui vous aiment. L'année 2018 appartient à ces travailleurs passionnés qui changeront le cours de l'histoire.

Bélier ascendant Lion

Double signe de feu, né de Mars et du Soleil : difficile d'être plus énergique que vous ! Votre Soleil est dans le neuvième signe de votre ascendant, il fait de vous un voyageur, un érudit, un curieux, un expérimentateur, un chercheur, un savant, un enseignant, un policier, un médecin, un patron d'entreprise, un ministre, un premier ministre, bref, vous êtes né pour être un chef ! Le plus souvent, votre destinée se décide alors que vous n'êtes qu'un enfant ou un jeune adulte. Si la vie ne vous donne pas sur-le-champ ce que vous voulez, tenace, vous atteignez toujours votre but. Cette année, il faudra rester calme devant des contrariétés. Lors de situations complexes, vous déploierez à la fois intelligence, instinct et sensibilité pour rétablir des faits ou des affaires. L'expérience acquise vaudra son pesant d'or. Si vous avez l'intention d'acheter une propriété, n'acquérez rien qui soit au-dessus de vos moyens, respectez le budget que vous avez présentement. En novembre, vous entrerez alors dans un mouvement astral très favorable à la réalisation de vos rêves, même les plus fous ! Côté cœur, c'est souvent compliqué : vous désirez un amour inconditionnel, que jamais vous ne pourrez donner.

Bélier ascendant Vierge

Si vous n'avez pu faire de longues études, vous ne rêvez généralement pas d'une profession exigeant un diplôme ou un doctorat ; si vous êtes autodidacte et que vous avez la chance de rencontrer quelqu'un qui croit en vous, il n'est pas impossible de monter une affaire, laquelle ne deviendra « grosse » que si vous y mettez de constants efforts ! Votre Soleil étant dans le huitième signe de votre ascendant, vous avez un puissant désir de pouvoir, de richesse et un énorme besoin d'être approuvé et reconnu de tous. Cette année, vous êtes sous un ciel où se multiplieront les occasions, les hasards et les circonstances qui vous porteront à aller vers cet objectif dont vous rêvez en secret depuis parfois bien des années. Sous la coupe de Jupiter en Scorpion, vous traversez une année idéale pour terminer un cours ou pour vous initier à un métier. Si, par exemple, vous êtes dans la vente, vos profits augmenteront, vous pourrez même faire des placements ou acheter une première maison, ou une seconde, pour que la famille bénéficie de plus d'espace. Vos moyens financiers étant en hausse, peut-être vous offrirez-vous une voiture neuve. Restez dans les règles et les lois, vous n'aurez ainsi aucun problème avec la justice. Ne gaspillez pas 2018 en imaginant que tout vous viendra du ciel. Soyez énergique, passez à l'action.

Bélier ascendant Balance

Vous êtes né avec les signes opposés au vôtre ; si vous avez un état d'esprit positif, cette opposition devient une complémentarité. Si le Bélier est un impatient, la Balance est modérée et vous permet de soupeser vos décisions. Ainsi, vous ne vous précipitez pas tête première dans une affaire dont vous ne connaissez pas tous les contours ; vous pouvez même planifier d'éventuels détours nécessaires afin qu'un projet aboutisse. En 2018, Jupiter en Scorpion se retrouve dans le deuxième signe de votre ascendant, ce qui laisse présager des négociations importantes ; un achat, par exemple une maison, exige de la réflexion, un œil critique quant à votre choix et une juste évaluation de vos moyens financiers. Si vous avez quelques tracasseries de couple, avant de juger qu'il faut vous séparer ou divorcer, pourquoi ne pas suivre une thérapie avec un spécialiste qui pourra vous expliquer que les changements que vous et l'autre vivez vous transforment tous les deux ! Pour ne rien regretter, questionnez-vous davantage. Si vous êtes célibataire, une rencontre, aussi exaltante soit-elle, n'est peut-être pas la dernière.

Bélier ascendant Scorpion

Jupiter est en Scorpion et se balade sur votre ascendant ; au travail, vous vous investissez à fond dans vos tâches, et plus vous en faites plus vous avez de l'énergie ! Jupiter, dans votre maison Un et dans un signe de Mars comme le vôtre, vous permet de renouveler rapidement votre dynamisme, votre foi en vous et en la vie elle-même. Tel un sportif, plus vous avez de l'entraînement, plus vous excellez. Que le but fixé soit intellectuel ou physique, ou que vous ayez un travail qui exige de l'habileté manuelle, que vous soyez artiste, policier, médecin, etc., peu importe votre talent, vous mettrez tout en œuvre pour réussir, et vous atteindrez ainsi une grande partie de votre objectif. Dès qu'il s'agit de travail, vous êtes impossible à satisfaire, il vous en faut toujours plus, plus d'argent, plus de succès, plus de sécurité matérielle. En réalité, cette recherche du bien-être sous toutes ses formes calme la peur du manque et celle du vide que votre ascendant Scorpion vous a transmises à la naissance ! Ne dramatisez pas : cette angoisse est votre moteur quotidien, celui qui vous pousse à vous dépasser. Vous devez toutefois être plus attentif à votre amoureux, surtout si vous avez des enfants ! En 2018, foncez, vous avez tout pour être premier !

Bélier ascendant Sagittaire

Vous êtes un double signe de feu, une alliance entre Mars et Jupiter. Vous êtes le défenseur des nobles causes, à condition d'en retirer des bienfaits et, si possible, de l'argent… et pourquoi pas de la gloire ! Votre désintéressement n'est pas total, et ce sera évident cette année. Votre réussite ne peut venir que d'une passion, vous êtes aussi pratique qu'artiste, parfois discret mais tantôt exalté. Vous avez les mots justes pour vendre là où les acheteurs résistaient à votre offre. Non seulement désirez-vous réussir votre vie, mais vous aspirez aussi à un amour inconditionnel. Est-ce bien raisonnable de demander autant à votre amoureux ? Logique, vous êtes capable d'un calcul, lequel, sans vous en rendre compte, vous éloigne de l'amour tel que vous voulez qu'il soit. Sous l'influence de Jupiter en Scorpion, divers événements vous offriront des occasions de réfléchir sur ce qui est vraiment important pour vous. Saturne en Capricorne vous mettra en relation avec des personnes sages et de bon conseil ; il est dans votre intérêt d'écouter, vous apprendrez beaucoup sur vous-même ainsi que sur la manière de mener grandement vos affaires en cours.

Bélier ascendant Capricorne

Vous êtes un double signe cardinal ; vous aimez décider, mais après avoir écouté les avis de ceux qui vous entourent. Vous êtes un grand observateur, vous avez l'esprit ouvert, vous êtes conscient qu'il faut vivre pleinement son présent tout en étant prévoyant. Sous votre signe et ascendant, votre enfance, souvent, s'est déroulée dans un climat familial restrictif, qui n'avait rien de drôle. À la préadolescence, vous aviez déjà compris qu'il fallait poser un geste hors de l'ordinaire qui allait éveiller vos parents si ceux-ci avaient assez de souplesse pour comprendre votre détresse intérieure. Pour la majorité d'entre vous, l'adolescence a été de courte durée ; vous êtes devenu un adulte et vous avez fait vos propres choix de vie. Ces actions posées avant l'âge adulte vous ont été soufflées par Mars et Saturne, Mars étant la planète qui vous dit que vous aurez toujours 18 ans. Saturne, qui régit votre ascendant, vous infuse la sagesse, la patience, vous êtes amour plutôt que guerre. En 2018, vos qualités, vos expériences et votre principal talent professionnel vous mettent à l'avant-plan. Vous serez celui qui enseigne comment gagner les batailles sans détruire autrui, ni soi-même. En 2018, le ciel a des plans, tous plus positifs les uns que les autres pour vous. Ne vous inquiétez plus pour votre budget, vous ferez plus d'argent.

Bélier ascendant Verseau

Vous êtes le feu et l'air, vous êtes explosif, vous n'aurez pas la langue dans votre poche ; cependant, à certains moments, il faudra modérer vos discours, quels que soient les sujets. Si, par exemple, vous avez une place sur la scène publique, vos opinions sont écoutées, mais ne dépassez pas les limites. Vos mots auront de l'effet, et ce sera plus rapide que l'effet papillon ; vous devez être sage si jamais vous vous adressez à une foule ou en tant que professeur, journaliste, syndicaliste, politicien. Dans votre intérêt, dès que vous vous adressez à un grand média, Facebook, Twitter, par exemple, avant de cliquer sur « Envoyer », relisez-vous plusieurs fois, surtout si vous défendez une cause. Vous êtes feu et uranium, vous n'êtes jamais banal. Si vous appartenez au monde des affaires, vos transactions n'auront jamais été aussi importantes qu'en 2018. Vous êtes à forfait ? On vous offrira ce que vous n'auriez jamais osé demander. Si vous êtes né entre octobre 1956 et août 1971 alors que Neptune traversait le Scorpion, redoublez de prudence avec vos biens et placements personnels ; pour vos négociations à gros enjeux financiers, assurez-vous de l'honnêteté de vos partenaires. L'emballement peut aveugler !

Bélier ascendant Poissons

Vous êtes signe de feu et d'eau. L'eau éteint les feux dévastateurs. L'eau est l'élément le plus puissant pour notre planète Terre. L'eau fait ce qu'elle veut ! L'eau, c'est avant tout l'eau indispensable que nous buvons. Sans eau, point de vie. Vous êtes un signe de Mars. Mars est une planète qui fascine les humains depuis toujours. On sait que tous les satellites envoyés sur Mars, en provenance de divers pays, ont été détruits : le mystère de Mars reste entier. Votre signe d'eau à l'ascendant vous fait souvent vivre de nombreuses expériences professionnelles ; vous êtes en quelque sorte un explorateur dont le signe régi par Mars ne craint pas la nouveauté. En 2018, Jupiter traverse le neuvième signe de votre ascendant, ce qui laisse présager au minimum un grand voyage ; si vous avez suivi le cours du marché financier, en modifiant des placements quand vous aviez l'intuition que vous alliez y gagner, vous êtes nombreux à faire plus d'argent. Plus que ces quatre dernières années. La chance dans les jeux de hasard peut s'en mêler et vous faire cadeau d'un super lot ! Si c'est un travail que vous cherchez, vous trouverez ce qui vous convient en temps et en salaire. Vous êtes doué pour monter votre propre compagnie, et avez les compétences pour choisir des collègues et associés pouvant faire de vous une personne riche !

BÉLIER – JANVIER

Les meilleurs jours ce mois-ci pour:

- Jouer à la loterie: 12, 13 et 14
- Le social et les jeux en groupe: 17, 18 et 19
- L'amour: 30 et 31
- La sphère professionnelle: 14, 15 et 16

En général

Il ne serait pas étonnant que vous entrepreniez la nouvelle année avec des allures de voyageur, du moins vous chercherez à faire de belles découvertes, ne serait-ce qu'en faisant le tour de nombreux restos plutôt exotiques afin de goûter à la différence. Vous serez également très curieux, au point d'envisager une importante formation qui aurait un impact sur votre avenir professionnel et personnel. Peut-être aussi qu'il s'agit simplement d'un cours de langues dans le but de mieux communiquer lors de votre prochain voyage.

Travail – Finances

Si vous faites affaire avec l'étranger, il est possible qu'une erreur d'interprétation, une mauvaise traduction ou d'importantes différences dans les méthodes de travail imposent passablement de confusion ainsi qu'un stress considérable. Ce sera avec rapidité et efficacité que vous rassemblerez votre équipe pour trouver les solutions adéquates. Vous surmonterez une certaine crainte concernant le succès, et vous aurez l'audace de proposer des projets qui solliciteront votre leadership.

Amour – couple

Bien que cela ne soit pas des plus spontanés ni même des plus romantiques, il faudra planifier du temps pour vous deux afin de vivre quelques moments intimes conformes à vos aspirations sentimentales. Votre amoureux pourrait se montrer plus gourmand que d'habitude, alors que vous n'êtes pas nécessairement disposé à répondre à ses demandes. Heureusement, vous conviendrez d'entreprendre une vie sociale plus active ensemble, ce qui rehaussera l'intensité des sentiments entre vous.

♥ Amour – Célibataire

Le choc des cultures peut se vivre dans une relation sentimentale. Dès les premiers jours de janvier, une personne d'une autre origine tentera bien de vous aborder et de vous proposer une sortie. Vous serez d'abord sur vos gardes, mais vous réaliserez bien assez vite qu'il est un véritable gentleman, comme vous en avez rarement vu. Il sera d'un grand respect, il ne vous bousculera aucunement et il vous fera découvrir une partie de sa culture au cours de sorties très agréables.

Santé

Selon la tradition, vous devriez prendre certaines résolutions, notamment vous mettre au régime, arrêter de fumer ou faire de l'exercice. Il y a de bonnes chances que vous preniez les premiers jours de janvier pour faire quelques excès avant de vous investir dans toute forme de restriction.

BÉLIER – FÉVRIER

Les meilleurs jours ce mois-ci pour:

- Jouer à la loterie: 8, 9 et 10
- Le social et les jeux en groupe: 13, 14 et 15
- L'amour: 3, 4 et 5
- La sphère professionnelle: 11, 12 et 13

En général

Il est fort possible que vous ayez l'occasion de fuir les rigueurs de l'hiver en vous prélassant dans le doux sable chaud des plages du Sud afin de vous faire plaisir. Ce sera en toute spontanéité que vous vous accorderez ces belles vacances avec votre amoureux ou entre amis. Ce sera aussi une belle occasion pour connaître un grand ressourcement et un profond repos bien mérité. Vous accéderez également à une période de grande créativité, vous permettant d'entreprendre un véritable chef-d'œuvre, ou alors vous vous consacrerez corps et âme à une cause qui vous tient à cœur.

Travail – Finances

Il est possible que vous vous sentiez dépassé par les événements et qu'il y ait continuellement un bassin de gens qui envahissent votre bureau. Vous aurez également des foules à gérer, ou alors la gestion informatique vous imposera un univers où vous vous sentirez plutôt seul. Vous serez de plus en plus d'attaque pour entreprendre de grands changements ; vous souhaiterez vous diriger vers un domaine où l'aspect humain sera de rigueur, où vous vous sentirez utile à l'humanité dans son ensemble.

♥♥ Amour – couple

Une certaine distance pourrait s'installer sans raison apparente. Du moins, l'idée de vivre quelque chose de magique pour la Saint-Valentin semble très loin de vos préoccupations ou de celles de votre partenaire. Vous aurez l'impression qu'il y a une incompatibilité entre l'amour et le plaisir. Un voyage en amoureux serait une solution afin d'apporter un brin de légèreté à votre couple. Pourquoi ne pas tenter d'envahir la bulle de l'autre pour réussir à vous connecter quelque peu ?

♥ Amour – Célibataire

Même si vous connaissez beaucoup de succès dans un contexte social, sur votre site de rencontre ou parmi votre cercle d'amis, vous n'ouvrirez pas votre cœur au premier venu. Vous savez très bien que votre naïveté naturelle risque de vous conduire tout droit vers la déception si vous ne vous méfiez pas. Il y aura bien quelqu'un qui réussira à vous charmer et à vous envoûter, ce sera à vous d'évaluer les risques pour votre cœur et d'accepter ou non cette aventure.

Santé

Un excès de zèle accompagné d'une nervosité extrême vous conduiront directement vers une baisse de vitalité, ou encore un bon rhume saura vous clouer au lit pendant quelques jours. Vous aurez tout de même droit d'explorer quelques options intéressantes concernant un nouveau mode de vie plus conforme à vos valeurs et à vos aspirations.

BÉLIER – MARS

Les meilleurs jours ce mois-ci pour:

- Jouer à la loterie: 7, 8 et 9
- Le social et les jeux en groupe: 12, 13 et 14
- L'amour: 26, 27 et 28
- La sphère professionnelle: 1, 2 et 3

En général

Dynamique, spontané et plein d'entrain: vous dépenserez beaucoup d'énergie, à la limite de vous taper sur les nerfs vous-même. Bref, vous pourriez courir dans tous les sens à la fois pour toutes sortes de raisons. De plus, le temps deviendra un facteur à considérer sérieusement, vous aurez un peu de difficulté à gérer votre agenda devant une foule de choses à faire. En raison de la rétrogradation de Mercure en Bélier, vous devrez inévitablement réfléchir deux fois plutôt qu'une avant de prendre la moindre décision.

Travail – Finances

Peut-être vous retrouverez-vous dans une position de pouvoir alors que vous n'y êtes absolument pas préparé. Vous devrez apprendre à vous faire confiance. Avec la volatilité des marchés actuellement, tâchez d'être prudent avant de jouer à la Bourse, par exemple. Il est possible également que vous soyez en période de réflexion concernant votre emploi. Même si une brillante carrière se trame à l'horizon, il est crucial de prendre votre temps avant de confirmer vos choix à qui que ce soit.

♥♥ Amour – couple

Vous êtes mûrs pour entreprendre de belles initiatives ensemble. Vous aurez besoin de briser la routine et de vivre quelques excentricités. Vos amis devraient vous inviter régulièrement à faire des activités en groupe. Le fait de briser la routine et d'entretenir une vie sociale active favorisera grandement la relation. Si vous jouez à la personne indépendante et détachée, votre amoureux fera des pieds et des mains pour vous reconquérir.

♥ Amour – Célibataire

Ce sera véritablement dans un contexte social que vous devriez être en mesure de faire une belle rencontre. Il ne s'agit pas nécessairement de votre âme sœur, mais tout de même de quelqu'un qui pourra vous faire vivre une vie sociale un peu plus active, à votre plus grand bonheur. Vous n'hésiterez pas un seul instant à présenter cette personne à vos amis. Vous n'attendez rien de moins que leur opinion, et peut-être aussi leur approbation.

Santé

L'exercice physique est toujours une excellente manière de détendre le Bélier plein d'énergie. Si vous avez dû subir une opération dernièrement, vous réussirez à récupérer plus rapidement que ce qu'avaient prévu vos médecins. Vous engagerez également une profonde réflexion au sujet de votre mode de vie. En attendant la belle saison, vous en profiterez pour vous remettre en forme avec quelques petits exercices.

BÉLIER – AVRIL

Les meilleurs jours ce mois-ci pour:

* Jouer à la loterie: 4, 5 et 6
* Le social et les jeux en groupe: 9, 10 et 11
* L'amour: 27, 28 et 29
* La sphère professionnelle: 24, 25 et 26

En général

Votre patience pourrait être mise à rude épreuve à plus d'une reprise. Vous n'aurez probablement pas deux minutes à vous, heureusement que vous aurez de l'énergie à revendre ce mois-ci. La carte de crédit recommencera à chauffer si vous ne faites pas attention. Vous aurez certainement quelques goûts de luxe qui s'empareront de vous, ainsi qu'une envie irrésistible de faire des achats, peut-être même de manière compulsive. Votre sens de l'initiative devrait vous aider à remettre de l'ordre dans votre esprit pour trouver de nouvelles avenues pour votre mieux-être.

Travail - Finances

Il important de suivre les directions déjà bien établies, autrement vous risquez de passer le mois à vous acharner à revoir certaines procédures qui fonctionnaient bien. Vous devriez songer plus sérieusement à vous faire des réserves pour l'avenir. Il existe plusieurs façons de mettre de l'argent de côté, notamment faire prélever sur chacune de vos paies un petit montant pour vos vieux jours. Si vous avez le moindrement une idée d'entreprise, vous pourriez bien la développer à vitesse grand V et connaître un succès retentissant.

Amour - couple

Évitez de tenir votre amoureux pour acquis, essayez de retrouver le plaisir de le conquérir. D'ailleurs, vous aurez besoin de vivre votre relation avec une approche plus affective et sexuelle. Ce sera justement en vous concoctant de bons petits plats ou en vous offrant des soirées cinéma au salon que vous vivrez les plus beaux moments entre vous. Ainsi, vous aurez davantage l'occasion de vous rapprocher physiquement, histoire de sentir la chaleur de l'autre et de faire monter les sentiments enfouis depuis trop longtemps.

Amour - Célibataire

Vous visiterez bien un site de rencontre, et ce sera sûrement un premier contact virtuel qui vous fera vivre quelques instants particuliers. Vous ne serez vraiment pas pressé pour fixer un premier rendez-vous et vous ferez attendre cette personne un bon moment avant de lui ouvrir une porte. Par la suite, vous pourriez consommer un peu trop rapidement cette relation, et elle deviendra vite sans intérêt. Dans votre milieu de travail, quelqu'un voudrait vivre une histoire secrète avec vous.

Santé

Autant l'abus de café que celui d'alcool risquent de provoquer un peu trop de pression, vous amenant ainsi un bon gros mal de tête. De plus, si vous récupérez d'une maladie ou d'une opération, il serait important de reprendre les activités physiques en douceur. Un simple faux mouvement pourrait avoir des conséquences fâcheuses, par exemple vous cogner la tête ou subir un tour de reins, restreignant ainsi votre mobilité.

BÉLIER – MAI

Les meilleurs jours ce mois-ci pour:

- ✶ Jouer à la loterie: 1, 2 et 3
- ✶ Le social et les jeux en groupe: 6, 7 et 8
- ✶ L'amour: 19, 20 et 21
- ✶ La sphère professionnelle: 22, 23 et 24

En général

Si vous vous apprêtez à vivre un déménagement, il est clair que vous entreprendrez plus sérieusement les démarches ce mois-ci pour vous permettre de le concrétiser. D'ailleurs, sur le plan financier, vous serez en mesure de dénouer toutes les impasses pour acheter une propriété ou encore pour vous permettre un logement plus adéquat selon vos besoins. Et vous commencerez aussitôt à faire vos boîtes. Il y aura peut-être bien quelques histoires d'argent à mettre au clair dans la famille également.

Travail – Finances

Vous serez particulièrement habile pour ce qui est de vous faire valoir. Vous n'avez qu'à exiger un meilleur salaire auprès de votre patron pour qu'il vous l'accorde après avoir émis de nombreux arguments qui vous rendent indispensable. Il est possible aussi que vous connaissiez un conflit avec votre patron dès le début du mois, fort probablement pour une question d'argent, et c'est précisément ce qui vous poussera à démarrer votre propre entreprise. Vous aurez besoin d'investir une somme considérable pour connaître du succès, ne serait-ce que pour renouveler votre garde-robe afin d'entreprendre un métier de représentation, par exemple.

♥♥ Amour – couple

Il est possible que l'affection et le désir soient un peu défaillants ou mal exprimés, il faudra donc établir une bonne communication pour obtenir un échange affectif qui sera satisfaisant. Il y aura inévitablement un petit jeu de pouvoir entre vous, histoire de déterminer un peu plus clairement qui prend les décisions importantes dans la maison. Si vous ne vivez pas encore ensemble, il en sera question avec beaucoup de sérieux au cours des prochaines semaines.

♥ Amour - Célibataire

Il ne serait pas étonnant que vous succombiez aux charmes d'une personne déjà engagée qui vous fera certainement de grandes promesses en ce qui concerne ses projets de rompre et de s'engager avec vous. Mais la réalité risque d'être tout autre. Cependant, vous aurez droit à de grandes marques d'affection : vous recevrez de nombreux cadeaux, de la tendresse en abondance, et on vous offrira des sorties agréables. Avant de chercher un engagement, il est important de sentir que l'amour se développe de la bonne manière entre vous, et ainsi ces promesses commenceront à se réaliser.

Santé

Si vous avez connu une longue période plutôt difficile ou une baisse d'énergie depuis quelques mois, vous devriez enfin retrouver la forme ; du moins, vous êtes dans la bonne voie en faisant de grands changements dans votre alimentation et votre rythme de vie. Un peu de sport et d'activité physique modérée sera bénéfique pour libérer certaines émotions qui risquent de vous guider vers une petite dépression.

BÉLIER – JUIN

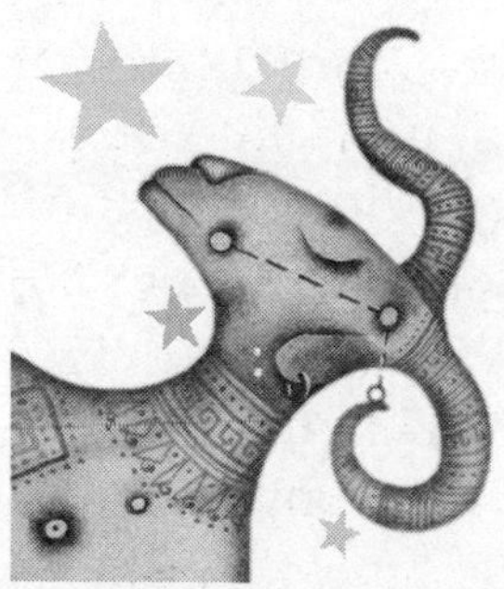

Les meilleurs jours ce mois-ci pour :

* Jouer à la loterie : 25, 26 et 27
* Le social et les jeux en groupe : 2, 3 et 4
* L'amour : 16, 17 et 18
* La sphère professionnelle : 18, 19 et 20

En général

Vous vous impliquerez activement auprès de vos enfants dans leurs différentes activités scolaires et parascolaires. Même si vous aviez l'impression de donner un simple coup de main au départ, vous finirez par prendre en charge toutes les initiatives. Vous agirez à titre de leader, et vos enfants seront très heureux de vous voir engagé de la sorte. Vous pourriez aussi faire partie d'une forme de manifestation, ou d'un groupe qui revendique certains droits, ou encore vous pourriez négocier auprès des gouvernements pour obtenir des avantages pour votre communauté.

Travail – Finances

Vous n'appréciez pas spécialement les grands parleurs, petits faiseurs ; vous êtes une personne d'action qui veut voir des résultats concrets, et vous pourriez être coincé un petit moment avec ce genre de personne qui ne cesse de vanter ses exploits alors qu'elle ne produit rien. Vous pourriez transformer votre domicile pour y établir les bases de votre petite entreprise. Vous vous installerez au moins un bureau pour vous permettre de faire quelques heures supplémentaires à la maison. Un membre de la famille pourrait vous suggérer de se lancer en affaires avec lui.

♥♥ Amour – couple

Si vous êtes en couple depuis de nombreuses années, le désir est possiblement moins présent entre vous, alors peut-être est-il temps de retrouver la flamme passionnelle. Le confort de votre foyer vous offrira tous les outils nécessaires pour vivre des moments intimes fabuleux. Une relation se doit d'être vécue avec des émotions et des sentiments, tout en essayant de s'harmoniser avec les aspects plus rationnels.

♥ Amour – Célibataire

Il est possible que vous deviez annuler un bon nombre d'activités sociales pour des raisons d'ordre familial, ce qui ne facilite certainement pas les rencontres. De plus, il y aura une situation plutôt complexe à régler avec un ex-partenaire si vous avez eu des enfants avec lui. Il semble y avoir un coup de foudre qui se pointe à l'horizon, vous pourriez consumer cette passion à grande vitesse, au point où il n'en restera que des sentiments amicaux par la suite.

Santé

Des brûlures d'estomac pourraient vous inviter à entreprendre un régime strict, point de départ pour prendre conscience de vous débarrasser de certaines mauvaises habitudes alimentaires. Les natifs de votre signe doivent préconiser l'exercice, du moins être continuellement en action pour bénéficier d'une meilleure santé et d'une forme de bonheur.

BÉLIER – JUILLET

Les meilleurs jours ce mois-ci pour:

* Jouer à la loterie: 22, 23 et 24
* Le social et les jeux en groupe: 27, 28 et 29
* L'amour: 1 et 2
* La sphère professionnelle: 15, 16 et 17

En général

Si vous avez déménagé ou si c'est un projet en cours de route, le stress sera omniprésent et vous vous sentirez bousculé par les imprévus. Un petit lâcher-prise s'impose. Vous aurez besoin de voir les choses avec une autre perspective et peut-être aussi de vous lancer dans des projets plus personnels, ce qui vous permettra de décrocher devant certaines complications. Si vous aspiriez à obtenir de bons moments agréables en solitaire, ce sera sûrement beaucoup plus compliqué: il y aura toujours quelqu'un pour vous distraire et vous divertir ce mois-ci.

Travail – Finances

La période estivale est souvent synonyme de ralentissement et de congé, et vous pourriez ressentir une certaine crainte en ce qui concerne votre emploi. Mais si vous êtes dans le domaine de la vente, vous pourriez être surpris de la vigueur de l'économie et connaître vos plus belles ventes. Si vous travaillez dans une grande entreprise, vous devrez sûrement remplacer quelques collègues et occuper leurs fonctions le temps de leur absence.

Amour – couple

Après une période de vie sociale plutôt active, il est important de s'accorder un peu de temps en amoureux. Rien ne vous interdit également de recevoir de temps à autre vos amis à la maison ou de faire des activités avec votre partenaire. Mais vous préférerez nettement vous isoler et vivre votre relation en toute intimité. D'ailleurs, vos vacances peuvent très bien se dérouler uniquement avec votre partenaire dans un endroit enchanteur qui pourrait être tout simplement la chambre à coucher.

♥ Amour - Célibataire

Parmi vos amis ou vos collègues, quelqu'un sera des plus intéressants. Rapidement, cette personne vous transportera dans un tout nouvel univers et vous fera vivre des sensations extraordinaires. Vous pourriez aussi prendre des vacances ensemble alors que vous vous connaissez seulement depuis quelques jours. Mais il est fort possible également que vous connaissiez une forme de désillusion. Vous n'aurez alors plus autant d'intérêt pour cette personne, vous pourriez même la trouver ennuyante.

Santé

Il faudra être prudent avec les sports et les activités physiques. Une chute en patin ou en vélo risque de freiner vos ardeurs, et vous n'aurez plus tellement envie d'en faire. Votre cœur vous demandera de ralentir un peu, de boire beaucoup d'eau et de manger des aliments frais autant que possible. Vous pourriez aussi vous épuiser rapidement, la fatigue se fera sentir. Vivement les vacances!

BÉLIER – AOÛT

Les meilleurs jours ce mois-ci pour:

- ✶ Jouer à la loterie: 18, 19 et 20
- ✶ Le social et les jeux en groupe: 23, 24 et 25
- ✶ L'amour: 10, 11 et 12
- ✶ La sphère professionnelle: 21, 22 et 23

En général

Il y aura bien quelques éléments qui viendront tester votre patience; vous aurez besoin d'être minutieusement organisé pour réussir à joindre les deux bouts. Vous ferez aussi des changements radicaux dans plusieurs sphères de votre vie. Si vous avez déménagé récemment, vous serez en mesure de vous installer comme vous le souhaitez ou encore de terminer les travaux entamés. Vous pourriez également être inspiré pour refaire la décoration à la maison ainsi que pour effectuer des travaux d'ordre esthétique, ce qui ne ressemble pas nécessairement à des vacances de rêve, par contre.

Travail - Finances

On vous offrira des responsabilités de grand chef. Peut-être que vous devrez remplacer le patron durant ses vacances, du moins vous aurez à prendre des décisions et des initiatives dignes d'un grand chef. De plus, vous aurez à gérer un groupe, une équipe ou encore une clientèle nombreuse. En prenant en charge la situation, vous évacuerez toute forme de confusion. Si vous démarrez votre propre petite entreprise ou que vous accédez à un poste de direction, vous connaîtrez un succès fulgurant en faisant les efforts qui s'imposent.

♥♥ Amour - couple

Combattant de nature, par moments vous apparaissez davantage comme un simple petit mouton et vous ne parvenez pas à prendre de décision par vous-même ; vous suivez votre partenaire de très près, surtout s'il est quelqu'un de sécurisant. Vous vous retrouverez devant une situation où vous ne pourrez plus vous laisser manger la laine sur le dos. Il y a beaucoup de mariages au cours du mois d'août ; peut-être votre partenaire vous fera-t-il une proposition en ce sens.

♥ Amour - Célibataire

Si vous vous êtes séparé récemment, il est bien normal d'avoir à faire affaire avec votre ex régulièrement, surtout si vous avez eu des enfants ensemble. Ce sera probablement lors d'une de ces circonstances que vous pourriez réaliser qu'il y a encore des sentiments entre vous et que la séparation n'était pas une bonne idée. Vous accepterez bien de vous laisser reconquérir. Mais il sera important d'alléger vos responsabilités pour que la relation fonctionne bien cette fois-ci.

Santé

Avec la chaleur intense du mois d'août, votre cœur pourrait démontrer quelques signes de faiblesse. Heureusement, il ne s'agit que d'un avertissement de la part de votre corps. Il est possible que vous souffriez d'un simple débalancement hormonal aussi, et il faudra faire les efforts nécessaires pour trouver la juste dose. Tout changement de médication occasionnera certains effets secondaires temporaires.

BÉLIER – SEPTEMBRE

Les meilleurs jours ce mois-ci pour:

- Jouer à la loterie: 15, 16 et 17
- Le social et les jeux en groupe: 19, 20 et 21
- L'amour: 6, 7 et 8
- La sphère professionnelle: 17, 18 et 19

En général

Vous pourriez ressentir passablement d'impatience. Certains éléments vous obligeront à être plus minutieux et concentré, autrement vous n'avancerez à rien. Vous pourriez mettre l'accent sur la décoration, sur vos vêtements ou sur votre apparence en général, et ce sera le souci du détail qui vous garantira un certain succès. Il est possible de connaître un peu de confusion en ce qui concerne le partage des tâches à la maison. Vous serez aussi tenté de faire un grand ménage et peut-être même de refaire la décoration selon vos goûts, histoire de vous éclaircir l'esprit tout autant.

Travail – Finances

Avec le retour des vacanciers, il est normal de connaître une période de confusion, les choses se replaceront d'elles-mêmes bien assez vite. Il y aura certainement des gens en retard, dont vous-même, ce qui fera en sorte de bousculer l'horaire de quelques personnes. Vous pourriez également négocier avec des groupes importants, par exemple des syndicats ou d'autres organismes publics, et vous finirez par avoir gain de cause. Vous devriez bénéficier d'une créativité exceptionnelle en explorant davantage vos émotions et votre sensibilité.

♥♥ Amour – couple

Vous testerez votre relation avec des petites attentions particulières qui vous indiqueront de manière intuitive et très claire l'état de vos sentiments. Si vous sentez qu'il y a beaucoup d'amour entre vous, il est important d'entretenir une bonne communication pour traverser des moments plus complexes à vivre. Si votre union est toute récente, il est clair que vous prendrez un léger recul avant d'aller plus loin. De nombreux petits détails vous embêtent : vous aurez besoin d'éclaircir la situation.

♥ Amour – Célibataire

Si vous cherchez à faire des rencontres, il ne serait pas impossible que vous tombiez sur des gens qui semblent un peu trop pressés de se retrouver dans votre lit. Vous prendrez le temps d'éliminer quelques prétendants qui ne vous apportent rien, et une fois ce ménage complété, vous réussirez à mieux comprendre vos besoins et à cerner votre idéal amoureux. Vous aurez besoin de panser encore un peu quelques blessures émotionnelles avant d'entrevoir une relation.

Santé

Évitez les charges trop lourdes, vous pourriez subir un claquage musculaire. Vos reins et le bas du dos semblent fragiles en ce moment, tâchez d'en prendre soin. Vous pourriez vous accorder de petits plaisirs, par exemple des massages ou des soins qui procurent un bien-être. Parfois, le simple fait de se sentir bien dans sa peau peut régler de nombreux problèmes de santé.

BÉLIER – OCTOBRE

Les meilleurs jours ce mois-ci pour :

* Jouer à la loterie : 12, 13 et 14
* Le social et les jeux en groupe : 17, 18 et 19
* L'amour : 3, 4 et 5
* La sphère professionnelle : 14, 15 et 16

En général

C'est le festival des couleurs dans les campagnes en ce moment et vous avez certainement envie de découvrir le plus bel endroit où admirer la végétation qui se prépare à l'hiver ! Vous souhaiterez également fuir cet hiver, et il ne vous en faudra pas davantage pour réserver votre prochain voyage. Vous pourriez aussi organiser des événements et des fêtes, vous avez envie de voir votre monde et vous ne refuserez aucune invitation. Il ne serait pas impossible que vous soyez tenté par des transformations importantes, par exemple refaire la décoration, et peut-être aussi vous démarquerez-vous en créant des décors spectaculaires pour l'Halloween.

Travail – Finances

Vous pourriez vous embourber dans un dossier pendant un moment avant de pouvoir le démêler. Bien qu'il n'y ait pas nécessairement de développement à court terme, vous ferez un premier pas dans la bonne direction pour accéder à une carrière qui vous ressemblera davantage. Vous vous engagerez dans la voie du changement et, selon la situation, vous pourriez même quitter votre emploi avec fracas. Vos gestes brusques et spontanés seront davantage perçus comme de l'audace et de la détermination, plutôt que de la colère et de l'impatience.

♥♥ Amour – couple

La sexualité est l'essence même de la passion dans une relation; c'est un peu aussi à travers les rapports intimes que l'on peut ressentir l'intensité des sentiments de l'autre. Cependant, c'est souvent un sujet qui peut être délicat à aborder et qui connaît aussi des hauts et des bas. Il est clair que vous aurez besoin d'approfondir le sujet si vous êtes dans un creux de vague en ce moment, vous ne pourrez plus ignorer le désir, ou l'absence de désir, qu'il peut y avoir entre vous.

♥ Amour – Célibataire

Le milieu de travail sera très fertile pour y faire de belles rencontres. Ce sera probablement à la suite de quelques changements professionnels ou d'un voyage d'affaires que vous serez mis en contact avec une personne. Si celle-ci est d'une autre nationalité, elle vous fera découvrir sa culture et ses sentiments à travers les activités professionnelles. Cependant, il y a de bonnes chances qu'elle soit déjà engagée avec quelqu'un d'autre. Il faudra faire preuve de patience avant de voir si cette personne quittera tout pour venir vers vous.

Santé

Une chose est sûre, ce n'est pas ce mois-ci que vous devriez adopter un comportement sexuel à risque. D'ailleurs, il ne serait pas étonnant que vous ressentiez quelques malaises dans la région des organes génitaux. Le stress est un grand fléau en ce vingt et unième siècle, et votre système nerveux pourrait déclencher un débalancement hormonal qui occasionnera des malaises menstruels, par exemple.

BÉLIER – NOVEMBRE

Les meilleurs jours ce mois-ci pour:

* Jouer à la loterie: 8, 9 et 10
* Le social et les jeux en groupe: 13, 14 et 15
* L'amour: 27, 28 et 29
* La sphère professionnelle: 11, 12 et 13

En général

La chance en général devrait vous sourire. De plus, avec l'hiver qui s'en vient, vous commencerez à songer à planifier une escapade dans le Sud, histoire de fuir la neige et le froid. Même si le temps des fêtes n'est que dans plus d'un mois, vous participerez à quelques festivités où le plaisir sera au rendez-vous. Vous serez animé par une belle joie de vivre. Vous aurez soif de connaissances et vous élargirez vos horizons en découvrant une forme de spiritualité; vous adopterez une pratique qui vous apportera un profond ressourcement.

Travail - Finances

Il est possible qu'un collègue quitte subitement son emploi, et vous devrez le remplacer alors qu'il occupait des fonctions supérieures aux vôtres. Il s'agit donc d'une forme de promotion dont vous bénéficierez par intérim, en quelque sorte. Vous aurez peut-être un peu d'inquiétude, mais tout compte fait ces fonctions seront plus intéressantes. De plus, une simple formation vous permettrait de développer une toute nouvelle clientèle très rapidement.

♥♥ Amour - couple

Lorsque vous avez une idée en tête, vous aimez bien la réaliser rapidement, et vous ne laisserez aucune situation problématique envenimer votre relation. Vous prendrez conscience d'un cercle vicieux dans lequel votre partenaire et vous êtes possiblement coincés. Peut-être entreprendrez-vous une thérapie ensemble qui vous permettra d'améliorer et de corriger les choses entre vous deux. Vous êtes à un point tournant des plus intéressants, et cela changera la dynamique considérablement. Un voyage en amoureux devrait remettre votre couple dans la bonne voie.

♥ Amour - Célibataire

Il est possible que vous soyez frappé par un bon coup de foudre, mais il s'agit davantage d'un simple feu de paille. Ce sera tout de même une histoire qui aura valu la peine d'être vécue, cette relation vous apportera un mûrissement émotionnel non négligeable. Si vous êtes dans une période de séparation, il est important de prendre le temps de refaire sa vie en fonction de soi-même. Vous devriez entreprendre les démarches dans la bonne direction pour retrouver un sens profond à votre existence.

✚ Santé

Vous pourriez ressentir quelques inquiétudes au sujet de certains malaises, vous craindrez peut-être même le cancer. Heureusement, les résultats ne décèleront rien de majeur, il n'y aura rien de dramatique, et vous retrouverez la forme rapidement. Si vous vous êtes investi à fond dans un entraînement physique ou que vous avez changé votre alimentation de façon importante, vous pourriez reculer à ce sujet pour une raison ou pour une autre.

BÉLIER – DÉCEMBRE

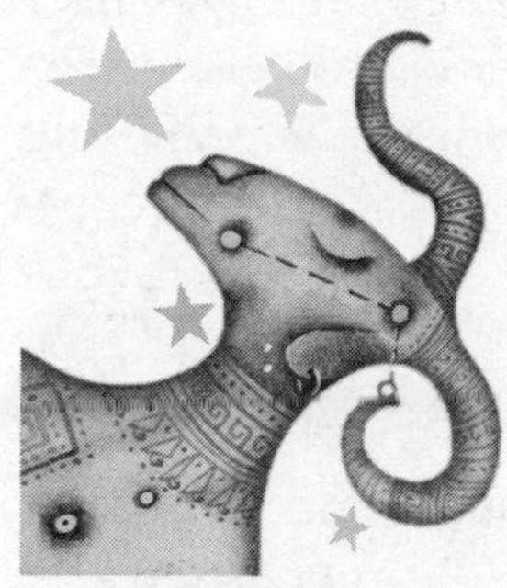

Les meilleurs jours ce mois-ci pour:

* Jouer à la loterie: 6, 7 et 8
* Le social et les jeux en groupe: 10, 11 et 12
* L'amour: 1, 2 et 3
* La sphère professionnelle: 8, 9 et 10

En général

La réflexion est à l'honneur, vous aurez d'excellentes idées pour vos prochaines réceptions du temps des fêtes. En effet, il ne serait pas étonnant que l'on vous confie le mandat de recevoir en grand la famille et les amis cette année. Le plaisir prendra toute la place, même si vous êtes seul à tout faire. Vous pourriez déjà commencer à faire la fête dès le début de décembre et penser à l'organisation de différentes activités. Le plaisir sera au rendez-vous, et c'est ce qui comptera pour vous. Il ne serait pas impossible que vous songiez sérieusement à passer Noël sous les tropiques. Vous pourriez avoir tendance à vous inquiéter pour la famille.

Travail – Finances

Vous mettrez l'accent sur une forme d'apprentissage, et ce sera bénéfique pour la suite de votre carrière qui connaîtra une croissance phénoménale. On pourrait également vous demander de faire un voyage d'affaires qui vous rendra anxieux mais fébrile. Vous devrez faire preuve de patience pour que les choses puissent avancer selon vos aspirations. Règle générale, vous aurez beaucoup de plaisir au bureau et vous découvrirez de nouvelles cultures des plus enrichissantes.

♥♥ Amour – couple

Vous pourriez avoir tendance à vous montrer un peu dur à l'endroit de votre partenaire et à avoir de grandes attentes en ce qui concerne l'aspect romantique entre vous. En cette période de l'année, les approches sentimentales ne sont pas nécessairement les plus faciles à entreprendre. Le temps qui manque et la fatigue accumulée créent inévitablement une forme de distance entre vous.

Il serait important que vous vous accordiez du temps en amoureux malgré les disponibilités restreintes. Il faudra peut-être faire garder les enfants, prendre congé du travail et réserver une table au restaurant. Bref, quelques efforts sont nécessaires pour démontrer un peu d'amour à son partenaire.

♥ Amour – Célibataire

Ce sera une belle période pour mieux comprendre ce dont vous avez besoin, afin de bien évaluer vos valeurs et vos convictions. Cela vous permettra de reprendre les recherches pour l'âme sœur dans la bonne direction aussitôt les fêtes terminées. Vous ne détestez pas la solitude en ce moment. D'ailleurs, il est possible que vous vous sentiez suffisamment comblé par votre vie de famille, ce qui ne vous incite pas vraiment à sortir de la maison pour y faire des rencontres.

Santé

Comme par enchantement, vous retrouverez une santé parfaite pour le temps des fêtes. Peut-être serez-vous embêté par un quelconque malaise au cours des premières semaines de décembre. Heureusement, la fièvre ou les autres symptômes disparaîtront subitement. Il ne vous faudra que quelques jours de congé pour vous remettre sur pied et réussir à faire la fête toute la nuit.

Taureau

(du 21 avril au 20 mai)

Normand Aubry et sa femme Monique Coutu,
Magali Ruiz, Linda Proulx, Julie Garneau

Certains vous qualifient de têtu, d'entêté et d'obstineux ! Je préfère utiliser le terme « déterminé », mais évidemment vous êtes une personne qui ne se plie pas souvent aux autres, le compromis n'étant pas nécessairement votre leitmotiv. Lorsque vous avez une idée en tête, vous allez jusqu'au bout, même s'il faut défoncer des murs. La vie est une évolution continue, et nous traversons tous des étapes qui peuvent mettre à l'épreuve notre propre nature en la confrontant, en nous obligeant de remettre en question certaines de nos convictions.

En 2018, il faudra trouver des terrains d'entente. Vous devrez vous soumettre à la volonté de la majorité et négocier votre place dans la société. Vous vous sentirez véritablement perdu pendant un moment ; vous ne comprendrez pas toujours où la vie veut vous mener, et surtout ce qu'elle veut vous enseigner. Avec un peu de patience, vous découvrirez le message et il y aura un apprentissage important. Peut-être même aurez-vous droit d'accéder à des sphères spirituelles très élevées également pour obtenir des réponses. Vous vous investirez probablement dans un cheminement personnel et spirituel qui vous procurera un mieux-être ainsi que des solutions concernant tant la gestion de vos émotions que l'apaisement de votre sentiment d'insécurité.

L'harmonie se trouvera beaucoup plus facilement au sein de votre cercle d'amis. Tout au long de l'année, vous développerez de nouvelles amitiés. Également, les activités sociales seront bien plus nombreuses et parfois plutôt mouvementées. Vous aurez grandement besoin de cette échappatoire sociale, puisque la vie à la maison est probablement trop tendue pour vous permettre d'y rester sept jours sur sept.

Bien que la confusion règne en maître, les célibataires réussiront à tirer leur épingle du jeu. Vous connaîtrez une certaine popularité, et les prétendants seront nombreux sans toutefois vous promettre quoi que ce soit. Tandis que vous n'avez plus de nouvelles depuis quelque temps d'une personne, vous ouvrez la porte à une nouvelle rencontre, et la première se manifestera à nouveau. Voyez le tableau, ce sera plutôt confus ! Heureusement, il n'y aura pas de drame, et personne ne vous fera de crise dont vous n'avez de toute façon pas besoin. De plus, ce sera davantage l'humour qui dominera en général.

Si vous êtes bien ancré et à l'aise dans votre célibat, il ne sera pas facile de vous séduire et de vous guider vers une vie de couple. Ce seront des changements passablement importants qui exerceront une puissante pression sur vous. Par bonheur, vous adopterez le proverbe « qui ne risque rien n'a rien », et vous finirez par foncer tête baissée dans une histoire d'amour qui vous fera cheminer considérablement.

En couple, même si vous démontrez à votre amoureux un vif désir de poursuivre la relation et de régler tous les problèmes, vous aurez certainement le chantage comme arme de persuasion massive. En effet, la menace de rupture pourrait bien faire partie de vos arguments pour trouver des solutions à une crise conjugale. Heureusement, ce ne sont pas tous les Taureau qui vivent des difficultés dans leur relation ; d'ailleurs, si la vôtre est à son meilleur, vous pourriez développer une vie sociale beaucoup plus active pour vous désennuyer. Il y aura possiblement un élan de nature artistique ou un cheminement spirituel que vous entreprendrez ensemble, confirmant ainsi votre amour et votre engagement. Il ne serait pas étonnant que vous décidiez de faire une cérémonie qui renouvellera vos vœux, par exemple des noces d'argent.

Si votre relation est toute jeune, il y aura un puissant désir d'engagement ; d'ailleurs, contre toute attente, vous recevrez une demande en mariage. Même si une vie à deux n'est pas toujours de tout repos, vous vous empresserez de vivre ensemble, ne serait-ce que pour vérifier que vous êtes compatible avec l'autre et qu'il y a un bel avenir qui se dessine entre vous. Laissez-vous transporter par cette situation qui vous semblera presque irréaliste tandis que vous nagerez sur un nuage de bonheur. Vous ne cesserez de vous découvrir des atomes crochus : une longue histoire d'amour se trame pour vous deux.

Côté professionnel, si vous travaillez dans une grande entreprise, dans un bureau du gouvernement ou dans un service public, vous vous retrouverez au cœur d'importantes négociations, et vous serez une sorte d'entremetteur qui tentera de trouver un terrain d'entente entre deux positions bien divergentes. Heureusement, la situation ne sera pas conflictuelle ; au contraire, vous pourriez trouver par moments que tout le monde est trop passif devant l'impasse. Par contre, vous-même ne pourrez bousculer les choses pour régler rapidement ce conflit, il faudra attendre continuellement les propositions, les contre-propositions, les corrections, les vérifications, etc.

Vous pourriez développer un nouveau talent de juriste ou de négociateur qui vous conduira à suivre une formation, qui vous mènera à des cours universitaires pour ensuite obtenir un important diplôme et poursuivre vers des études supérieures. Bref, vous aurez droit à un apprentissage qui transformera lentement mais sûrement votre carrière.

Par ailleurs, vous pourriez vous-même goûter au métier d'enseignant ou de formateur à la suite d'un remplacement ou du départ précipité de cette personne. Vous serez propulsé dans cette position où vous performerez avec brio, malgré la confusion qui régnera autour de la situation. Curieusement, même si vous ne possédez pas toutes les connaissances requises, votre côté humain prendra la relève et cette sensibilité vous fera découvrir un potentiel que vous n'aviez jamais osé exploiter encore.

Si vous êtes tout jeune et que vous cherchez votre voie professionnelle, il est possible que vous soyez fortement attiré par le domaine juridique ou politique, du moins vous envisagerez une implication sociale de haut niveau. Il ne suffira que de faire un pas dans la bonne direction pour que la vie vous guide à travers le long processus des études ou du cheminement de carrière qui vous mènera à l'accomplissement de vos ambitions.

L'aspect santé n'a rien de préoccupant cette année, sauf pour ce qui est de votre niveau de stress. Il serait impératif que vous trouviez les moyens de vous détendre pour diminuer toute forme d'anxiété. Insomnie et manque de sommeil pourraient faire partie d'une petite problématique durant l'année, heureusement sans conséquence grave. Dans le pire des cas, des sentiments dépressifs se manifesteront, qui n'empêcheront heureusement pas vos activités. D'ailleurs, vous prendrez en charge le problème à la base et vous recevrez les soins adéquats qui éviteront de vous faire sombrer dans la dépression plus profonde.

Si vous êtes retraité, vous serez passablement motivé par toute forme d'apprentissage. D'ailleurs, vous pourriez avoir l'audace d'aller vous inscrire à l'université et être le plus vieil étudiant sur place. La recherche du plaisir et de la joie de vivre dominera dans votre cœur. Notamment, vous pourriez tenter de former des groupes et de vous joindre à des associations pour participer à des activités qui vous amuseront. De plus, celles-ci deviendront probablement un mode de vie, et vous les poursuivrez pendant des années.

Taureau et ses ascendants en 2018

Taureau ascendant Bélier

Votre ascendant de feu ne supporte pas le moindrement qu'on vous dise quoi faire. Le patron, c'est vous ! Vous menez votre vie comme vous l'entendez. En 2018, vous aurez beaucoup à débattre. Votre système de valeurs est bien implanté en vous, et quand il est question de défendre vos idées, vous ne mâchez pas vos mots. Vous êtes également doué pour saisir la pensée d'une foule ou d'un groupe ; quand vous êtes en accord, vous dynamisez ceux qui vous entourent. En cas de désaccord politique, financier, sentimental, vous dites carrément ce qu'il faut changer et même qui sont les fautifs. Vous êtes un grand justicier et, au cours de 2018, vous vous démarquerez en travaillant pour une communauté ayant pour seul objectif de défendre ses droits. Si jamais vous avez un pied en politique, cette fois ce sont les deux qui vous feront avancer. Dans un monde d'affaires où les négociations ne sont ni simples ni faciles, votre pouvoir de persuasion vient à bout de tous les obstacles. Uranus étant maintenant aussi en Taureau, c'est votre vie de couple qu'il faudra protéger en étant plus attentif aux besoins et aux sentiments de la personne avec laquelle vous partagez votre vie.

Taureau ascendant Taureau

Vous êtes un double signe de Vénus, un grand amoureux qui, toutefois, met beaucoup de temps avant de dire un « Je t'aime », ou vous ne le dites que si rarement à votre partenaire de cœur que ce dernier finit par croire qu'il passe loin derrière tous vos besoins matériels. Jusqu'en novembre, Jupiter est en Scorpion et fait face à votre double signe vénusien. De plus, Uranus est dans votre signe : dès qu'il s'agira d'acheter, d'investir, de déplacer des fonds spéculatifs, vous devrez vous demander au moins une vingtaine de fois : « Est-ce vraiment ce que je dois faire ? » En outre, ne transigez jamais avec une personne que vous ne connaissez pas, sur laquelle vous ne vous êtes pas vous-même renseigné : l'ami d'un ami d'un ami pourrait vous induire en erreur et vous faire perdre de l'argent. Alliez la raison à l'instinct, alliez la prudence à votre puissant désir de posséder plus ! Avec le nœud Nord en Lion dans le quatrième signe du vôtre, si vous aviez à l'esprit d'acquérir une maison de luxe pour y être parfaitement à l'abri, faites aussi installer un système d'alarme sophistiqué.

Taureau ascendant Gémeaux

Vous êtes un être à deux vitesses. Durant certaines périodes, vous produisez à vive allure, rien ne vous arrête, seul l'objectif que vous avez en tête est important. Puis, après deux semaines, deux mois ou même deux ans d'un travail fébrile mais réussi, un gigantesque épuisement s'empare de vous, et là, même une tortue est plus rapide que vous! Sous l'influence de Jupiter en Scorpion qui fait face à votre signe et à Uranus qui est en Taureau, 2018 vous suggère d'aller voir votre médecin si, par exemple, vous n'avez plus d'énergie durant plusieurs semaines d'affilée. Si votre poids varie, si vous engraissez beaucoup ou perdez énormément de poids sans que vous suiviez le moindre régime, il est dans votre intérêt de passer un examen médical complet. Il est également possible qu'un changement de travail vous rende nerveux, car vous voudrez tout faire parfaitement avant même de connaître la totalité des tâches qui vous seront confiées. Vous êtes un être sociable, vous adorez les discussions, sauf que, cette année, il faudra écouter et ne parler qu'après avoir analysé ce qui s'est dit, surtout si vous travaillez dans un secteur où les commérages vont bon train.

Taureau ascendant Cancer

Vous êtes généralement un être aimable, discret, respectueux des règles établies. Vous êtes travaillant et conscient qu'un jour vous aurez vieilli et qu'il est déjà important d'en mettre le plus possible de côté afin de vous assurer une retraite confortable. Vous serez inquiet pour un parent âgé auquel vous êtes attaché et qui tombe souvent malade. Vous serez à ses côtés dès que vous verrez chez lui des signes de détresse. Si vous travaillez pour une très grosse entreprise ayant des liens directs avec un gouvernement, vous vous sentirez secoué par des changements administratifs. La majorité d'entre vous sont à l'abri d'un congédiement; cependant, il est possible que vous soyez assigné à un poste moins stimulant ou que l'entreprise décide que désormais vous ne travaillerez que quatre jours par semaine, ce qui réduira ainsi votre salaire. Pour vous, ce sera l'occasion de trouver un travail à temps partiel, tel le vendredi seulement, qui vous aiguillonnera lentement vers une nouvelle étape professionnelle. Si vous avez vécu de cuisantes ruptures, il vous faut beaucoup de temps pour guérir, et si vous êtes seul depuis longtemps, une rencontre agréable se transformera petit à petit en un profond attachement.

Taureau ascendant Lion

Vous êtes un double signe fixe, une alliance entre Vénus et le Soleil. Votre plus grand désir est d'être aimé follement, passionnément chaque heure, chaque jour, chaque seconde de votre vie. Vous êtes plutôt nombreux à être déçus de ce côté ! L'amour romantique et l'omniprésence passionnée que vous réclamez à grands cris du cœur, vous ne les trouverez que dans les romans. En 2018, sous l'influence de Jupiter en Scorpion et d'Uranus en Taureau jusqu'en novembre, vous ferez des rencontres, les attractions sensuelles seront nombreuses ; si une personne vous intéresse, laissez-la entrer doucement dans votre vie, apprenez à la connaître ! Surtout, ne faites pas de plan d'avenir au début de la relation ! La vie vous demandera de produire de plus en plus ; n'allez pas croire que le coût de la vie va baisser. Si vous travaillez à votre compte, vous serez imaginatif et développerez une nouvelle clientèle d'acheteurs. Il est possible que vous ayez une promotion. Si vous êtes un artiste, car il y en a beaucoup sous votre signe et ascendant, votre talent sera reconnu : vous rencontrerez des gens influents qui vous aideront à vous faire une plus grande place au soleil.

Taureau ascendant Vierge

Vous êtes un double signe de terre, vous avez besoin de stabilité, de sécurité matérielle, émotionnelle et même de vos habitudes pour rester en santé et en équilibre avec vous-même. En 2018, vous aurez l'impression qu'on vous pousse dans le dos afin que vous sortiez de votre zone de confort et que vous viviez de nouvelles expériences professionnelles. Si vous êtes en commerce, au cours de l'année, on pourrait vous offrir d'acheter votre entreprise, surtout si celle-ci a toujours été en progrès, même si ce dernier a été lent.

Vous devrez négocier serré pour obtenir le prix que vous valez. Vous sortirez davantage, surtout si, depuis quelques années, vous n'avez connu que métro, boulot, dodo ! Jupiter en Scorpion se retrouve dans le troisième signe de votre ascendant : si vous faites affaire avec des membres de votre famille, frères et sœurs plus spécifiquement, l'un d'eux vous proposera un projet que vous devrez écouter avec attention, car ce dernier sera le moteur de votre nouveau développement. Vu Neptune face à votre signe, il vous faudra soigner quelques petits maux qui ne seront que des manifestations de votre nervosité. Si l'amour se porte bien dans votre vie, il sera plus vigoureux. Célibataire ? La rencontre s'annonce fascinante, et cette personne pourrait avoir sept ou dix ans de plus ou de moins que vous !

Taureau ascendant Balance

Vous êtes Vénus dans un signe de terre et Vénus dans un signe d'air. En général, cela fait de vous une personne complexe. Le Taureau est un brin naïf et bon enfant quand il s'engage amoureusement ; par contre, Vénus de la Balance sait qu'une vie de couple peut être un piège ! Votre Soleil est dans le huitième signe de votre ascendant ; plus encore en 2018, la position des planètes rendra certains d'entre vous possessifs, jaloux et soupçonneux envers leur partenaire, surtout si l'union n'a pas encore atteint une décennie. Quand cette négativité devient obsessionnelle, c'est la fin du roman d'amour que vous écriviez ensemble. Cette année, l'argent deviendra pour vous une priorité : économiser, dépenser le moins possible, et cela, même si vous êtes riche ; ce sujet peut devenir un reproche à la moindre dépense du partenaire. Il n'y a rien de mal à faire des économies ni non plus à être riche et puissant ; l'ambition n'est pas une maladie, mais elle peut devenir un dangereux virus si elle est excessive. Avis à ceux qui auront tendance à manifester leurs côtés obscurs : dès l'instant où vous en êtes conscient, allez en thérapie ! Sous votre signe et ascendant, il y a de nombreux génies des affaires, des politiciens, de grands patrons, des chefs, en fait, vous pouvez être ce que vous voulez ! Pour que votre vie soit encore belle et prospère, ne faites aucune place à la critique envers autrui. En traitant bien ceux qui vous entourent, vous augmentez vos bénéfices matériels et recevez l'amour et la reconnaissance dont vous avez tant besoin.

Taureau ascendant Scorpion

Vous êtes né avec le signe opposé au vôtre, et jusqu'en novembre Uranus est en Taureau, il fera face à Jupiter en Scorpion. Si vous travaillez dans le domaine des communications en tant que créateur de programmes visant Internet, que vous soyez journaliste ou artiste, vous ferez parler de vous. Si vous œuvrez dans votre communauté parce que vous croyez en un monde meilleur, si vous aidez des personnes en difficulté, votre rôle de sauveur prendra de l'ampleur ; même si vous n'espériez pas qu'on parle de vous, on le fera, car vous serez un exemple, un modèle inspirant la bonté que les humains devraient avoir les uns envers les autres. Un écologiste est un humaniste, car son but est de rendre la planète habitable pour nous tous et pour les générations à venir. Si, par exemple, vous êtes écrivain, scénariste, compositeur, imaginatif, vous raconterez une histoire de paix qui fera boule de neige, même dans les pays où les guerres ne semblent jamais finir. Quel que soit votre métier, votre attitude et vos agissements influenceront plus de gens que vous ne l'imaginez. Vous êtes né de Vénus, de Mars et de Pluton, vous avez la capacité, le talent, la force de changer votre destinée et celle de beaucoup d'autres gens. En 2018, une boîte à surprises vous est remise, le tournant sera géant !

Taureau ascendant Sagittaire

Vous êtes une force tenace, vous aimez le plaisir, l'amour, vous êtes gourmandise, excès de toutes sortes, vous avez chassé la peur et quand elle veut revenir, vous la repoussez encore et encore. Une idée n'attend pas l'autre ; vous aimez vivre de nouvelles expériences, vous osez constamment sortir des sentiers battus. Vous aimez tant la tradition que l'excentricité. Vous êtes travaillant quand les tâches sont excitantes et constamment renouvelées. En 2018, vous devrez modérer vos excès, vous traverserez une année de penseur créatif. Si, par exemple, vous perdez un emploi, peu après vous en retrouvez un autre, car vous ne pouvez rester immobile, et la vie est telle qu'elle crée pour vous des rencontres utiles lorsque c'est nécessaire. Si votre travail vous oblige à voyager, soyez prudent quand vous serez dans des pays dont vous ne connaissez pas vraiment les coutumes. Si votre couple bat de l'aile mais que vous êtes encore amoureux de votre partenaire, en 2018, mettez-vous à l'écoute de ses besoins, de sa vision de l'amour. Analysez les changements qui se sont produits dans votre vie à deux et entamez la conversation à ce sujet. Si vous avez des enfants, ne perdez pas de vue qu'à chacune de leur naissance, vous et l'autre êtes devenus différents ; les transformations de chacun ne détruisent pas l'amour, elles modifient son parcours, tout simplement.

Taureau ascendant Capricorne

Vous êtes un double signe de terre. Quand la terre est sèche, elle ne produit plus. Quand la terre tremble, elle vous déstabilise. Quand la forêt du Capricorne s'enflamme, Vénus du Taureau, qui devrait fuir pour recommencer ailleurs, s'attarde sur sa terre brûlante, mais le Capricorne sauve Vénus en l'arrachant de force à ses racines. La terre est aussi humide et productive. Votre double signe de terre symbolise également un double signe négatif. Vous pouvez choisir une vie haute en couleur ou ne voir que le pire qui paralyse. En 2018, les planètes qui traversent le ciel sont puissantes par rapport à votre signe et ascendant, et elles peuvent faire de vous une personne forte capable d'aller vers ses rêves les plus fous. Vous êtes créatif, mais vous avez aussi le sens des affaires. Même si l'économie nationale et mondiale chambranle, ne soyez pas pessimiste : étrangement, le stress engendré par une peur existentielle illumine votre esprit et vous donne des idées de génie concernant un commerce, la création d'une entreprise nouveau genre, l'invention d'un produit, utile et amusant qui aidera le monde à surmonter la frayeur. Si vous travaillez sur un projet visant à améliorer la vie des enfants et ainsi à faciliter celle des parents, vous serez dans votre élément. L'humanisme est un besoin, l'entraide est vitale et vous avez ce talent de commercer votre don. En tant que double signe de terre, vous êtes aussi le parfait écologiste. Si vous êtes célibataire, l'amour vient vers vous ; vous le trouverez dès que vous aurez choisi votre nouvelle orientation de carrière. Vous mènerez en parallèle votre vie amoureuse et professionnelle. En 2018, comme on l'a dit dans un film : la force est avec vous.

Taureau ascendant Verseau

Vous êtes un double signe fixe, si le Taureau est conservateur, traditionnel, s'il préfère sa zone de confort à l'aventure, il en est tout autre pour le Verseau, qui aime ce qui n'est pas ordinaire. Le Taureau est un signe de terre, et le Verseau un signe d'air, et sur terre on a bien besoin d'air ! Votre Soleil est dans le quatrième signe de votre ascendant ; cette année, Uranus est dans votre signe jusqu'en novembre. Votre Soleil et Uranus font bouger vos enfants, peut-être allez-vous découvrir qu'un d'eux possède un talent très particulier. Même si cet exemple peut paraître inhabituel, peut-être êtes-vous tous de bons chanteurs dans la famille, et voici qu'un des vôtres vous propose de former un groupe ! Pourquoi pas ? L'aventure serait amusante et rapidement payante ! Et si tous ensemble vous décidiez de partir de la ville pour aller vivre à la campagne pour faire de l'élevage ? Pourquoi pas ? L'année 2018 est le début d'un profond renouveau familial ainsi qu'une exploration de ce que chaque membre de la famille a envie d'accomplir. Vous n'êtes pas né pour la monotonie, mais plutôt pour l'innovation, et dans la famille, le chef de file, c'est vous.

Taureau ascendant Poissons

Selon une étude faite il y a quelques années, le Poissons est l'ascendant le moins porté par les individus, ce qui fait de vous une personne rare. Vous êtes né de Vénus et de Neptune, votre Soleil est dans le troisième signe de votre ascendant. Vous avez l'esprit ouvert avec la sensation de ne rien savoir, même si vous lisez beaucoup, même si vous suivez constamment des cours. Vous êtes également le meilleur des professeurs. Vous êtes vif, distrayant, patient et toujours compatissant. Il ne serait pas étonnant que plusieurs parmi vous décident de terminer un cours, le but étant de s'améliorer dans le domaine où ils sont engagés. D'autres feront une formation, ils choisiront une matière dans laquelle ils savent qu'ils apprendront rapidement. Vous vous impliquerez dans votre communauté et, si vous avez une formation politique, ne serait-ce que pour déranger et éveiller des consciences, vous vous présenterez à une quelconque élection. L'année 2018 en est une d'action. Votre ascendant Poissons a fini de rêver, le Taureau veut donner forme à ses projets afin que tous en bénéficient. Si vous êtes célibataire, vous ne le serez pas toute l'année, l'amour vient rapidement vers vous. Il se présentera sous la forme d'une discussion politique, philosophique ou autre avec un inconnu : dès les premières phrases de votre échange, vous saurez intuitivement tous les deux que vous êtes faits pour vous entendre.

TAUREAU – JANVIER

Les meilleurs jours ce mois-ci pour :

- Jouer à la loterie : 14, 15 et 16
- Le social et les jeux en groupe : 19, 20 et 21
- L'amour : 5, 6 et 7
- La sphère professionnelle : 17, 18 et 19

En général

Il y aura de nombreux compromis à faire avec les gens qui vous entourent. Parfois, il faudra élever la voix pour vous faire respecter. Il y aura aussi passablement d'excès dans l'air et de situations rocambolesques qui vous feront vivre mille et une péripéties. Le plaisir du temps des fêtes s'étirera encore pendant une semaine ou deux, et vous pourriez même partir en voyage pour l'occasion. Évidemment, le retour à la routine pourrait vous faire ressentir une dépression passagère.

Travail – Finances

Si vous aviez postulé pour une promotion, il est possible qu'une forme de concours soit exigée pour l'obtenir et vous aurez à vous démarquer parmi de nombreux candidats. Il ne vous suffira que d'un court apprentissage pour posséder tous les outils qui vous donneront l'occasion de remporter tous les honneurs. Peu importe votre position, vous devriez bénéficier d'une augmentation de salaire pour bien commencer la nouvelle année.

♥♥ Amour - couple

Vous serez possiblement comme chien et chat par moments, sauf que cette situation donnera davantage de mordant à votre relation, ce qui nourrira quelque peu la passion pendant un certain temps. Si cette même passion s'est considérablement estompée au fil des ans, il est important de faire des efforts pour retrouver le désir de vivre de bons moments ensemble. Afin de poursuivre sur cette belle lancée, n'hésitez pas à planifier une ou plusieurs soirées exclusivement réservées à votre couple.

♥ Amour - Célibataire

Contre toute attente, vous pourriez bien recevoir une demande en mariage de la part du prince charmant. Il se présentera pratiquement sur un cheval blanc avec une douzaine de roses ! Excès et folie de la part de ce prétendant ne vous laisseront pas insensible, et vous lui accorderez au moins un rendez-vous. Il ne devrait pas vous décevoir : ce ne sera pas des paroles en l'air de sa part, ses intentions sont sincères et vous avez un bel avenir avec lui qui se dessine à l'horizon.

⊞ Santé

Si un rhume vous ralentit, c'est pour vous signaler que vous êtes fatigué et que du repos s'impose. Le corps ne peut supporter le stress éternellement, cette tension continuelle épuise votre organisme tel un événement sportif. Peut-être faudra-t-il envisager de plus en plus sérieusement un régime contraignant ? Votre système immunitaire apprécie de moins en moins les excès de nourriture et d'alcool.

TAUREAU – FÉVRIER

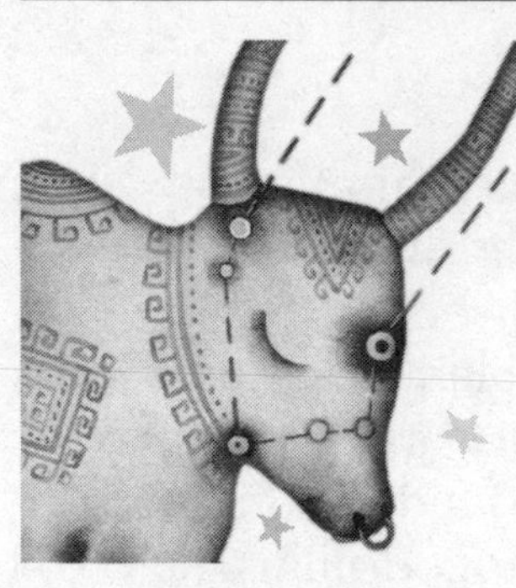

Les meilleurs jours ce mois-ci pour:

* Jouer à la loterie: 11, 12 et 13
* Le social et les jeux en groupe: 16, 17 et 18
* L'amour: 1, 2 et 3
* La sphère professionnelle: 13, 14 et 15

En général

Votre sens des responsabilités sera multiplié par dix, et vous trouverez les moyens pour être encore plus efficace. Le temps sera une denrée rare: vous ne pourrez vous permettre de gaspiller la moindre minute. De plus, évitez de coordonner vos rendez-vous les uns à la suite des autres, l'un d'entre eux pourrait être retardé et vous devrez inévitablement déplacer tous les autres. Bref, soyez bien structuré et réaliste dans vos capacités à accomplir toutes vos obligations dans les délais, vous parviendrez ainsi à éviter un grand chaos.

Travail – Finances

Toute forme de changement ne peut que vous être favorable. Il y aura sûrement beaucoup de choses à faire et des délais très serrés, mais votre audace et votre détermination auront raison de tout ce qui aurait pu vous tirer vers le bas. Il ne serait pas impossible que vous ayez besoin d'investir une certaine somme pour occuper des fonctions plus prestigieuses, par exemple pour de nouveaux vêtements, afin d'être sur votre trente-six pour représenter l'entreprise adéquatement.

Amour – couple

Le travail et les autres obligations peuvent freiner vos ardeurs; peut-être même chercherez-vous une stimulation émotionnelle à l'extérieur de votre relation. Heureusement, la Saint-Valentin rappelle à tous les couples de prendre un peu temps pour s'aimer et de s'offrir quelques instants de romance, même si cela manque de spontanéité. De plus, ce seront davantage vos amis qui vous aideront à planifier des moments plus romantiques pour ainsi sauver votre couple d'un détachement.

♥ Amour – Célibataire

Les activités pour célibataires devraient battre leur plein au cours des prochaines semaines ; vous aurez bien quelques amis qui vous entraîneront dans cette dynamique plutôt confuse pour vous. Vous aurez possiblement beaucoup de plaisir, mais il est peu probable que le grand amour s'y trouve. Les prétendants seront nombreux pour vous offrir une nuit d'amour sans lendemain. Peut-être serait-il plus sage de gentiment refuser ce genre d'invitation.

Santé

Les os et les articulations collaboreront beaucoup moins : il faudra modifier quelque peu vos activités sportives. Votre mobilité risque de se trouver réduite jusqu'à ce que vous décidiez d'être plus délicat avec votre corps. Celui-ci préférera nettement les activités plus reposantes ; vous auriez tout intérêt à vous offrir des massages et autres soins de détente pour régénérer votre vitalité, votre peau et vos os.

TAUREAU – MARS

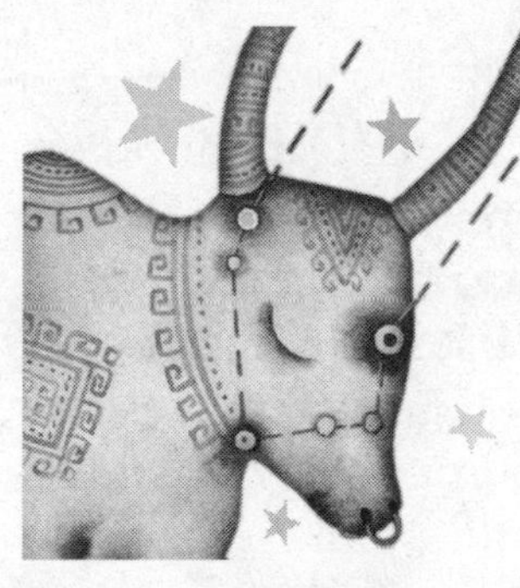

Les meilleurs jours ce mois-ci pour :

* Jouer à la loterie : 10, 11 et 12
* Le social et les jeux en groupe : 15, 16 et 17
* L'amour : 1, 2 et 3
* La sphère professionnelle : 12, 13 et 14

En général

Vous vous livrerez à une profonde réflexion et vous vous adonnerez à une forme de méditation, histoire de vous détendre et surtout d'essayer de voir plus clairement votre avenir. C'est possiblement un petit conflit avec un ami lors d'une activité sociale ou bénévole qui vous amènera à faire toute cette réflexion. Il est possible aussi que vous envisagiez un voyage de dernière minute ; il s'agit sûrement d'une décision spontanée, mais les préparatifs seront ardus, notamment vous devrez peut-être renouveler votre passeport à toute vitesse.

Travail – Finances

Vous vous retrouverez à devoir accomplir certaines tâches tout seul. En effet, des membres de votre équipe pourraient claquer la porte sans prévenir ou se déclarer subitement malades. Il ne serait pas impossible qu'il y ait des rumeurs de conflits de travail dans votre boîte ; peu importe votre rôle, vous ne pourrez plus afficher de neutralité dans toute cette histoire, vous devrez inévitablement choisir un camp. En fait, il ne serait pas impossible que vous deviez faire un peu de discipline avec certains collègues qui ne respectent pas tellement l'autorité.

Amour – couple

Une relation amoureuse n'est pas une guerre à mener ; votre couple ne devrait pas être un champ de bataille, mais plutôt une oasis de bonheur, un havre de paix. Il ne tient qu'à vous de changer la situation et de prendre conscience de votre pouvoir. Vos amis pourraient prendre de plus en plus d'importance, vous obligeant ainsi à repousser continuellement les moments intimes en amoureux. D'ailleurs, les gens pourraient même s'offusquer si vous préférez passer du temps avec l'être cher.

Amour – Célibataire

Vous ne parviendrez probablement pas à trouver la bonne personne avec qui vous aurez envie de passer votre vie, même si vous connaissez une certaine popularité sur votre site de rencontre. Vous serez finalement tenté de prendre une petite pause pour vous retrouver seul ou entre amis, tout simplement. Ce sera lorsque vous vous apprêterez à pratiquer des activités à l'extérieur avec vos meilleurs amis qu'une personne intéressante se manifestera vers la toute fin du mois.

Santé

Avec Mercure et Vénus, planètes qui s'installent dans le Bélier ce mois-ci, il ne serait pas étonnant que votre état psychique en soit affecté. En effet, il serait important de faire quelques efforts pour trouver le temps nécessaire de vous détendre et de vous reposer, ou encore de pratiquer une forme de méditation. Vous n'avez surtout pas envie de vous retrouver avec une dépression sur les bras.

TAUREAU – AVRIL

Les meilleurs jours ce mois-ci pour:

- Jouer à la loterie: 6, 7 et 8
- Le social et les jeux en groupe: 11, 12 et 13
- L'amour: 1, 2 et 3
- La sphère professionnelle: 27, 28 et 29

En général

Vous aurez certainement envie de vous gâter et de vous offrir ce qu'il y a de plus beau, surtout si votre anniversaire est bientôt! Vous vous accorderez des soins de beauté ainsi que de belles journées dans un spa afin de vous détendre. Vous devriez être passablement occupé à essayer de régler les problèmes des autres en général, mais c'est une situation qui devrait aussi combler votre besoin d'aider. Si vous êtes le moindrement un artiste dans l'âme, il est clair que vous réaliserez sûrement l'un de vos plus grands chefs-d'œuvre.

Travail – Finances

Vous devrez probablement vous débrouiller dans une autre langue pour négocier un contrat important. Certains de vos collègues pourraient claquer la porte sans prévenir ou subitement se porter malades. Vous réussirez sûrement à prendre des mesures au sujet de leurs problèmes de comportement. Ainsi, vous pourriez pratiquement sauver l'entreprise, et la direction devrait vous récompenser généreusement. Une formation pourrait s'avérer ardue, mais elle vous permettra d'obtenir un bien meilleur salaire par la suite.

Amour – couple

Vous aurez de belles initiatives plus stimulantes les unes que les autres à proposer à votre amoureux. Lorsqu'un couple a de nombreuses années derrière la cravate, la passion n'est plus toujours au rendez-vous, alors il est possible que les périodes d'affection soient toujours de plus en plus espacées, de manière qui ne vous convient plus du tout. Il est possible de corriger ce problème: ce sera en prenant conscience de la situation que vous vous retrouverez dans la bonne direction.

Amour – Célibataire

Il ne suffit que de mettre le nez dehors ou de vous inscrire sur un site de rencontre pour connaître une soudaine popularité. Vous serez surpris de la qualité des prétendants qui se présenteront. Ils seront très romantiques et dégageront un charme auquel vous résisterez difficilement. Si vous êtes de nature sportive, ce sera justement au cours d'une pratique quelconque que vous découvrirez cette perle rare.

Santé

L'aspect psychique sera certainement à l'ordre du jour ; vous avez nécessairement besoin de ressourcement, de faire le vide et d'adopter un mode de vie un peu plus spirituel. Il serait donc important d'apprendre quelques techniques pour vous détendre et connaître de bonnes nuits de sommeil qui seront certainement très bénéfiques pour vous. Il faudra impérativement mieux canaliser vos énergies ce mois-ci.

TAUREAU – MAI

Les meilleurs jours ce mois-ci pour :

- Jouer à la loterie : 4, 5 et 6
- Le social et les jeux en groupe : 9, 10 et 11
- L'amour : 26, 27 et 28
- La sphère professionnelle : 6, 7 et 8

En général

Vous pourriez très bien vous investir dans une formation quelconque aussi bien en lien avec le travail que pour une forme d'évolution spirituelle ; ce pourrait aussi être un voyage qui ressemblerait à un pèlerinage. Vous vous investirez dans la création d'une œuvre artistique impressionnante. Au fur et à mesure que le beau temps s'installe, vous n'hésiterez plus un seul instant à entreprendre une vie beaucoup plus sociale, vous sortirez de votre cocon. Vous recevrez aussi de nombreuses invitations à sortir de la part de vos amis.

Travail - Finances

Si vous êtes sans emploi, il est clair que vous trouverez chaussure à votre pied, du moins vous reprendrez une vie active qui réussira à vous stimuler pour aspirer à de meilleures conditions de vie. Vous devrez aussi apprendre à être un peu plus diplomate et faire les compromis qui s'imposent. Vous pourriez être responsable d'un projet de nature artistique, ou même une cause sociale vous apportera peut-être un revenu supplémentaire. Votre créativité vaut de l'or !

♥♥ Amour - couple

La question de la fidélité est toujours délicate à aborder, vous avez besoin de vous assurer que l'autre est sur la même longueur d'onde à ce sujet. Bien qu'il fasse tout en son pouvoir pour vous rassurer, quelques doutes subsistent dans votre esprit. Si votre partenaire se montre un peu distant, c'est plutôt en raison d'un petit problème de communication entre vous. Communiquer est essentiel pour comprendre mutuellement vos besoins affectifs.

♥ Amour - Célibataire

Vous serez attiré par des gens d'une autre nationalité ; vous ressentez l'exotisme en eux, la découverte et le plaisir de voir la vie autrement, et ce, sous une autre perspective. Vous n'aurez pas la langue dans votre poche et, au premier rendez-vous, vous mettrez les choses au clair dès le début de la conversation. C'est précisément ce qui vous assurera l'intégrité de l'autre personne. Mais vous ressentirez une forme de dualité qui freinera vos ardeurs et vous obligera à bien réfléchir à la situation avant de prendre une décision.

Santé

Il est possible de ressentir fortement la fatigue au début du mois ; vous pourriez être au ralenti, notamment en raison de maux de tête persistants. De plus, regardez où vous mettez les pieds et faites attention de ne pas vous cogner la tête, vous êtes peut-être un peu plus distrait que d'habitude. Que vous entrepreniez un régime pour maigrir ou pour être plus en forme, vous ne pouvez pas vous attendre à obtenir des résultats instantanés.

TAUREAU – JUIN

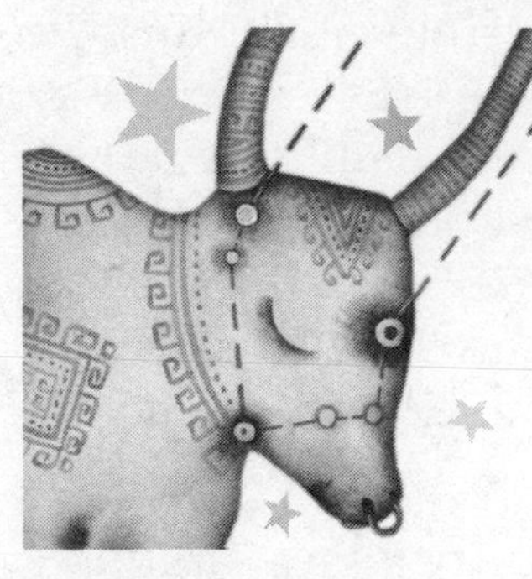

Les meilleurs jours ce mois-ci pour:

* Jouer à la loterie: 27, 28 et 29
* Le social et les jeux en groupe: 5, 6 et 7
* L'amour: 22, 23 et 24
* La sphère professionnelle: 2, 3 et 4

En général

Vous penserez à vous-même, à vous refaire une beauté, à renouveler votre garde-robe et à vous offrir toutes sortes de petits bonheurs. Votre côté épicurien sera comblé. Si vous avez décidé de vendre votre propriété, vous passerez beaucoup de temps à fignoler certains détails pour qu'elle devienne plus attrayante aux yeux des futurs acheteurs. Au bureau, au petit café du coin, à l'épicerie ou ailleurs, vous croiserez une vieille connaissance avec qui vous passerez des heures à discuter de tout et de rien.

Travail – Finances

Vous pourriez être directement impliqué dans une importante négociation qui aura un très bel impact sur votre carrière à plus long terme. On pourrait aussi vous assigner à un poste concernant le service à la clientèle. Vous apprécierez clairement le contact avec les gens, même si vous étiez un peu inquiet de votre performance sur le plan communicationnel. Pour réaliser un projet, selon Einstein, il faut souvent y consacrer 10 % d'inspiration et 90 % d'efforts. Le secret du succès réside dans la volonté d'y parvenir.

♥♥ Amour – couple

Un couple solide en est un qui communique ouvertement. Vous aurez besoin de partager quelques émotions avec votre amoureux. Vous aurez droit à une oreille attentive et protectrice. C'est avec de la patience que vous parviendrez à vous comprendre et à vous entendre. Bien que vous soyez ensemble depuis de nombreuses années, il arrive que l'aspect affectif soit négligé et que le couple finisse par prendre des mauvais plis. Vous ferez des efforts pour corriger la situation et retrouver une belle dynamique.

♥ Amour - Célibataire

Grâce à votre sens de la communication qui sera décuplé, vous entreprendrez des conversations très intéressantes avec de potentiels prétendants, multipliant ainsi les occasions de découvrir des gens intéressants. S'il y en a un en particulier qui attire votre attention, il est possible que vous tentiez de sauter certaines étapes, ce qui pourrait freiner les ardeurs par la suite, surtout si vous êtes déçu de votre premier contact intime.

Santé

Les décongestionnants en vaporisateur sont dangereux à utiliser en raison d'une possible accoutumance, et ils peuvent ainsi provoquer une congestion chronique. Si vous avez entrepris un nouveau régime dernièrement ou depuis quelques mois, il est clair que votre tour de taille atteindra probablement les résultats escomptés.

TAUREAU – JUILLET

Les meilleurs jours ce mois-ci pour:

* Jouer à la loterie: 24, 25 et 26
* Le social et les jeux en groupe: 29, 30 et 31
* L'amour: 20, 21 et 22
* La sphère professionnelle: 17, 18 et 19

En général

Vacances ou non, vous vous consacrerez sérieusement à des travaux que vous devez faire sur la maison. Vous tenterez bien de passer le plus de temps possible chez vous ou en famille, et ce sera précisément le genre de vacances que vous préconiserez. Par contre, vous ne souhaitez pas nécessairement être envahi par tout le monde en même temps et vous n'avez surtout pas envie de vous taper le ménage tout seul chaque fois que vous recevez des amis ou la parenté. Ayez l'audace de demander que les invités apportent un plat et leur boisson pour éviter de devoir vous serrer la ceinture. Un ami vous invitera dans un lointain chalet, dans son havre de paix, et il vous fera vivre une sorte de rêve.

Travail – Finances

On vous donnera l'occasion de travailler à partir de chez vous à quelques reprises et de vous établir un bureau très fonctionnel à la maison. Vous serez extrêmement efficace en prenant l'initiative d'entreprendre ce que vous ne cessiez de remettre à plus tard, et tout ce qui a été négligé depuis trop longtemps déjà se réglera. Les absents ont toujours tort, dit-on ! Malgré les vacances, vous serez en excellente position pour faire avancer des négociations et conclure des ententes.

♥♥ Amour – couple

Le confort de votre foyer est tout ce qu'il y a de plus approprié pour y vivre des moments intimes de grande qualité. Votre partenaire et vous-même saurez créer de la magie et de la romance dans la chambre à coucher. Mais il ne sera pas toujours facile de trouver l'équilibre entre une vie sociale active et de doux instants plus romantiques. Si vous venez tout juste d'emménager ensemble, l'adaptation ne sera peut-être pas facile au cours des premiers jours. Heureusement, vous arriverez à mettre un peu d'eau dans votre vin pour retrouver l'harmonie, le désir et la passion.

♥ Amour – Célibataire

Dans une atmosphère où règne un certain silence, comme dans un musée ou même au cinéma, vous croiserez le regard d'une personne qui captera votre intérêt. La patience sera de mise, il faudra quelques rendez-vous avant de vous déclarer le moindre sentiment. Des complications avec un ex concernant la garde et la pension devront être débattues fermement. Mais par la suite, il pourrait y avoir réconciliation, au point de revenir ensemble !

Santé

Les excès en tout genre ne seront pas recommandables. Trop de nourriture, trop d'alcool, trop d'exercice, trop de soleil, bref, si vous êtes moins raisonnable que d'habitude, vous n'aurez pas à attendre bien longtemps avant d'en ressentir les conséquences. De plus, l'alcool affaiblit le système immunitaire habituellement, et vous pourriez être coincé avec un rhume d'été plutôt désagréable.

TAUREAU – AOÛT

Les meilleurs jours ce mois-ci pour:

* Jouer à la loterie: 21, 22 et 23
* Le social et les jeux en groupe: 26, 27 et 28
* L'amour: 16, 17 et 18
* La sphère professionnelle: 23, 24 et 25

En général

En vacances ou non, vous passerez une bonne partie du mois à la maison à profiter du confort de votre foyer en compagnie de vos enfants, ou alors vous vous promènerez et irez rendre visite à des membres de votre famille. Chez vous, vous aurez envie de décorer et d'entreprendre quelques petits travaux, sauf qu'une situation familiale vous obligera à rester près de la maison. Également, il ne serait pas étonnant que vous vous lanciez dans la découverte de nouvelles façons de cuisiner. De plus, vous vous mettrez d'accord avec des personnes avec qui vous aviez eu des conflits dernièrement.

Travail – Finances

Vous pourriez avoir l'occasion de développer votre propre petite entreprise. Ce seront peut-être même des membres de votre famille qui vous inviteront à poursuivre leur affaire, surtout s'il s'agit d'une entreprise qui existe depuis plusieurs générations. Vous êtes chercheur d'emploi? Il faudra attendre de deux à trois semaines avant d'obtenir une entrevue ou une réponse. Si vous avez de jeunes enfants, vous réussirez à trouver un poste de qualité en fonction des besoins familiaux.

♥♥ Amour – couple

Vous apprécieriez sûrement davantage d'originalité de la part de votre amoureux et d'imagination pour créer un environnement plus propice à raviver la flamme passionnelle entre vous. Il est possible que l'énergie ou la santé ne soient pas toujours au rendez-vous pour favoriser de grands ébats amoureux. Jeune couple, vous pourriez également parler de vivre ensemble, de fonder une famille ou même d'en reconstituer une nouvelle.

♥ Amour – Célibataire

Il ne serait pas impossible que vous tombiez sur quelqu'un de très intéressant dans votre votre milieu de travail. Mais l'ambiance n'est pas nécessairement toujours propice pour y développer une conversation. Alors, n'hésitez pas à lui proposer d'aller prendre un verre pour faire plus ample connaissance. Vous aurez tendance à être passablement pointilleux sur certains détails concernant sa personnalité et ses habitudes. Vous tenterez de les lui faire corriger, plutôt que de les accepter.

Santé

Votre estomac pourrait vous jouer des tours par moments ; il serait bon de faire attention à ce que vous mangez ce mois-ci pour éviter des brûlures d'estomac ainsi que des reflux gastriques. Un simple ajustement de votre alimentation pourrait vous aider considérablement.

TAUREAU – SEPTEMBRE

Les meilleurs jours ce mois-ci pour :

* Jouer à la loterie : 17, 18 et 19
* Le social et les jeux en groupe : 22, 23 et 24
* L'amour : 8, 9 et 10
* La sphère professionnelle : 19, 20 et 21

En général

À la maison, il serait important de faire un partage des tâches le plus équitablement possible. Peut-être que vous devez apprendre à déléguer ! Même si vos enfants sont petits, vous pourriez commencer à leur inculquer des notions de ménage, par exemple. Il est possible que vous portiez secours à une personne qui se trouvait sur votre chemin par hasard. Ce sera vraiment un geste héroïque, ne serait-ce que de lui avoir offert une oreille attentive. Vous aurez également besoin de sentir que l'on a besoin de vous, ce qui n'est pas négligeable pour l'estime personnelle.

Travail - Finances

Contre toute attente, vous vous hisserez vers un poste de pouvoir avec détermination, même si ce n'est pas dans vos projets à l'heure actuelle. Ce sera probablement une occasion qui se présentera à laquelle vous réagirez en toute spontanéité. Vous devrez aussi surmonter une forme de compétition pour l'obtention de ce poste, les autres candidats étant coriaces et tout aussi déterminés que vous pour l'obtenir. Votre patience et votre persévérance vous permettront d'atteindre vos objectifs; faites-vous confiance et n'ayez pas peur de faire les efforts nécessaires. Excellente période pour démarrer votre propre affaire.

Amour - couple

Si vous avez vécu un amour d'été, vous pourriez être surpris que celui-ci se poursuive encore, même si quelques éléments rendent vos rendez-vous moins fréquents. Cependant, c'est possiblement cette légère distance qui vous permettra de souder votre relation à plus long terme. L'idée d'un mariage pourrait se manifester, surtout si vous êtes ensemble depuis longtemps. Du moins, vous aurez certainement besoin de vous offrir quelques bons soupers à la chandelle.

Amour - Célibataire

Il ne serait pas impossible que vous rencontriez quelqu'un qui a des enfants, avec qui vous pourriez apprendre à connaître ou à revivre les joies d'être parent. Évidemment, vous vous retrouverez sûrement, la plupart du temps, dans un contexte où il n'est pas facile de s'accorder un peu d'intimité. Une fois la timidité derrière vous et après avoir mieux apprivoisé les enfants de l'autre, vous sentirez que l'amour a le champ libre pour s'épanouir entre vous.

Santé

Vous ressentirez certainement beaucoup de stress, et c'est ce qui pourrait vous apporter un coup de fatigue considérable. Si vous devez subir une chirurgie ou même une opération, vous serez très heureux de voir que vous récupérez beaucoup plus rapidement que prévu. Vous avez besoin de vous sentir efficace, utile et même indispensable, c'est peut-être bien ce qui vous motivera à retrouver la santé.

TAUREAU – OCTOBRE

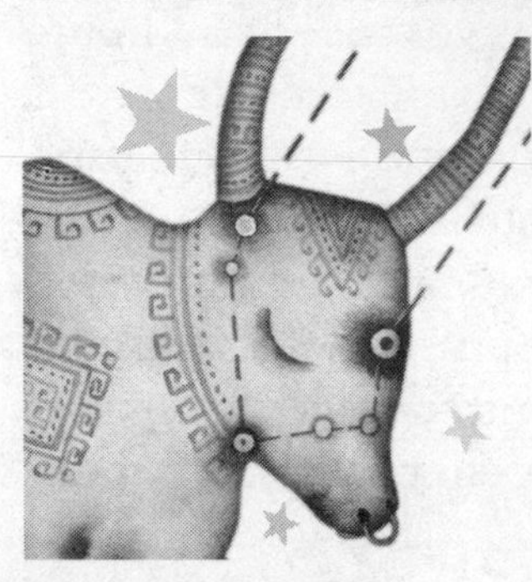

Les meilleurs jours ce mois-ci pour:

- Jouer à la loterie: 14, 15 et 16
- Le social et les jeux en groupe: 19, 20 et 21
- L'amour: 5, 6 et 7
- La sphère professionnelle: 8, 9 et 10

En général

L'aspect familial prendra beaucoup de place, et il ne serait pas étonnant que vous ne soyez pas encore très bien organisé pour faire face à la routine, ce qui provoquera bien un peu d'impatience chez vous. Vous prendrez le taureau par les cornes en planifiant le déroulement de la vie quotidienne selon votre perspective, mais il y a de bonnes chances que les autres membres de la famille ne soient pas toujours en accord avec vos idées, même si vous aviez cru avoir leur soutien au départ. Il faudra inévitablement développer vos talents de négociateur pour retrouver l'harmonie.

Travail - Finances

Vous devrez probablement mener d'intenses négociations avec des gens à l'étranger. Il faudra faire d'importants compromis et quelques sacrifices pour obtenir consensus. Vous aurez certainement besoin d'avoir toutes les informations avant de prendre une décision, et vous pourriez avoir un peu de difficulté avant de les obtenir. Vous aurez sûrement beaucoup de monde à servir, et tous ne sauront pas toujours ce qu'ils veulent. Le travail sera parfois à recommencer, pour une raison ou pour une autre.

Amour - couple

L'amour et la sexualité sont deux éléments qui, une fois réunis, peuvent vous offrir un univers fantastique. Si votre relation n'est pas encore clairement définie, vous pourriez connaître une chute du désir qui freinera vos élans passionnels. De plus, vous ressentirez une forme d'urgence inutile pour cohabiter ou même vous marier. Si vous êtes ensemble depuis longtemps et que vous avez l'idée de vous séparer, il ne serait pas mauvais d'envisager de consulter avant d'aller plus loin. Une décision prise sous l'impulsion peut avoir des impacts importants.

♥ Amour – Célibataire

Si vous cherchez activement à faire des rencontres, il y a de bonnes chances que vous tombiez sur des gens qui ne veulent qu'une simple aventure. Si vous vous êtes séparé il n'y a pas si longtemps, il est normal de faire son deuil de la relation passée avant d'en entreprendre une nouvelle. De plus, il n'est pas impossible que vous ressentiez encore beaucoup d'amour pour cet ex : vous serez tenté de reprendre contact pour tâter le terrain afin de savoir s'il y aurait des chances que vous puissiez repartir sur de meilleures bases.

Santé

Le stress professionnel est l'un des plus grands fléaux de ce siècle ; si vous êtes un travailleur qui a de nombreuses années de service, il est possible que vous ressentiez une pression supplémentaire qui aura un impact sur vos émotions. Vous les vivrez avec de bonnes fluctuations, lesquelles risquent, par le fait même, de faire valser votre vitalité. Prenez le temps de prendre soin de vous et de vous détendre.

TAUREAU – NOVEMBRE

Les meilleurs jours ce mois-ci pour :

* Jouer à la loterie : 11, 12 et 13
* Le social et les jeux en groupe : 16, 17 et 18
* L'amour : 29 et 30
* La sphère professionnelle : 13, 14 et 15

En général

Vous aurez pas mal de négociations à mener sur toutes sortes de sujets ; vous aurez un choix important à faire et n'aurez pas peur d'attendre à la dernière minute avant de décider quoi que ce soit.

Le temps est une denrée rare, et il n'est pas toujours facile de se coordonner avec les autres. Les membres de votre famille peuvent être passablement exigeants à votre endroit, et il y aura une situation avec vos proches qui pourrait vous contrarier. Il ne serait pas impossible que vous assistiez au départ de l'un de vos enfants ou, au contraire, au retour au bercail de l'enfant prodigue. Vous devriez aussi entretenir une vie sociale active.

Travail – Finances

Vous êtes très habile pour faire les bons compromis et vous avez la patience nécessaire pour ajuster la situation à votre avantage. Vous pourriez profiter d'une promotion si vous maîtrisez relativement bien une autre langue. Mais vous devrez probablement jouer du coude pour vous défendre, il semble y avoir bien des jaloux qui ne veulent pas que vous accédiez au succès. Si vous cherchez un emploi, vous aurez beaucoup de succès dans le domaine de l'enseignement, ou pour mener toute forme d'enquête et d'investigation.

♥♥ Amour – couple

Pour vous, l'amour s'exprime à travers les marques d'affection, les caresses et le toucher en général. Si vous avez des responsabilités imposantes, de jeunes enfants sous votre garde et très peu de temps de disponible, il est évident que vous ne pouvez pas vous accorder régulièrement des instants de qualité en couple. Il est donc important de remettre les pendules à l'heure et d'envisager une meilleure vision d'avenir ensemble. Il y aura possiblement quelques émotions fortes qui bousculeront votre couple.

♥ Amour – Célibataire

Dans votre milieu de travail, on vous fera quelques avances pour lesquelles vous n'êtes pas des plus enthousiastes au départ. De plus, devant un manque de temps, vous pourriez opter pour une relation occasionnelle. Vous pourriez même développer cette relation sur une base amicale. Cependant, cette personne pourrait être déjà engagée et elle vous demandera de garder cette amitié discrète. Une chose est sûre, vous vivrez une période où les émotions seront passablement sollicitées.

Santé

Avec la grisaille qui s'installe à l'extérieur, vous pourriez vous abonner à un centre de conditionnement physique ou vous procurer des appareils pour vous garder en forme. À la suite d'une opération, vous récupérerez rapidement et les résultats seront au-delà de vos espérances. Vous recevrez d'excellentes nouvelles si vous aviez des inquiétudes au sujet d'examens médicaux.

TAUREAU – DÉCEMBRE

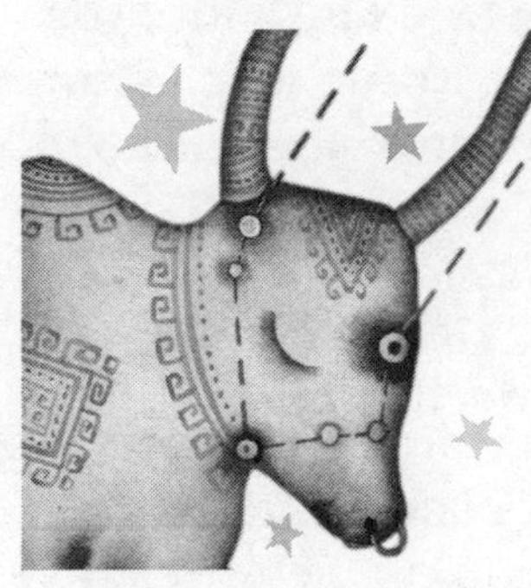

Les meilleurs jours ce mois-ci pour:

* Jouer à la loterie: 8, 9 et 10
* Le social et les jeux en groupe: 13, 14 et 15
* L'amour: 3, 4 et 5
* La sphère professionnelle: 10, 11 et 12

En général

Vous serez responsable d'une bonne partie des réceptions. Que ce soit en fonction de vos activités sociales, familiales ou professionnelles, vous serez la personne la plus qualifiée pour organiser les plus beaux événements. Votre souci de l'esthétisme vous fera connaître beaucoup de succès en ce sens. Il est possible aussi de ressentir une forme d'angoisse continuelle jusqu'à ce que les fêtes arrivent. Notamment, vous pourriez avoir un peu de difficulté à respecter votre budget pour ce qui est des cadeaux. Mais les gens préfèrent nettement votre présence à quoi que ce soit d'autre. Et s'il y a des conflits dans la famille, même élargie, vous chercherez à atténuer les tensions pour que tout le monde vive des moments merveilleux.

Travail – Finances

Même si on vous réserve toujours toutes les urgences, c'est fort probablement ce qui vous conduira vers une promotion alors que vous ne vous y attendiez absolument pas. Le mois de décembre est souvent pénible pour ceux et celles qui œuvrent dans les grandes entreprises. C'est la période des bilans, et elles font régulièrement des compressions budgétaires et des mises à pied. C'est donc une situation qui peut vous angoisser considérablement, mais les transformations ne peuvent que vous être positives en ce moment. Un remboursement important est possible également.

♥♥ Amour – couple

Si votre relation est toute récente, il ne serait pas impossible que votre partenaire vous fasse la grande demande, peut-être même devant toute la famille, à votre plus grand bonheur. Un voyage ou une escapade en amoureux devrait vous faire vivre des moments très intéressants qui vous en apprendront davantage sur l'autre: vous aspirerez à une vie commune rapidement. Si votre couple a plusieurs années derrière lui, vous élargirez davantage votre vie sociale.

♥ Amour – Célibataire

Il est plus difficile de trouver la perle rare en cette période de l'année où les gens ont davantage tendance à se réunir en famille. L'isolement est encore plus difficile à supporter. Un site de rencontre vous aidera à développer de nouveaux contacts très intéressants. Si vous voyez occasionnellement quelqu'un, cette relation pourrait devenir de plus en plus sérieuse. Vous vous accompagnerez mutuellement dans vos différentes réceptions, par exemple.

⊞ Santé

Si vous êtes le moindrement fragile émotionnellement, vous n'aurez qu'à faire attention à vos heures de sommeil: vous devriez ainsi réussir à garder le sourire tout au long de la période des fêtes. Vous aurez tendance à commettre quelques excès qui vous feront certainement plaisir et qui apaiseront votre stress en général. Mais attention de ne pas en prendre une habitude.

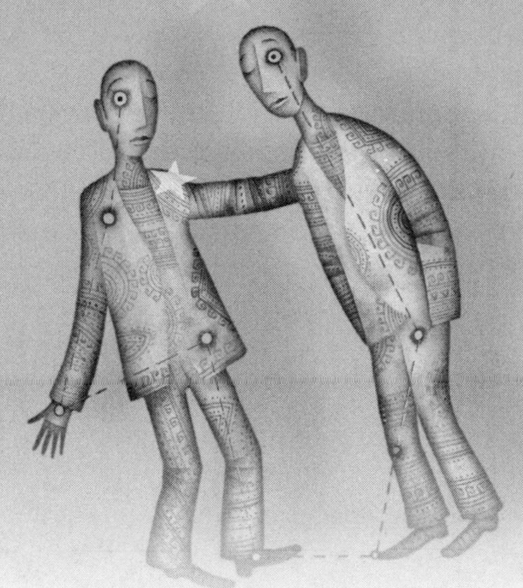

Gémeaux

(du 21 mai au 20 juin)

Josée Boudreau, Claude Talbot, André Aubry,
Marie-Claire Sawi, Stéphane Desjardins, Patrick Vincent,
Frédéric Hébert, Michel St-Pierre

Voici une année très intrigante et plutôt chargée en émotions. Malgré de nombreuses péripéties, intrigues et autres situations rocambolesques, vous réussirez à en accomplir beaucoup plus que prévu. D'ailleurs, s'il y a du déménagement dans l'air, avant que l'automne se termine, vous aurez terminé tous les travaux, et même ceux que vous aviez prévu effectuer au cours des prochaines années.

Une année généralement axée sur le boulot. Vous ferez régulièrement des heures de fou. Vous devrez sans cesse vous surpasser, bref, vous vous sentirez comme s'il y avait quelque chose à prouver auprès de la direction. Heureusement, vous n'aurez pas peur d'y consacrer les efforts nécessaires. Cependant, lorsque vous y mettez toute la gomme, assurez-vous qu'un dirigeant soit dans les parages pour vous voir aller, autrement tous vos efforts seront vains. Au mieux, vous aurez une tape dans le dos! Mais au fond de vous-même, vous suez corps et âme pour vous tailler une place parmi les grands de ce monde ; vous tenterez de vous construire un avenir solide dans l'entreprise, vous voulez une carrière qui a un sens dans votre vie, rien de moins. Bref, vous ferez les efforts qui s'imposent pour cheminer vers vos rêves.

D'ailleurs, il ne serait pas impossible que vous puissiez avoir l'occasion d'entreprendre une nouvelle direction professionnelle de manière graduelle sans trop bousculer votre travail actuel ni vos différentes obligations. Vous parviendrez à placer dans votre agenda ces nouvelles fonctions facilement. Et ce sera probablement un projet ou une carrière dont vous rêviez depuis toujours qui deviendra de plus en plus accessible. Par exemple, si vous rêviez depuis votre tendre enfance d'être agent de bord pour voyager partout dans le monde, vous pourriez très bien obtenir un poste similaire à temps partiel pendant un moment. Les jeunes hommes qui avaient rêvé de secourir le monde comme policiers ou ambulanciers, par exemple, pourraient certainement s'engager comme réserviste à temps partiel et tranquillement cheminer dans ce monde viril qui sera la rencontre de ce rêve d'enfance devenant réalité.

La peur de la réussite sera une problématique particulière. Vous devrez impérativement réaliser que vous vous freinez continuellement sans grande raison, et vous vous donnez trop souvent des excuses pour éviter d'avancer. Vous franchirez cette première étape, celle d'admettre la crainte du succès, et vous serez ainsi en excellente position pour vous rendre à la seconde étape : entreprendre les démarches vers vos ambitions.

Il est possible aussi que vous vous investissiez dans une forme de bénévolat en vous impliquant concrètement dans un centre d'entraide près de chez vous ou auprès de tout autre organisme public. Vous y découvrirez une profonde passion pour vos fonctions, et vous recevrez un immense lot de gratitude non seulement de la part des gens que vous aidez, mais aussi des autres membres actifs de l'organisation.

Vous pourriez également décider d'entreprendre une petite affaire dans le domaine de la santé, notamment la distribution de produits naturels, ou fournir des services reliés au mieux-être physique et psychique. Vous connaîtrez assurément un succès qui dépassera vos attentes. Alors que vous pensiez y consacrer quelques heures par semaine, vous serez surpris de l'ampleur que cette affaire prendra.

Très occupé par l'accomplissement de vos ambitions, il ne faudrait pas trop que vous négligiez votre famille, vos jeunes enfants plus particulièrement. N'oubliez pas qu'ils ont besoin de vous pour les devoirs, leçons, mais aussi pour certaines activités. Vous aurez beau leur expliquer que vous manquez de temps, ils risquent de perdre l'intérêt de l'école tout comme vous perdez de l'intérêt pour eux ; en fait, c'est l'impression qu'ils pourraient avoir de vous face à eux.

Il serait donc important de planifier à votre agenda des activités familiales afin d'être en harmonie à la maison. Même si vos enfants ne sont plus à la maison depuis longtemps, vous pourriez très bien organiser des réunions familiales régulièrement, ne serait-ce qu'une fois par mois, histoire de garder le fil conducteur entre vous. De plus, il y aura possiblement un membre de la famille, tel un vieux parent, qui aura besoin de soins particuliers et vous devrez le visiter assidûment. Ce ne sera pas une situation dramatique, au contraire, cette activité vous plaira tout spécialement et vous développerez un lien très serré avec cette personne. Bref, elle ne sera pas un fardeau.

Côté cœur, si vous êtes en couple depuis longtemps, la routine et une vie professionnelle passablement chargée freinent généralement les ardeurs de deux tourtereaux. Vous pourriez même avoir tendance à oublier que vous êtes en couple par moments. Il y aura possiblement un éloignement qui s'effectuera bien malgré vous, et ce, sans que vous puissiez trouver une solution. Cette situation pourrait provoquer un sentiment de crainte et une peur de perdre l'autre. Le véritable amour ne s'intéresse pas à la politique ni à tout ce que l'insécurité a pu inventer au fil des siècles pour donner l'illusion de son éternité. La seule façon de rendre l'amour éternel est d'entretenir la flamme amoureuse, celle qui avive la passion lorsque c'est nécessaire. Et ce sera ainsi, avec profondeur et conviction, que vous apprendrez ou réapprendrez à vous aimer.

Vous êtes célibataire ? Vous vous consacrerez corps et âme au travail, vous n'aurez donc pas de grand intérêt et encore moins l'énergie pour rechercher l'amour activement. Mais au fur et à mesure que l'année avance, il y aura bien un collègue ou un patron qui manifestera un certain intérêt à vous connaître davantage. Vous n'aurez pas un premier rendez-vous rapidement, vous vous étudierez longuement avant d'ouvrir le moindre dialogue à saveur sentimentale.

De plus, vous travaillerez probablement ensemble sur des dossiers pendant une partie de l'année ; vous concrétiserez de grands projets ou, du moins, vous accomplirez vos tâches côte à côte jusqu'au jour où l'un ou l'autre aura le courage de baisser ses barrières. Dès cet instant, vous fusionnerez, vous ne vivrez plus que l'un pour l'autre et vous entreprendrez les démarches très rapidement pour vivre ensemble. La vie à deux est une aventure que vous n'hésiterez plus à entreprendre ; vous sentirez que vous avez enfin trouvé la bonne personne avec qui partager votre vie. Et si vous êtes tous les deux jeunes, vous songerez également à fonder une famille presque aussi rapidement, du moins d'ici les deux prochaines années.

Si votre relation est toute jeune, il y aura un long processus d'apprivoisement et d'adaptation que vous trouverez interminable, au point d'envisager de mettre un terme à cette histoire. Cette situation provoquera bien une forme de tumulte émotionnel pendant une partie de l'année. Le temps finira par arranger les choses, et dès que les commerces commenceront à installer leurs décorations de Noël, votre histoire d'amour reprendra du poil de la bête et vous vous alignerez vers un engagement.

Côté santé, lorsque les habitudes de vie ne sont pas des plus saines, vous ne pouvez faire autrement que de vous diriger vers des problèmes plus inquiétants. Peut-être n'êtes-vous plus une jeunesse, et les soirées bien arrosées sont de plus en plus pénibles pour votre organisme. Heureusement, vous êtes dans une excellente période pour avoir la motivation et les outils nécessaires pour entreprendre de grands changements afin de vous offrir un mode de vie beaucoup plus sain. Le cancer est une maladie sournoise, et il faut en général effectuer des tests pour le détecter. S'il est découvert assez tôt, la guérison est habituellement presque assurée. D'ailleurs, vous pourriez découvrir une tumeur ou un kyste qui vous inquiétera au plus haut point, mais il ne sera que bénin ; vous serez pris en charge et les traitements seront efficaces et faciles à subir.

Si vous êtes retraité, évidemment vous connaissez des gens qui vieillissent moins bien que d'autres et qui sont affectés par la maladie. Il y a de bonnes chances que vous vous donniez la mission de les aider, de prendre soin d'eux, tandis que vous remercierez le ciel de vous garder en santé. Peut-être aurez-vous aussi à vivre un deuil, certaines personnes de votre entourage pourraient bien vous dire au revoir. Heureusement, ce sera avec beaucoup de sérénité que vous affronterez cette situation.

Gémeaux et ses ascendants en 2018

Gémeaux ascendant Bélier

Vous avez réponse à tout! Vous êtes l'aventurier des mots. Vous osez avancer des idées que nul autre n'aurait pu concevoir avec autant de clarté. Vous êtes passé maître dans l'art de rendre des idées géniales accessibles à une masse que seuls les grands esprits comprenaient; vous êtes l'homme ou la femme de la pensée moderne, vous pouvez aussi resservir telle une nouveauté ce qui fut une antique recette magique. Il y a en vous l'original et le traditionnel. Que vous soyez un mécanicien, un ingénieur, un informaticien, un pharmacien, bref, quel que soit le métier ou la profession choisi, vous ajouterez quelques pincées de votre poudre de merlin et transformerez un produit banal en une affaire que des tas de gens désireront s'offrir. En 2018, vous proposerez divers changements; on vous écoutera attentivement, et ces gens qui savent faire de l'or avec du plomb appliqueront avec leurs gros moyens financiers au moins une de vos suggestions... que vous devriez breveter, à moins que vous ne vous contentiez de bien peu quand les profits seront distribués plus tard. Quant à l'amour, celui qu'on quitte, certain d'être à nouveau accueilli, celui qui s'aventure hors du contrat de mariage, celui qui décide sans parler de quoi que ce soit avec son conjoint, etc., celui qui vit en couple mais ne partage rien, tous ceux-là se retrouveront seuls. Riche d'argent et pauvre de cœur, voilà votre pire déséquilibre!

Gémeaux ascendant Taureau

Entre le 16 mai et le 6 novembre, vous expérimenterez le passage d'Uranus en Bélier, qui est dans le douzième signe de votre ascendant et tout à la fois dans le onzième du Gémeaux. Cette planète est en quelque sorte le grand générateur de Pluton; vous aimeriez vitement tout posséder et avoir tout pouvoir. Le ciel ne va pas vous les servir sur un plateau d'argent. L'argent, vous devrez le gagner, et plutôt que de faire des placements hasardeux, choisissez ce qui assure un rendement. Si vous travaillez dans le commerce, entre la mi-mai et le 6 novembre, avant d'agrandir, avant de franchiser votre entreprise, écoutez attentivement les conseils de votre comptable et l'intuition de votre partenaire amoureux ! Leurs idées diffèrent des vôtres, mais elles peuvent aussi créer en vous un flux d'idées nouvelles pouvant, elles aussi, faire votre fortune. Vous êtes un bâtisseur, mais on ne construit pas n'importe où, ni n'importe quand, ni avec n'importe qui ! L'année 2018 vous invite à la prudence : vous gagnerez peut-être moins mais, surtout, vous ne perdrez rien. Le ciel vous demande d'étudier tout ce qui concerne l'achat de terres à vendre, et ce qu'il serait permis d'y construire ou d'y exploiter. Chez certains, c'est toute la famille qui aura envie de quitter la ville, le but étant de respirer plus librement mais aussi de tenter l'expérience du survivalisme.

Gémeaux ascendant Gémeaux

Vous êtes un double signe d'air, un double signe de raison, un double signe double. Ce doublage de Mercure vous donne des idées bien en place souvent héritées de votre famille ; si, par exemple, on ne valorisait que le succès, l'argent, la prospérité, la sécurité, le pouvoir, etc., lorsque vous étiez petit, il est possible que toute votre vie durant vous cherchiez à vous élever afin d'être « celui qui a de l'influence ». Quelle que soit l'orientation choisie pour atteindre votre objectif, vous y mettrez un maximum d'efforts : pour vous, la vie est une course, et en tant que double signe d'air, vous êtes difficile à essouffler ! Mais certaines années sont plus complexes que d'autres, et particulièrement dans le monde de la finance. Vous devrez être plus prudent que jamais lors de vos transactions. Ne confiez jamais vos secrets, car soyez assuré qu'ils seraient répétés. Peut-être vous envie-t-on au point de souhaiter vous voir ailleurs ! Ces prises de bec que vous avez eues avec des gens et que vous avez oubliées sont, par contre, restées dans la mémoire de ceux qui se sont opposés à vous. Faites-vous plus discret si vous êtes fortuné ! En 2018, vous devez ménager vos énergies et ne vous consacrer qu'à ce qui a de la valeur pour vous. L'amour est-il important ? Pour le garder, il faudra donner du temps à votre couple et inclure l'amoureux dans vos projets. Vous seriez sage de consulter votre conjoint avant de prendre des décisions qui finissent toutes par toucher votre vie familiale.

Gémeaux ascendant Cancer

Vous êtes né de Mercure et de la Lune ; votre Mercure décrit vos rêves, lesquels vous parlent des chemins que vous emprunterez pour concrétiser vos projets. Vous êtes un mélange de timidité et d'audace, bien dosé ! Vous devinez les gens qui se présentent à vous ou que vous croisez par hasard, vous arrivez même à leur faire dire les intentions qu'ils ont à votre égard. Vous avez du mal à croire qu'on puisse simplement vous aimer et que derrière le langage d'une romance se cache sans doute un désir d'appropriation de la part de celui qui vous sourit. Ce n'est qu'avec la maturité que vous comprenez que l'amour ne s'explique pas et que c'est peut-être le seul mystère qui soit sur cette terre. Si vous êtes célibataire, en 2018 vous aurez l'occasion de faire une rencontre hors de l'ordinaire ; plus vous chercherez à définir cette personne, moins vous aurez de mots. Il est également possible que votre nouvel amoureux ait quelques années de plus que vous, ce sera juste ce brin de maturité et d'expériences supplémentaires dont vous avez tant besoin, ce qui vous permettra enfin d'exprimer la profondeur de vos sentiments. Pour d'autres, heureux couples encore sans enfant, en 2018, votre réflexion vous conduira au désir de fonder une famille que vous aimerez plus que vous-même. C'est alors que vous saurez ce qui définit le mieux le dépassement de soi. En affaires, vous devrez parfois faire des concessions pour garder un client, surtout si vous êtes un travailleur autonome. Si vous travaillez au sein d'une grande entreprise, vous vous adapterez aux changements qui vous seront imposés.

Gémeaux ascendant Lion

Vous êtes né de Mercure et du Soleil. Sous cette signature, votre Mercure devient une multitude de désirs, des petits, des grands, des énormes, des gigantesques, bref, Mercure peut aussi se brûler en voulant se coller au Soleil, et parce que vous voulez tout, toutes vos idées s'emmêlent ! Par exemple, vous ne pouvez pas avoir une vie privée si vous voulez être un maître dans ce monde où les compétitions sont à la mode depuis la nuit des temps ! Si vous occupez un siège privilégié dans une entreprise ou un gouvernement, ou si vous êtes propriétaire d'une importante entreprise qui prendra encore du gallon, vous devez alors choisir ceux qui vous accompagnent dans ce voyage vers les succès. Votre style verbal est parfois si direct qu'il peut foudroyer quelqu'un ou un groupe de gens, aussi aurez-vous besoin d'être protégé. Si vous êtes plus modeste, vous avez tout de même de grandes et belles aspirations ; il est noble d'être le plus fort pour défendre ceux que la société et la vie ont fragilisés. Mais vous aussi rencontrerez des obstacles, vous les traverserez avec dignité et savoir-faire. Quant à votre vie privée, vous serez si occupé que vous manquerez à l'amoureux ; de temps à autre, rappelez-lui que vous êtes toujours à ses côtés. Quel que soit le genre de maison que vous possédez, il serait utile que vous soyez équipé d'un système d'alarme : vous éviterez ainsi que des voyous ne vous vandalisent. Pour votre protection, ne promenez pas votre chien seul quand il fait nuit, surtout si vous habitez un quartier dont la réputation est douteuse.

Gémeaux ascendant Vierge

Vous êtes né de Mercure dans un signe d'air et d'un Mercure dans un signe de terre. L'association de ce double Mercure fait de vous une personne possédant les meilleures idées qui soient : celles qui apporteraient la paix et la nourriture pour toute la population terrestre. Malheureusement, presque personne n'entend votre message, il est si juste qu'il empêcherait les chefs de guerre de nombreux pays de s'emparer des territoires voisins et de mettre ceux-ci en esclavage afin de profiter de leurs biens. Si on votait pour votre pacifisme et votre humanisme, ce serait comme renier l'histoire, la première querelle meurtrière qui eut lieu entre Adam et Caïn ! En 2018, si vous avez le temps et du courage, ralliez-vous à un mouvement écologique ou à tout autre qui puisse prendre la défense des opprimés. Ou encore, écrivez ce livre qui relatera ce qu'il faut changer et ce à quoi il ne faut pas toucher ! Si vous avez un emploi régulier et que vous en êtes satisfait, restez-y sans vous plaindre, même si rien n'est parfait. Quand vos rêves ne deviennent pas des réalités, c'est généralement parce que vous vous êtes enfargé dans les fleurs du tapis et que vous êtes resté accroché à un tas de virgules ! Si vous êtes amoureux, vous le dites avec des mots ; vous posez aussi des gestes qui prouvent votre attachement à l'autre dont, sans vous en rendre compte, vous dépendez émotionnellement... Tout va bien, et ça, c'est une autre histoire qui n'a rien de dramatique, ou bien rarement.

Gémeaux ascendant Balance

Vous êtes un double signe d'air, vous êtes né de Mercure et de Vénus : vous avez un esprit éclairé, vous êtes diplomate, aimable, aimant, souriant, mais surtout et avant tout vous êtes un électron libre. En réalité, le quartier, la ville, le pays où vous êtes né est beaucoup trop étroit pour vous ; vous prenez souvent la décision, alors que vous êtes encore jeune, de faire le tour du monde. Quel meilleur métier que celui de journaliste pour y parvenir ! Vous avez un constant désir de savoir, tout ce qui est nouveau retient votre intérêt ; vous voulez apprendre comment les choses se font ou se défont. Ou encore, comment votre cerveau fonctionne : il faut devenir neurologue pour le savoir. En réalité, vous êtes attiré par toutes les professions qui exigent de la recherche, des connaissances ; vous êtes amoureux du savoir, respectueux de la vie, et avec vous ce qui est caché ne devrait pas l'être, car vous aimez profondément la vérité. En 2018, vous aurez l'impression qu'il faut réapprendre dans le domaine que vous explorez ou développez maintenant, car il faut dépasser même les plus rapides. Plus ambitieux, plus dynamique, plus audacieux, vous ferez un bond géant là où vous avez fait des progrès. Si vous êtes sur le point de choisir une profession, l'inspiration viendra à travers un événement bouleversant ; telle une flèche, la vie vous donne la direction à suivre.

Gémeaux ascendant Scorpion

Vous êtes né de Mercure qui aime bien croire aux fées, aux magiciens, aux héros, aux princes et princesses ; ces contes ne sont que dans les livres, car Pluton et Mars qui régissent votre ascendant vous soufflent constamment à l'oreille que vous devez vous méfier de tout, ou presque ! Votre Soleil se retrouve dans le huitième signe de votre ascendant et relève aussi de Pluton et de Mars. Même si vous êtes né superbement riche, vous avez peur de manquer d'argent. Si vous êtes issu d'une classe pauvre ou moyenne, vous ferez tout ce que vous pouvez pour en sortir afin d'amasser biens et dollars, lesquels vous mettront à l'abri du manque, mais malheureusement la peur restera. Celle-ci est étrange, car elle est aussi le moteur qui vous fait avancer. Dans le domaine où vous êtes impliqué, vous devenez l'expert à gros salaire. Plusieurs d'entre vous finissent par vivre avec beaucoup plus que ce dont ils ont besoin et font des économies pour leurs vieux jours! Cette peur qui vous anime vous fait craindre de perdre l'amour de votre partenaire, et il n'est pas rare que vous ayez plusieurs unions. En 2018, Jupiter est en Scorpion et stimule tout ce que vous êtes, et y ajoute l'option joie de vivre. Ce sera à vous de saisir les occasions. Si vous êtes seul, célibataire depuis trop longtemps, joignez-vous à des groupes qui, comme vous, n'ont personne avec qui partager de l'amour. Les uns le découvriront pour la première fois, même après trois contrats de mariage! D'autres réussiront à apprendre que l'amour n'a aucun lien avec ce qu'on possède, et combien on possède! L'amour n'entre dans aucun calcul: il est impalpable, il est ressenti, il est indéfinissable, et tout à la fois il enveloppe ceux qui s'aiment!

Gémeaux ascendant Sagittaire

Vous êtes né avec votre signe opposé et complémentaire à la fois. Quand vous laissez votre ascendant s'opposer à vous plutôt que de vous en faire un ami, vous prenez de mauvaises décisions. Il n'est jamais facile d'être à l'écoute de soi, et de prendre une décision au moment même même où il faut dire oui ou non. En tant que Gémeaux, vous êtes l'enseignant le plus populaire du primaire, mais le Sagittaire veut faire de vous le meilleur professeur d'université qui soit! Vous pouvez être ce que vous voulez; il y a ceux qui choisissent le chemin le plus court: ils obtiennent un travail et reçoivent un salaire. D'autres décident d'entreprendre de longues études: ils sont sérieux, ambitieux, obtiennent leur diplôme et exercent une profession bien rémunérée. Que vous choisissiez une ou l'autre de ces options, vous réussirez à sortir du moule dans lequel on a voulu vous inclure. Bien que très attaché à la famille, vous vous fabriquez une vie qui vous ressemble; vous n'êtes pas vos parents et vous voulez penser différemment d'eux parce que vous voulez élargir vos horizons. En 2018, vous serez ramené malgré vous dans le cocon familial; il est possible qu'un parent ait besoin d'aide ou de soins, vous ferez tout ce qui est en votre pouvoir pour lui donner ce bien-être qu'il ose à peine demander. En tant que parent, vos enfants, quel que soit leur âge, vous demanderont conseil, ou vous sentirez qu'au moins l'un d'eux doit être mieux guidé et peut-être même pris en charge, car il a perdu son chemin et c'est vers vous qu'il se tourne pour le retrouver. Côté sentimental, vous pourriez traverser des orages ou de gros coups de vent. Sachez toutefois que la tempête passera, mais tant qu'elle dure, vous résisterez en solidifiant votre maisonnée afin qu'elle résiste à ces contretemps. L'année 2018 en est une de repos. En ce sens, il faut repenser vos objectifs, les modifier et parfois même changer complètement d'orientation professionnelle.

Gémeaux ascendant Capricorne

Vous êtes né de Mercure et de Saturne. Le premier est toujours à la hâte, tandis que le second vous retient et vous suggère de penser votre vie à long terme. Votre Soleil est dans le sixième signe de votre ascendant, ce qui fait de vous quelqu'un possédant un grand sens du détail, et c'est parfois excessif. Non seulement voyez-vous vos imperfections, mais celles des autres vous paraissent démesurément terrifiantes ! C'est une part de vous qui peut agacer ceux qui vous entourent, la famille, les collègues et même des amis finissent par trouver que vous exagérez. Il est temps de vous regarder et de faire une autoanalyse, pour ainsi corriger ces petits défauts de caractère, surtout quand il s'agit de vos relations familiales, celles qu'on devrait presque toujours trouver agréables. Vous êtes magnifiquement intelligent et pouvez faire de votre vie ce que le cœur vous en dit. Les influences parentales, et plus particulièrement celles que vous avez reçues de votre père, sont puissantes ; si ce dernier est en commerce, vous pourriez suivre ses traces et peut-être même dépasser ses plus grands rêves. Mais vous pouvez aussi devenir un écrivain prolifique, un médecin, un chercheur, un ingénieur : le ciel vous a donné des talents, il faudra bien que vous en utilisiez au moins un pour être satisfait de vous. Sous votre signe et ascendant, l'amour n'est pas simplement de l'amour ; il y a trop d'ajouts, de conditions, vous rendez les choses compliquées entre votre amoureux et vous. Quand un homme aspire à un amour maternel, il y manque la dimension passionnelle. Quand une femme n'est attirée que par des hommes d'autorité, peut-être y voit-elle un peu son père, et quand la tendresse vient à manquer, dame Gémeaux/Capricorne, indépendante, quitte la maison. Si votre couple traverse des moments difficiles, choisissez la thérapie pour deux ou ayez des conversations franches. Sachez écouter les réponses de l'autre et ressentez ce qu'il vous dit.

Gémeaux ascendant Verseau

Vous êtes un double signe d'air, vous vous attachez aux gens qui passent dans votre vie. Vous pourriez ne pas les avoir vus durant cinq et même dix ans, dès que vous serez en face d'eux, les sentiments, l'appréciation, le plaisir que vous avez eus des années plus tôt, tout cela est resté intact, et la magie opérera de nouveau. En tant que double signe positif, si, par exemple, il y avait eu opposition d'idées, pour vous c'est du passé, ça ne compte plus, vous êtes heureux de revoir cette personne qui, dans votre esprit, a été honnête pour refuser de vous rendre un service ou parfois qui a dit non à un contrat que vous lui proposiez. La rancœur n'existe pas pour vous, ou si peu que personne ne peut vous haïr. Il est toutefois possible que vous soyez incompris. Votre Soleil étant dans le cinquième signe de votre ascendant, vous voulez plaire ; en fait, vous voulez vous faire aimer par tous ces gens que vous rencontrez, et ça, c'est demander l'impossible au ciel. En 2018, sous l'influence de Jupiter en Scorpion qui se retrouve dans le dixième signe de votre ascendant, vous pouvez vous attendre à d'importants changements sur le plan professionnel. Certains devront accepter de suivre des cours afin d'être au parfum des dernières technologies que l'entreprise adopte pour au moins une prochaine décennie. Vous êtes avec un double signe de communicateur : peut-être serez-vous l'élu dans un groupe de travail afin que vous le représentiez pour défendre à sa faveur droits et salaires ! Vous êtes un excellent vendeur, et quand vous décidez de persuader une ou plusieurs personnes, vous le faites plutôt bien : votre insistance, votre fermeté, votre sérieux et votre charme finissent par faire dire oui à ceux qui, au départ, disaient non. Côté sentimental, si vous avez une famille, un conjoint, des enfants, si tout roule comme vous le voulez tous les deux, pourquoi iriez-vous voir ailleurs ? Peut-être pensez-vous qu'une petite aventure passera inaperçue ? C'est bien mal vous connaître. N'étant pas celui ou celle qui se cache, vous laisseriez des indices à votre amoureux de longue date, et il ne mettrait pas longtemps avant de découvrir votre «supposé» secret!

Gémeaux ascendant Poissons

Vous êtes né de Mercure et de Neptune, quelle étrange association planétaire! Votre Soleil se retrouve dans le quatrième signe de votre ascendant, symbole de la Lune. Bien que vous soyez raison, vous êtes tout autant intuition, et parfois même perception extrasensorielle. La famille est au centre de votre vie: vos enfants sont précieux, vous voudriez pouvoir les protéger jour et nuit, vous désirez qu'ils n'aient jamais à connaître la misère et que leur vie ne soit que de la joie et du bonheur. Vous rêvez en couleur, car chaque enfant se pose ses propres questions, et apprend généralement de ses erreurs lorsqu'il en fait. Un enfant a des relations avec d'autres enfants, et ça ne se passe pas toujours très bien. Plus un enfant vieillit, plus grands, malheureusement, seront ses tourments! Si vos petits sont maintenant des adolescents, si l'un passe du primaire au secondaire, il entre dans un monde où la compétition exercera des pressions sur lui. N'avez-vous pas vécu une telle étape? Vous devez, cette année, apprendre à faire confiance à vos petits et grands, et non pas les livrer à vos propres peurs. Il est possible que vous déménagiez dans une première ou une seconde maison, car vous êtes maintenant trop à l'étroit. Il n'est pas exclu que vous fassiez un voyage, et vous pourriez même en gagner un dans un jeu de hasard. Notre société est en mouvement et les entreprises se mettent aussi à la mode: vous pourriez occuper un autre poste et devoir vous adapter à une nouvelle technologie. Si vous avez l'habitude de suivre divers régimes sans même consulter un médecin, cessez de faire subir de tels chocs à votre organisme. Dansez ou marchez pour vous détendre!

GÉMEAUX – JANVIER

Les meilleurs jours ce mois-ci pour:

* Jouer à la loterie: 17, 18 et 19
* Le social et les jeux en groupe: 22, 23 et 24
* L'amour: 12, 13 et 14
* La sphère professionnelle: 9, 10 et 11

En général

Vous ne vous sentirez pas toujours dans votre assiette; par moments, vous aurez les nerfs à vif, ce qui occasionnera quelques réactions promptes et impulsives de votre part. Il est possible aussi qu'un certain inconfort et des frustrations que vous ne cessiez d'accumuler depuis trop longtemps s'évacueront enfin. Les changements produits par cette situation seront très favorables pour la suite des événements. Vous pourriez entreprendre une sorte de transformation beauté en toute spontanéité.

Travail – Finances

Les dossiers se sont accumulés sur votre bureau durant les vacances et vous aurez bien des clients à servir. De plus, des méthodes de travail ou de nouvelles réglementations vous obligeront à changer vos façons de faire les choses, et ce ne sera pas toujours facile de vous y habituer. Il est possible de devoir négocier avec certaines personnes qui risquent de ne pas respecter leurs engagements. Vous devrez donc apprendre à vous affirmer et à jouer du coude.

Amour – couple

Le désir et l'intimité sont des éléments essentiels pour vivre pleinement sa vie de couple. Cependant, lorsqu'ils sont absents, vous pouvez vous permettre de vous plaindre et d'exprimer votre déception afin de faire changer la dynamique platonique entre vous. Votre santé, ou celle de votre amoureux, pourrait être un frein à des moments intimes, mais il est impératif de trouver une solution sur-le-champ: réservez-vous de petits moments d'affection en délicatesse.

♥ Amour – Célibataire

Attendez-vous à ce qu'un collègue vous invite à un 5 à 7 ou alors à travailler sur un dossier en dehors du bureau afin de faire connaissance davantage. Au départ, vous pourriez être charmé par ses méthodes romanesques et délicates, mais il pourrait devenir de plus en plus exigeant en vous mettant de la pression pour que vous acceptiez d'entreprendre une relation amoureuse ou sexuelle.

Santé

Vous avez tendance à brûler la chandelle par les deux bouts et à commettre encore quelques excès même si les fêtes sont terminées. D'ailleurs, une cure de santé ou un jeûne pourraient s'imposer si vous êtes soumis à une fatigue insurmontable. Il faudra redoubler de vigilance si vous faites du sport, par exemple du ski, une blessure ne serait pas ce qu'il y a de plus souhaitable.

GÉMEAUX – FÉVRIER

Les meilleurs jours ce mois-ci pour :

* Jouer à la loterie : 13, 14 et 15
* Le social et les jeux en groupe : 18, 19 et 20
* L'amour : 3, 4 et 5
* La sphère professionnelle : 16, 17 et 18

En général

Le blues de l'hiver est en train de vous frapper de plein fouet et vous ne songez qu'à partir en voyage pour fuir les rigueurs de l'hiver. Vous serez aussi inspiré de fuir la réalité avec une forme de spiritualité : vous vous élèverez pour accéder à un mieux-être considérable et peut-être même reconsidérerez-vous votre mode de vie autrement. Vous pourriez aussi vous investir dans un mouvement écologique, altruiste ou qui vient en aide aux plus démunis de la société.

Travail - Finances

Une courte formation vous ouvrira les yeux au sujet de votre propre potentiel. Il y aura bien une forme d'illumination qui vous tracera un chemin précis concernant la voie à prendre. Il est possible que vous soyez appelé par un domaine artistique ou par le vaste monde de la santé. Vous pourriez même être tenté de tout vendre pour vous établir dans un autre pays et entreprendre une carrière dans une organisation humanitaire.

Amour - couple

Les frictions et les tensions sont une réalité à laquelle tous les couples doivent faire face un jour ou l'autre. Avec la Saint-Valentin, vous prendrez certainement conscience qu'il serait préférable de trouver des solutions et d'entreprendre des démarches vers un projet commun qui vous anime tous les deux. Notamment, si vous êtes un jeune couple, vous pourriez enfin commencer à penser à vivre ensemble prochainement. Il y a sûrement un rêve que vous aimeriez réaliser tous les deux.

Amour - Célibataire

Il est possible que les choses se compliquent avec un ex si vous vous êtes séparés récemment. Celui-ci pourrait même tenter de vous reconquérir en vous proposant des projets de grande envergure plus ou moins réalistes. Avec la Saint-Valentin qui s'amène, il y aura plusieurs prétendants qui tenteront de vous lancer une invitation, mais ceux-ci risquent d'être aussi décevants les uns que les autres. Ils manqueront d'originalité et ne vous impressionneront pas du tout.

Santé

L'excès sera probablement au rendez-vous, nourriture, alcool, et la joie de vivre pourrait vous emporter au point que vous en subirez de légères conséquences. Si vous êtes habité par le moindre mal de vivre, il serait important de voir votre médecin ou un psychologue pour vous aider à trouver des solutions qui vous conviennent, et surtout pour éviter d'être coincé dans ce genre de cercle vicieux.

GÉMEAUX – MARS

Les meilleurs jours ce mois-ci pour:

- Jouer à la loterie: 12, 13 et 14
- Le social et les jeux en groupe: 17, 18 et 19
- L'amour: 7, 8 et 9
- La sphère professionnelle: 5, 6 et 7

En général

Vous serez probablement la personne sur qui l'on compte pour organiser des activités et des événements sociaux entre amis. Vous cesserez enfin de procrastiner. Vous serez heureux de pouvoir enfin régler toutes ces petites choses qui traînaient en longueur. Vous chercherez à faire de belles activités: visite d'un musée, lectures captivantes. De plus, vous pourriez vous investir dans une recherche qui vous intéressait depuis longtemps.

Travail – Finances

Vous pourriez remettre en question votre avenir professionnel, du moins en partie, afin d'éliminer les sources de conflits et de tensions avec les collègues. Vous êtes parfois une personne ambitieuse, et vous n'aimez pas que les choses stagnent. Vous devriez trouver une soudaine inspiration pour entreprendre un nouveau projet qui aura un brillant impact à long terme sur votre carrière. Le stress devrait aussi s'amenuiser. Les clients pourraient revenir en plus grand nombre: cela vous rassurera.

♥♥ Amour – couple

Vous aurez besoin de vous évader avec votre amoureux, de faire une ou plusieurs escapades romantiques. Ce sera à l'extérieur de la maison que vous réussirez à vous parler plus ouvertement. Qu'il s'agisse de sexualité ou d'une histoire plus complexe émotionnellement, vous découvrirez un excellent confident chez l'être aimé. Il est important pour vous d'entretenir une vie sociale active afin de ne pas vous sentir étouffé dans votre relation. Vous développerez donc un réseau d'amis, mais celui-ci ne plaira peut-être pas à votre amoureux.

♥ Amour - Célibataire

Vous connaîtrez une soudaine popularité et vous devrez probablement refuser quelques invitations tellement vous en recevrez, à votre plus grand bonheur. Le coup de foudre pourrait même être de la partie. Mais avant de vous investir sérieusement dans une relation amoureuse, vous aurez besoin d'un peu de légèreté, de vous amuser, et c'est le plaisir qui finira par vous unir plus profondément. D'ailleurs, vous pourriez explorer davantage votre sexualité avec de nouveaux partenaires qui ont des comportements qui ne vous sont pas nécessairement familiers.

Santé

Si le temps est un peu humide, vous pourriez ressentir vos os vieillir à vue d'œil. Évitez de vous découvrir trop rapidement, il ne faudrait pas que vous attrapiez trop de froid. La peau semble être plus fragile et les engelures risquent d'être plus longues à guérir. Le facteur stress risque aussi de venir perturber votre état émotionnel : il ne sera pas toujours facile de contrôler vos humeurs.

GÉMEAUX – AVRIL

Les meilleurs jours ce mois-ci pour :

* Jouer à la loterie : 9, 10 et 11
* Le social et les jeux en groupe : 14, 15 et 16
* L'amour : 27, 28 et 29
* La sphère professionnelle : 11, 12 et 13

En général

Vous devriez côtoyer vos amis comme jamais auparavant ; ces moments vous permettront d'approfondir vos relations avec certains d'entre eux, ou encore d'en éliminer quelques-uns qui ne vous apportent rien tellement ils sont des parasites. Vous n'avez pas besoin d'amis qui viennent gruger tant vos énergies que vos finances. D'ailleurs, votre générosité suscitera sûrement beaucoup d'admiration, mais vous ne pourrez pas maintenir le cap éternellement. Les gens doivent vous aimer pour qui vous êtes, en premier lieu, et non pour votre argent. Si vous possédez le moindre talent artistique, vous pourriez très bien vous lancer dans la réalisation d'un grand chef-d'œuvre.

Travail – Finances

Vous réussirez à accroître votre clientèle considérablement. Mais ce n'est pas nécessairement ce qui doublera vos revenus pour autant, vous devrez user d'imagination pour équilibrer votre budget et aspirer à un salaire plus décent. N'hésitez pas à entreprendre beaucoup d'initiative : on vous demandera d'être responsable de plusieurs dossiers, selon les diverses situations complexes et pressantes qui ne cesseront de survenir.

Amour – couple

Étant une personne passionnée de nature, vous ne pourrez empêcher votre imagination de s'évader dans certaines fantaisies. Tandis que celles-ci commencent à vous envahir, vous réaliserez qu'il devient de plus en plus important de prévoir des moments avec l'être aimé pour vivre ensemble du temps de qualité. Alors, si vous avez de jeunes enfants, n'hésitez pas à les faire garder à l'occasion pour que maman et papa redeviennent aussi des amoureux.

Amour – Célibataire

Vous pourriez tranquillement vous désintéresser d'une personne pour qui vous aviez ressenti de gros papillons dans l'estomac. Il est possible aussi que vous décidiez de cesser vos recherches en ce qui concerne l'âme sœur. Vous trouverez une belle paix intérieure en étant seul avec vous-même. Le travail occupe toute votre attention, et ce, même si vous rêvez en silence, tous les soirs, du prince charmant. Heureusement, ce sera au travail que l'on vous manifestera un certain intérêt.

Santé

Vous pourriez connaître une période de stress supplémentaire, vous risquez donc de ressentir une fatigue imposante par la suite. Il serait alors important d'éviter de vous mettre davantage de pression sur les épaules. Planifiez-vous des périodes de repos ou même des séances de massage pour vous détendre. Allez-y avec modération si vous avez entrepris de faire de l'exercice ou des changements dans votre alimentation.

GÉMEAUX – MAI

Les meilleurs jours ce mois-ci pour:

* Jouer à la loterie: 6, 7 et 8
* Le social et les jeux en groupe: 11, 12 et 13
* L'amour: 1, 2 et 3
* La sphère professionnelle: 9, 10 et 11

En général

Vous sortirez de votre coquille et vous participerez à tous les événements où l'on vous invitera. Vous serez aussi passablement actif auprès de votre communauté pour y entreprendre des actions bénévoles ou autres. Par la suite, ce sera davantage pour vous-même, ou alors on vous demandera un grand dévouement en raison d'une situation fort complexe. Vous pourriez vous occuper d'une personne malade, par exemple. Il est possible également que vous connaissiez un beau moment de ressourcement très inspirant et un grand élan de créativité.

Travail – Finances

Vous pourriez être confronté à un choix dès le début du mois: vous devrez impérativement vous décider rapidement. Peut-être aurez-vous l'impression d'avoir pris la mauvaise décision, mais d'ici la fin mai, les choses vont se replacer. Si vous êtes sans emploi, il y a de bonnes chances que vous puissiez connaître beaucoup de succès dans un domaine relié à la santé ou encore dans le milieu artistique. Vous obtiendrez le feu vert en ce qui concerne le financement d'un projet dont vous serez responsable.

Amour – couple

Il suffit simplement d'avoir un regard à long terme concernant votre amour pour retrouver l'harmonie entre vous. Peut-être que vous pourriez également suivre des cours de danse ou faire du sport ensemble. Cependant, vous aurez tendance à écarter l'aspect affectif et sexuel durant cette période. Alors, il serait très important de remettre la romance à l'avant-plan dès que possible pour éviter de s'éloigner émotionnellement.

♥ Amour – Célibataire

Vous pourriez faire une belle rencontre prometteuse, mais dès que cette personne aura passé une nuit ou deux chez vous, vous la sentirez presque envahissante : vous serez donc tenté d'y mettre un terme tout aussi rapidement. Prenez le temps de bien choisir vos prétendants pour ne pas être déçu lors d'un premier rendez-vous. De plus, un ex pourrait faire surface : vos sentiments à son endroit reviendront rapidement.

Santé

Si vous ressentez le moindrement un état dépressif s'installer, vous devriez réussir à le chasser rapidement. Il est possible aussi qu'une situation vous draine émotionnellement et vous enlève toutes vos énergies. Vous réussirez à vous détendre et à vous reposer comme il se doit afin de vous sentir mieux. Vous prendrez sûrement des moyens draconiens pour y parvenir ; si vous suivez un régime amaigrissant, attention aux chutes de vitalité.

GÉMEAUX – JUIN

Les meilleurs jours ce mois-ci pour :

* Jouer à la loterie : 2, 3 et 4
* Le social et les jeux en groupe : 7, 8 et 9
* L'amour : 20, 21 et 22
* La sphère professionnelle : 22, 23 et 24

En général

Vous êtes certainement très excité par cette période anniversaire qui vous procure une abondance d'énergie et de dynamisme. Vous participerez à des manifestations, vous accomplirez une prestation artistique ou plus simplement vous ferez la fête à tous les week-ends. Vous aurez aussi de belles initiatives à proposer à vos proches, l'action dominera une bonne partie du mois. Vos amis vous lanceront toutes sortes d'invitations plus amusantes les unes que les autres, et le plaisir sera au rendez-vous.

Travail - Finances

On vous confiera des responsabilités beaucoup plus importantes, notamment vous pourriez remplacer le patron pendant ses vacances. De plus, ce poste est là pour durer et vous obtiendrez une forme de pouvoir. Vous ferez preuve de beaucoup d'initiative aussi bien au bureau qu'ailleurs, votre leadership sera requis dans plusieurs circonstances. Vous aurez à jouer avec des sommes d'argent considérables ; vous obtiendrez le feu vert en ce qui concerne le financement d'un projet dont vous serez responsable.

♥♥ Amour - couple

Il est possible que vous ayez l'impression de marcher comme sur des œufs avec votre partenaire. Heureusement, la communication entre vous s'améliorera grandement au fur et à mesure que l'été s'amène afin de combler ce fort besoin d'affection qui se fait sentir. De plus, une vie sociale et sportive occupera une partie des moments que vous aviez réservés pour le couple. Il sera important de bien équilibrer vos activités pour vous accorder également quelques instants intimes.

♥ Amour - Célibataire

Il ne serait pas impossible que vous réussissiez à tirer un trait marquant avec votre ancienne vie, même si c'était avec une personne avec qui vous avez eu des enfants. Vous vous sentirez beaucoup plus libre de vous laisser courtiser, et vous serez certainement populaire si vous faites l'effort de vous mettre en valeur et de sortir. Il n'en faudra pas plus pour être frappé par le coup de foudre.

Santé

Si vous êtes coincé avec un problème de santé, prenez vos responsabilités, faites le suivi nécessaire auprès du système de santé, et les bons traitements seront aussitôt disponibles. Des maux de tête ? Sortez prendre de l'air, planifiez des activités physiques : vous retrouverez ainsi la forme rapidement. Peut-être que ces malaises sont causés par un léger débalancement hormonal qui se rétablira justement si vous bougez plus régulièrement.

GÉMEAUX – JUILLET

Les meilleurs jours ce mois-ci pour:

* Jouer à la loterie: 1 et 2
* Le social et les jeux en groupe: 5, 6 et 7
* L'amour: 17, 18 et 19
* La sphère professionnelle: 2, 3 et 4

En général

L'été et le beau temps sont un excellent prétexte pour se réunir en famille ou entre amis pour y avoir du plaisir. Si vous êtes en vacances ce mois-ci, il est clair que vous parcourrez les routes et vous aborderez tous ceux que vous croiserez pour qu'ils vous fassent le récit de leurs découvertes de voyages. Vous serez d'ailleurs pressé de tout voir et vous ne voudrez rien manquer. Si vous êtes en plein déménagement, ou l'avez été récemment, vous chercherez à revoir la décoration et à aménager votre nouvel environnement comme il vous plaît.

Travail – Finances

Vous n'aurez pas toujours la langue dans votre poche, et ce que vous aurez à dire sera nécessairement très utile et constructif, un peu comme si vous étiez la personne d'expérience, la seule qui ait les connaissances nécessaires au bon déroulement des activités. Vous passerez une bonne partie du mois sur la route également. Vous vous découvrirez de nouvelles ambitions au cours de vos vacances, et peut-être même vous inscrirez-vous à une nouvelle formation qui vous intéresse.

Amour – couple

Si votre relation est relativement jeune, vous commencerez à songer sérieusement à vivre ensemble. Peut-être est-ce une nouvelle réalité pour vous deux ce mois-ci que de cohabiter, un choix fait aussi par souci d'économie. Un certain ajustement sera nécessaire, du moins un bon dialogue. Ce sera en aménageant votre nouveau nid d'amour en fonction de vos goûts que vous réussirez à retrouver l'harmonie. Faites confiance à la magie de l'amour, et évitez surtout de juger de ce qui est réaliste ou pas.

♥ Amour – Célibataire

Vous ferez sûrement au moins une rencontre avec quelqu'un qui ne parle pas beaucoup, mais que vous trouvez tout de même intéressant. Il tentera peut-être de vous cacher qu'il a de jeunes enfants, par exemple. Une chose est sûre, un peu de patience vous sera nécessaire pour développer quoi que ce soit. Une fois en vacances ou dans un contexte plus léger, vous aurez beaucoup plus d'ouverture de sa part.

Santé

Vous pourriez avoir les voies respiratoires légèrement obstruées. Essayez de voir un médecin : celui-ci en profitera pour vous prescrire une batterie de tests, même des examens de routine. De plus, soyez prudent sur la route, vous avez tendance à rouler peut-être un peu trop vite.

GÉMEAUX – AOÛT

Les meilleurs jours ce mois-ci pour :

* Jouer à la loterie : 23, 24 et 25
* Le social et les jeux en groupe : 28, 29 et 30
* L'amour : 18, 19 et 20
* La sphère professionnelle : 26, 27 et 28

En général

Vous êtes certainement un communicateur hors pair, mais il est possible que vous soyez confronté à des gens dont les arguments vous laisseront sans voix. Évitez de négliger l'entretien de votre voiture, vous n'avez surtout pas envie de tomber en panne. Vous pourriez également avoir besoin d'une bonne carte ou d'un GPS si vous vous déplacez pour vos vacances. Sinon, vous risquez de tourner en rond et de vous égarer régulièrement. Heureusement, vous ferez de très belles découvertes.

Travail – Finances

Une importante restructuration dans l'entreprise vous causera quelques soucis, alors que les communications ne semblent pas être à leur meilleur. Peut-être aurez-vous besoin de mettre le point sur la table pour vous faire entendre. Ce sera assurément en élevant la voix que vous parviendrez à vous faire comprendre. Soyez prudent dans vos commentaires : un client ou un patron risque de ne pas apprécier certains arguments déplacés que vous auriez fait valoir.

Amour – couple

Il est possible qu'il y ait un de vous deux qui émette une parole qui pourrait ne pas trop plaire à l'autre, ouvrant ainsi un aspect de votre relation que vous teniez sous silence depuis longtemps. Une fois le dialogue entrepris, votre partenaire deviendra de plus en plus amoureux, et il vous fera sentir très important à ses yeux. Il déploiera sûrement tous ses charmes et réussira à vous envoûter : vous vivrez ainsi tous les deux de beaux moments plus romantiques les uns que les autres.

Amour – Célibataire

Vous devriez dégager beaucoup de charme ce mois-ci ; vous êtes un grand communicateur de nature et vous utiliserez ce talent pour séduire, que vous le vouliez ou non. Quelques sorties entre amis pourraient occasionner de belles rencontres, mais vous n'êtes probablement pas trop pressé de vous investir dans une relation. Il y aura aussi certaines situations qui viendront freiner vos ardeurs en ce qui concerne vos futures rencontres. Vous pourriez tomber sur de grands parleurs, petits faiseurs, par exemple.

Santé

Même si vous n'aviez jamais été allergique auparavant, il est possible que différents pollens vous affectent un peu plus cette année, notamment celui de l'herbe à poux. Il ne serait pas mauvais d'avoir en votre possession la médication nécessaire pour vous soulager en cas de symptômes incommodants. Et n'oubliez pas : un malaise correspond en général à une émotion refoulée.

GÉMEAUX – SEPTEMBRE

Les meilleurs jours ce mois-ci pour:

* Jouer à la loterie: 19, 20 et 21
* Le social et les jeux en groupe: 24, 25 et 26
* L'amour: 2, 3 et 4
* La sphère professionnelle: 22, 23 et 24

En général

Vous vous impliquerez à fond dans les différentes activités scolaires et parascolaires de vos enfants. Vous devrez inévitablement établir une routine rigoureuse avec ceux-ci pour que tout puisse fonctionner avec facilité et dans une belle harmonie. Mais le retard semble inévitable; de nombreux détails vous échappent et vous devrez courir dans tous les sens à la fois pour faire plaisir à tout le monde. Vous aurez besoin d'assainir le plus possible votre logement pour une raison ou pour une autre, particulièrement si vous avez connu un petit problème d'humidité. Vous aurez l'impression de dormir dans une maison insalubre si vous ne faites pas ces efforts.

Travail – Finances

Vous pourriez vous installer un bureau à la maison, ce qui sera pour vous très efficace, même si vous travaillez pour un employeur. Il ne serait pas impossible que vous puissiez connaître une forme de mise à pied, mais ce sera véritablement un mal pour un bien: vous vous retrouverez un nouvel emploi rapidement. De plus, vous y aurez plus de pouvoir, les projecteurs se braqueront sur vous et vous n'aurez d'autre choix que de performer, ce qui sera tout à votre avantage.

Amour – couple

Avec la rentrée scolaire et le travail qui reprend de plus belle, il est possible que vous ne vous accordiez pas toujours le temps nécessaire pour entretenir la flamme amoureuse entre vous. Peut-être que vous auriez tout à gagner si vous transformiez un peu votre chambre à coucher en un endroit un peu plus romantique, et surtout plus inspirant, pour y vivre des moments de bonheur en toute intimité. Il ne suffit que d'un bon souper à la chandelle pour engendrer une ambiance romantique entre vous et pour vivre des moments exceptionnels. Si votre relation est toute jeune, vous pourriez tenter de vous incruster un peu plus solidement chez l'un et chez l'autre.

♥ Amour – Célibataire

Attendez-vous à ce que l'un de vos collègues vous invite à travailler sur un dossier en dehors des heures de bureau, histoire d'apprendre à vous connaître davantage. Peut-être y a-t-il déjà des sentiments amicaux entre vous. La situation pourrait devenir plus délicate, l'un ou l'autre tombera amoureux et ce ne sera pas nécessairement réciproque, ce qui pourrait causer inévitablement un déséquilibre dangereux pour la suite de votre collaboration.

Santé

Avec la belle saison qui s'achève, l'activité physique diminuera au fil des prochains mois, mais votre cœur a besoin de rester actif et n'acceptera pas la sédentarité. Si vous avez de jeunes enfants qui ont commencé l'école dernièrement, vous pourriez faire partie de ceux qui attraperont les premiers rhumes de l'année. Votre système immunitaire est peut-être un peu faible ces temps-ci ; pour atténuer les risques, tâchez de prendre des suppléments de vitamines et adoptez de saines habitudes alimentaires.

GÉMEAUX – OCTOBRE

Les meilleurs jours ce mois-ci pour:

* Jouer à la loterie: 17, 18 et 19
* Le social et les jeux en groupe: 22, 23 et 24
* L'amour: 12, 13 et 14
* La sphère professionnelle: 10, 11 et 12

En général

On vous mettra au défi de terminer ce que vous avez commencé ; il y aura bien un problème récurrent à ce sujet et certaines personnes auront le tour de vous le faire savoir subtilement en jouant un peu sur votre orgueil. Vous serez aussi très à cheval sur le ménage : vous aurez besoin d'un environnement propre autour de vous, vous pourriez même être plutôt excessif à ce sujet. Vos services seront possiblement requis pour la santé d'un de vos proches.

Travail – Finances

Vous vous attaquerez à une tâche bien précise tout au long du mois. Peut-être serez-vous responsable de réorganiser tout un service, par exemple, ou devrez-vous vous pencher sur un dossier bien précis pour découvrir ce qui n'allait pas. Si vous cherchez un emploi ou que vous venez tout juste d'en commencer un dernièrement, ce sera clairement un nouveau départ vers une brillante carrière. Vous devriez occuper des fonctions impressionnantes que vous mènerez de main de maître.

♥♥ Amour – couple

La vie amoureuse pourrait bien passer en second plan, vous aurez probablement d'autres chats à fouetter, et vous manquerez de temps à consacrer à l'être aimé pour une raison ou pour une autre. Cette situation provoquera des tensions au sein de votre relation, et il se pourrait aussi que vous puissiez voir des gestes plutôt déplacés par moments. Ce sera à travers les obligations et les responsabilités domestiques, comme le ménage, que se déclencheront les tensions les plus vives.

♥ Amour – Célibataire

Il y aura possiblement quelqu'un dans votre milieu de travail avec qui vous pourriez partager un peu de temps, histoire de vous connaître un peu plus sur le plan personnel. Il pourrait très bien vous inviter dans un 5 à 7 un soir, après le bureau, et ce sera à ce moment que vous découvrirez qu'il y a quelques atomes crochus entre vous. Peut-être qu'il s'agit d'une personne plus âgée ou en autorité par rapport à vous, peut-être même votre patron. Prenez le temps d'évaluer si cette histoire d'amour vous apportera son lot de problèmes.

Santé

Selon son âge, il est important de consulter son médecin régulièrement et d'entreprendre les actions qui s'imposent devant l'augmentation du risque de certaines maladies. Ainsi, si on décèle quelque chose, il est beaucoup plus facile de traiter la situation lorsqu'elle n'en est qu'au stade embryonnaire. Vous pourriez aussi fréquenter les spas ou d'autres endroits où l'on peut retirer une forme de mieux-être.

GÉMEAUX – NOVEMBRE

Les meilleurs jours ce mois-ci pour:

* Jouer à la loterie: 13, 14 et 15
* Le social et les jeux en groupe: 18, 19 et 20
* L'amour: 8, 9 et 10
* La sphère professionnelle: 6, 7 et 8

En général

Vous êtes une personne qui a généralement la parole facile, et instinctivement vous chercherez à harmoniser les gens qui vivent des situations conflictuelles. On testera votre patience. Par moments, vous ne saurez plus quand c'est le temps de plaisanter ou, au contraire, d'être sérieux. En général, vous êtes le boute-en-train, la personne qui a toujours le mot pour rire, et vous savez très bien détendre l'atmosphère au bon moment. Il est possible qu'il y ait des périodes où vous ne saurez pas sur quel pied danser.

Travail - Finances

Il semble que les dossiers commencent à débloquer; il faudra inévitablement terminer ce que vous ne cessiez de remettre à plus tard, un dossier à conclure, par exemple, avant de vous permettre d'entreprendre quoi que ce soit d'autre. Peut-être êtes-vous au bord de la démission en raison d'une complexité hors du commun de vos affaires. Heureusement, à la dernière minute, vous obtiendrez des réponses favorables qui vous remettront sur la bonne voie. Excellente période pour négocier auprès des grands organismes: vous conclurez des ententes et des contrats.

♥♥ Amour - couple

Vous aurez assurément besoin de vous rapprocher ce mois-ci. Vous êtes fort probablement un couple qui a beaucoup d'activités et une vie sociale bien remplie, mais il serait très important de prendre du temps pour vous deux et de vous accorder de belles petites attentions. N'hésitez pas à vous investir dans une activité qui ne concerne que vous. Il faudra bien équilibrer les aspects affectifs et sexuels pour que votre relation connaisse l'harmonie.

♥ Amour - Célibataire

Il est important de bien faire la part des choses entre la sexualité, l'affection et l'amour. Peu importe vos pratiques, vous pourriez commencer à éprouver des sentiments à l'endroit d'une personne avec qui il faudra inévitablement garder une certaine distance. La séduction sera au rendez-vous, et celle-ci réussira à créer un peu de confusion dans votre esprit.

Santé

La luminosité diminue considérablement sous nos latitudes ; ainsi, on peut ressentir une certaine forme de dépression, la motivation est en baisse. Le remède idéal : prendre des vacances. Vous pourriez déjà commencer à commettre quelques abus en ce qui concerne les festivités associées au temps des fêtes. Évitez les aliments trop salés, vos reins et votre système urinaire semblent plus fragiles.

GÉMEAUX – DÉCEMBRE

Les meilleurs jours ce mois-ci pour :

* Jouer à la loterie : 10, 11 et 12
* Le social et les jeux en groupe : 16, 17 et 18
* L'amour : 1, 2 et 3
* La sphère professionnelle : 13, 14 et 15

En général

Vous participerez activement aux différentes réceptions ce mois-ci aussi bien dans la famille, au travail que dans vos loisirs. Vous aurez beaucoup de facilité à trouver des chemins d'entente pour que le tout fonctionne comme sur des roulettes. Vous ne lésinerez pas sur les moyens à utiliser pour en impressionner plus d'un également, et vous réussirez à organiser de belles réunions de famille en toute spontanéité. C'est sans compter le fait que vous devriez prendre le temps de tout nettoyer de fond en comble : vous ne voudriez surtout pas paraître négligent aux yeux de vos proches.

Travail – Finances

Après une période de stress intense, vous vivez maintenant des moments beaucoup plus tranquilles en vous dirigeant lentement mais sûrement vers de belles vacances bien méritées. Il est possible que vous deviez déléguer certaines tâches, surtout si vous quittez le bureau pendant plus d'une semaine. De plus, il serait important que vous puissiez vous assurer que l'ensemble de votre équipe est en mesure de vous seconder. Alors n'hésitez pas à réunir tout le monde, et expliquez-leur vos consignes en même temps.

♥♥ Amour – couple

Si votre couple est tout jeune, vous profiterez du temps des fêtes pour apprendre à mieux vous connaître, mais vous pourriez aussi sentir une forme de pression pour ce qui est de s'engager un peu trop rapidement. Laissez-vous transporter par le moment présent et l'ambiance qui règne à chaque instant, vous vivrez ainsi beaucoup de bonheur avec l'être aimé. Ce sera dans les petits détails que vous trouverez de la magie au sein de votre histoire d'amour.

♥ Amour – Célibataire

Si vous avez déjà une vie de famille active, vous ne ressentirez pas le besoin de vous encombrer prochainement d'une autre personne sous votre toit. Mais le milieu de travail est souvent un endroit très propice pour y faire des rencontres, et il est possible que votre supérieur vous invite à travailler sur un dossier en dehors des heures de bureau. Il vous proposera également de poursuivre le boulot au resto en sirotant une bouteille de vin, et les choses deviendront alors beaucoup plus personnelles.

Santé

Vous devriez être en pleine forme pour les fêtes. Vous avez tendance à vous plaindre et à vous lamenter régulièrement, mais au fond ce n'est que pour attirer l'attention et vous offrir un sujet de conversation, surtout l'inévitable vieillissement. Il s'agit aussi d'une excellente période pour prendre un repos bien mérité et évaluer certains changements dans votre rythme de vie.

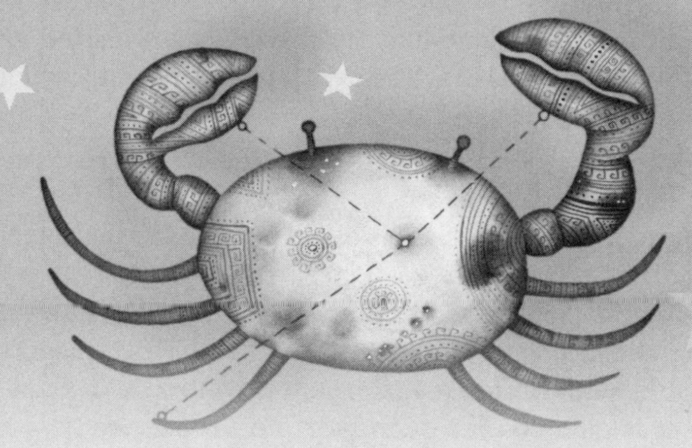

Cancer

(du 21 juin au 21 juillet)

Julianne Chaput, Odette Ruiz, François Babin, Sophie Bélanger

L'estime de soi : voilà un terme simple et banal pour certains, mais d'une importance capitale pour le développement d'un individu. Sans cette estime, il est presque impossible d'avoir confiance en soi et de s'accomplir personnellement, professionnellement et sentimentalement. Et pour la développer, il ne vous suffira que d'avoir un rêve à accomplir. Vous ressentirez votre puissance intérieure se gonfler et gagner en importance au fur et à mesure que vous ferez des pas dans une direction qui vous passionne. Qu'il s'agisse d'un projet d'entreprise, d'un travail, d'un amoureux ou d'un voyage, vous aurez de plus en plus confiance en vous-même et vous vous rapprocherez de votre but.

Baluchon à la main, vous aurez envie de faire le tour du monde, de découvrir les autres cultures, de voyager avec votre cœur. Entraîné par la passion, vous franchirez les dernières frontières. Pas d'enfant, pas d'emploi, pas de maison, seulement quelques petites affaires personnelles à entreposer chez vos meilleurs amis, et vous voilà parti, il ne vous en faudra pas plus pour commencer votre périple vers l'inconnu. Peut-être serez-vous aussi fortement inspiré par le fameux roman *Mange, prie, aime* pour entreprendre ce genre d'aventure.

Vous serez également interpellé par une voix divine pour entreprendre un pèlerinage à l'autre bout du monde, mais peut-être aussi chez nous, à l'Oratoire Saint-Joseph ou à la Cathédrale Sainte-Anne-de-Beaupré ! Vous aurez accès à un monde spirituel et vous deviendrez un fervent croyant ; du moins, vous pratiquerez activement un rituel qui vous appartient et qui vous mettra en contact avec l'invisible. Vous pourriez également développer des dons pour la voyance et la guérison. La découverte d'un univers parallèle est aussi intéressante et importante que l'exploration du globe : il y en a autant sinon plus à voir et à vivre.

Il ne serait pas impossible que vous soyez appelé à l'étranger par amour. Il y a bien quelqu'un sur Internet qui saura piquer suffisamment votre curiosité pour vous donner le goût d'aller chez lui, même s'il habite à l'autre bout de la planète. Malgré les avertissements que l'on vous donnera, vous n'écouterez que votre cœur. On pourrait aussi essayer de vous attirer avec une vie de château, de luxe, comme dans les meilleurs romans d'amour. Bien que cela puisse paraître pure illusion, il y a de bonnes chances que cette histoire se termine par un engagement des plus sérieux.

Les couples qui vivront une année extraordinaire seront ceux qui sauront renouveler leur passion amoureuse. Un voyage d'amoureux, entre autres, serait une excellente idée pour raviver la flamme qui commençait à suffoquer dans la routine. Il est possible que la vie décide d'ébranler les fondations de votre couple d'une manière ou d'une autre. La routine et l'ennui ne devraient pas être ce qui soude votre union. Il y aura sûrement un événement qui bousculera votre léthargie pour vous rappeler que nous n'avons qu'une vie à vivre, et votre douce moitié ne peut se permettre d'être un poids mort devant vos élans passionnels. Est-ce que cette situation signe l'arrêt de votre relation ? Pas nécessairement. Vous êtes persévérant et vous ferez passablement d'efforts pour préserver votre monde sentimental et familial. Une pause est aussi envisageable ; du moins, s'il y a séparation, elle se fera lentement et en douceur.

Le facteur temps n'est pas le meilleur ami du couple pour les Cancer cette année : il vous sera difficile de vous accorder des moments de tendresse qui sont absolument nécessaires à la survie de votre union. Heureusement, certains d'entre vous prendront le temps de souligner les années d'engagement et renouvelleront leurs vœux de manière symbolique.

Si votre couple est tout jeune, vous pourriez vivre les premiers mois de la relation comme une sorte de coup de foudre et vous consumerez la passion rapidement. Cependant, même une fois que les sentiments se seront amortis, vous ne mettrez pas un terme à cette histoire avant de vous assurer que ces mêmes beaux sentiments peuvent renaître. D'ailleurs, c'est bien ce qu'ils pourraient faire ! À quelques reprises, tandis que vous vous apprêtiez à dire à l'autre qu'il vaudrait mieux cesser la relation, un regain d'émotions et de passion se pointera entre vous pour vous faire revivre des moments forts et intenses. Vous réussirez probablement à passer à travers ces vagues émotionnelles et à établir une forme d'engagement lorsque le calme se sera installé.

Au travail, la question de l'estime de soi revient en force, et ce sera grâce à une plus grande confiance en votre potentiel que vous réussirez à connaître de l'avancement. Si vous travaillez depuis longtemps au même endroit, il est possible que vous commenciez à vous ennuyer royalement, et vous voudrez chercher de nouvelles ouvertures. Peut-être que la peur du changement pourrait vous paralyser, mais une soudaine inspiration deviendra une puissante source de motivation. Vous aurez une vision plus large de toutes les occasions qui se présentent à vous, sans nécessairement savoir laquelle choisir en premier lieu.

Vous serez certainement envahi par une idée, possiblement de nature humanitaire ou concernant le domaine du voyage. Notamment, vous pourriez vous investir dans une formation de reiki et autres soins thérapeutiques, ou alors vous réussirez votre cours d'agent de voyage et vous vous y consacrerez à temps partiel pour arrondir vos fins de mois. La possibilité de voyager à bas prix est présente.

Si vous êtes sans emploi depuis longtemps, pour des problèmes de santé ou autres, il y aura sûrement une situation qui viendra rehausser votre estime personnelle, ce qui vous redonnera la confiance nécessaire pour retourner sur le marché du travail. Vous serez certainement très valorisé dès les premiers jours et vous vous sentirez à votre place, on saura vous faire sentir bien dans l'équipe. Il s'agira pratiquement d'une nouvelle vie pour vous.

Entrepreneur dans l'âme, vous aurez droit à l'idée de génie qui vous dirigera vers une brillante carrière. Tout partira d'un état émotionnel particulier. Peut-être s'agit-il aussi d'une carrière artistique qui s'amorce pour vous. Si vous avez des talents pour la musique, par exemple, vous serez remarqué dans un concert quelconque et vous participerez à des événements de plus en plus grandioses et spectaculaires. Même s'il ne s'agit que d'un passe-temps, ce talent deviendra de plus en plus maîtrisé et vous serez en mesure de l'offrir professionnellement.

Côté santé, ce sera probablement une année exceptionnelle moralement; cependant, il faudra faire attention lorsque les aléas de la vie reprendront une tournure plus banale et routinière. Vous pourriez croire que le fait de vivre sans élan passionnel tous les jours s'apparente à de la dépression. De plus, vous pourriez vous sentir plus fragile émotionnellement lorsque l'automne s'achèvera et que les premiers flocons resteront au sol. Vous pourriez anticiper plus durement l'hiver.

Un autre impact psychique est possible aussi: vous aurez une certaine tendance à être hypocondriaque. Il ne serait pas mauvais de prendre le temps de voir votre médecin et de passer une batterie de tests, histoire de vous rassurer, mais évitez d'aller le voir chaque semaine, il ne vous prendra plus au sérieux.

Vous êtes retraité? Vous vous retrouverez au centre de toute l'attention. Si vous vivez dans un immeuble pour personnes âgées, il est clair que vous serez l'initiateur et l'organisateur d'événements extraordinaires. Vous serez sûrement friand de spectacles et de sorties à saveur artistique; il ne vous en faudra pas plus pour que l'on vous suive aveuglément partout où vous irez. Vous pourriez également devenir un porte-parole ou le défenseur de droits de gens qui vous entourent. Vous pourriez obtenir de nombreuses faveurs qui feront de vous une personne importante parmi votre groupe.

Cancer et ses ascendants en 2018

Cancer ascendant Bélier

Vous êtes un double signe cardinal ; le Cancer est régi par la Lune, alors que votre ascendant est régi par Mars : cette association entre la Lune et Mars vous donne une réputation de personne décisive et plutôt autoritaire, on chuchote aussi que vous êtes calculateur et faites du favoritisme ! Que vous soyez un homme ou une femme, vous avez de l'élan et vous allez de l'avant ! En tant que propriétaire d'entreprise, vous êtes fort doué : vous savez rapidement comment étendre votre territoire et mettre vos produits ou vos services en valeur. Le danger, c'est de vouloir posséder la Lune et d'aller déposer votre drapeau sur Mars. Quand votre thème natal le révèle, vous êtes excessivement ambitieux et l'ambition dans notre société se traduit par « devenir riche ». Si vous parvenez à atteindre la richesse en respectant les lois et la morale, tout va pour le mieux parce que vous la méritez. Si, toutefois, vous trichez et acquérez une fortune en prenant des moyens tordus et illégaux, en 2018, la facture à rembourser sera lourde ! Si vous entrez dans la vie professionnelle, ne vous attendez pas aux compliments malgré des réussites ; sachez que vous êtes observé et que plus vous marquez de bons coups, plus vous grimpez au palmarès des futurs promus. En tant que Cancer, il faut miser sur le travail à long terme, mais vu votre ascendant Bélier, vos débuts sont prometteurs. Si l'amour est dans votre vie, il faut trouver du temps pour votre couple. L'amoureux peut être fier de vous, mais ce n'est pas avec son admiration que l'amour grandit ou unit plus profondément deux personnes. Le respect mutuel est la base de la durée de votre vie sentimentale.

Cancer ascendant Taureau

Vous êtes né de la Lune et de Vénus, vous avez du charme, vous êtes poète à vos heures, mais vous n'oubliez pas de compter ce qui vous appartient. Vous êtes sociable, artiste, mais là encore, vous savez ce que vous valez et vous vous faites payer ce qui vous est dû. Vous êtes un excellent négociateur. Si vous avez beaucoup dépensé, acheté à crédit ces dernières années, en 2018, il faut rembourser ce que vous devez. Il est possible que vous réduisiez les activités, les loisirs coûteux et limitiez vos goûts pour la gastronomie en faisant vous-même la cuisine plutôt que d'aller dans les grands restaurants. Il ne s'agit pas de vivre dans l'austérité, mais d'être plus raisonnable avec l'argent pour éviter de vous retrouver en difficulté financière, ce qui serait trop angoissant pour vous. Certains parmi vous doivent décider de leur orientation professionnelle ; il vous suffit de regarder autour de vous et de prendre conscience de ce dont les gens ont le plus besoin. Ainsi, en vous laissant guider par l'univers qui souffle à chacun ce qu'il doit savoir, ce qu'il doit accomplir, telle une intuition ou une photo instantanée, vous saurez quel chemin prendre pour vous réaliser. Si vous êtes célibataire, le ciel voit à ce que vous ne restiez pas seul. Vous aurez l'occasion de vivre un amour à la fois intense et tendre.

Cancer ascendant Gémeaux

Vous êtes né de la Lune et de Mercure. Selon la Lune, vous avez atteint le grand âge : est-ce celui d'un grincheux ou celui du sage ? Selon Mercure, vous êtes un éternel adolescent désireux de connaître le monde entier et de vivre mille et une expériences, ou vous êtes cet ado blasé qui fait du surplace et qui se contente de regarder le train passer ! Qui êtes-vous ? Vous seul pouvez répondre à cette question. Sous ce signe et ascendant, il n'est pas rare d'avoir reçu un don à la naissance. Si vous avez décidé de vivre votre vie dans l'action, elle ne va pas manquer ; si vous avez fait vos preuves dans votre milieu de travail, vos compétiteurs vous feront des offres afin d'acheter vos services. Il ne vous restera qu'à bien négocier, et si les enjeux financiers sont énormes, il est préférable que vous vous fassiez accompagner par un expert ou un agent qui vous aidera à conclure le contrat du siècle ! L'année 2018 vous demandera du souffle, vous devrez avoir accès à vos énergies du matin au soir. Pour rester en santé, pour éviter des fatigues qui vous demandent du repos durant deux ou trois jours alors que vous n'avez pas de temps à perdre, bref, pour rester au maximum de votre forme, vous devrez bien vous nourrir, adopter en quelque sorte de saines habitudes alimentaires. Évitez les régimes qui font maigrir ou grossir, essayez de marcher rapidement, au moins une demi-heure par jour.

Mangez avec plaisir et oubliez le mot «calorie» à l'heure des repas. On dit que les gens heureux n'ont pas d'histoire, peut-être devrions-nous ajouter que les gens heureux n'ont pas de surplus de poids!

Cancer ascendant Cancer

Vous êtes un double signe cardinal, un double signe lunaire. Vous avez une imagination débordante, ce qui vous fait parfois exagérer des faits, des événements; ce que vous avez vu ou entendu devient plus dramatique que ça ne l'est dans la réalité. De plus, vous êtes un excellent raconteur. Vous êtes sans doute un émotif, mais vous n'êtes pas de nature à laisser les autres vous dire quoi faire de votre vie. Vous avez une capacité de résistance extraordinaire, et lorsque vous défendez vos droits, vos valeurs, vous êtes percutant. La famille est au centre de votre vie. Quand vous étiez enfant, vos parents, dans votre intérêt, prenaient toutes les décisions à votre place. Ils voulaient vous protéger de tout ce qui pouvait vous mettre en danger. Vous-même, en tant que parent, vous avez tendance à reproduire le même scénario, mais le contexte est différent, la société est «éclatée» et les enfants d'aujourd'hui prennent des libertés. Ils ne demandent plus de permissions. À la base de l'éducation, qui est importante pour vous, sachez que la majorité des enfants imitent leurs parents. Ils font aussi ce que vous pensez, ressentez; dès l'instant où vous avez tenu votre bébé dans vos bras, les transferts psychiques de vous à lui ont commencé et, dans le cas des femmes, ces transferts ont eu lieu peu après la conception. En 2018, vous passerez émotionnellement par toutes les couleurs si vous avez des adolescents ou de jeunes capricieux. Il est même possible que vous soyez perturbé au travail si un de vos enfants se met à changer de peau! Vous ne pouvez les garder toujours petits. Tous les oiseaux finissent par quitter le nid! Il faudra ainsi vous faire à cette idée. Mais peut-être êtes-vous en amour et sans enfant. Si vous désirez fonder une famille, le ciel s'incline et vous accorde votre vœu.

Cancer ascendant Lion

Vous êtes la Lune et le Soleil, ce qui généralement fait de vous une personne très active! Le Cancer est un signe négatif, tandis que le

Lion est positif ; aussi, quand un événement perturbant se produit, vous ne pleurez pas, vous retroussez vos manches et vous trouvez une solution. Il est rare que vous vous contentiez du premier poste que vous occupez, vous visez les hautes fonctions, celles où vous aurez de grandes responsabilités. Vous êtes travaillant, cependant vous n'oubliez jamais de vous détendre, vous acceptez volontiers les invitations à sortir, vous adorez rencontrer de nouvelles gens ; que vous apprendront-ils de nouveau ? Vous êtes curieux de tout, et pour bien rire vous adorez les potins. En amour, même si vous jurez de rester fidèle en vous mariant, il est possible qu'en cours de route, si la routine vous pèse, vous ayez une aventure ! Votre septième maison, celle qui symbolise le conjoint, est le Verseau, ce qui en général signifie qu'un jour peut-être, après une soirée bien arrosée, vous oublierez complètement que vous êtes marié ! Si vous en êtes au temps de la réparation de votre couple, tout se passera très bien en 2018. Une thérapie de couple aura un effet dynamisant et vous permettra, vous et votre partenaire, de poursuivre votre route ensemble. Vous aurez perdu des points dans votre dossier, mais peu importe, vous prouverez à l'autre qu'il est le seul et unique amour de votre vie. Si vous êtes parent, vous avez choyé vos enfants plus que nécessaire ! Il est temps pour vous d'être physiquement et émotionnellement plus présent à eux. Les cadeaux ne remplissent jamais un cœur qui veut de l'amour et de l'affection d'un parent. Professionnellement, même s'il y a des canards boiteux dans l'entreprise qui emploie vos services, tout continue, l'ordre se rétablit lentement. Si vous avez l'intention d'acheter une propriété, magasinez longtemps afin de trouver celle qui convient vraiment à votre budget. La précipitation risque de vous faire payer plus cher que la maison ne vaudra dans l'éventualité d'importants changements municipaux. Soyez futé et perceptif dans tout ce qui concerne l'immobilier.

Cancer ascendant Vierge

Vous êtes né de la Lune dans un signe d'eau, et de Mercure dans un signe de terre, ce qui fait de vous une personne à l'imagination fertile. Mais vous êtes également très pratique avec un sens du détail hors de l'ordinaire. Vous avez généralement une mémoire extraordinaire ; tout au long de votre vie, vous serez curieux, vous aurez une soif d'apprendre, vous êtes ce genre de personne capable de lire en écoutant tous les bulletins de nouvelles et autres informations qui vous permettent de diversifier vos connaissances. Le bien-être de votre famille passe avant tout, c'est d'ailleurs là que se trouve votre faiblesse, car, en tant que parent, vous êtes continuellement inquiet au sujet du bien-être de vos enfants. Qu'ils soient petits ou adultes, vous voulez savoir s'ils sont heureux, en santé, s'ils ont une vie confortable. En 2018, vous n'êtes pas exempt d'angoisses : vous ne vous inquiétez que peu de vous-même, cependant vous voudrez savoir dans les moindres détails ce qui leur arrive ! Si vos enfants sont adolescents, ils ont leurs secrets ; s'ils sont grands, ils en ont davantage. Ils sont un peu comme vous, ils ne vous diront rien de leurs conditions de vie, ou plutôt ils feront tout pour vous rassurer en vous répétant que tout va bien, car ils ne veulent pas que le plus protecteur des parents s'inquiète encore pour eux ! Si, en 2017, vous avez souffert de quelques maux, vous irez de mieux en mieux cette année. Vous serez aussi plus mobile, vous aurez envie de sortir de la maison, de revoir de vieux amis, et si vous êtes une personne seule, vous pourriez vous joindre à un groupe pour la pratique d'une activité que vous appréciez. Vous devez rester prudent au sujet de vos biens, surtout si vos placements ne sont pas ceux d'un millionnaire. Ne grugez pas votre capital pour faire plaisir à quelqu'un qui a l'art de toujours vous soutirer de l'argent. Ça ne serait ni dans son intérêt ni dans le vôtre. Si on ne vous rembourse pas, il en sera fini de la bonne entente. Ne mêlez pas les dollars et l'amitié.

Cancer ascendant Balance

Votre Soleil se retrouve dans le dixième signe de votre ascendant : vous êtes ambitieux, déterminé et débrouillard. Si vous avez travaillé sur un projet depuis un an et même parfois plus, vous en verrez enfin l'aboutissement. Si vous montez une affaire pour être à votre compte, malgré des débuts difficiles, vous serez heureux de l'avoir fait, car en 2018 vos services ou vos produits se vendront fort bien. Si vous venez de terminer vos études et cherchez un emploi, vous en trouverez un rapidement ; il sera à la hauteur de votre talent. La position des planètes en 2017 ne vous a pas rendu la vie facile. Vous avez quelques leçons à retenir concernant des gens à qui il ne fallait pas faire confiance. Votre instinct avait pris congé, vous ne vous êtes pas aperçu que l'ami d'un ami avait de mauvaises fréquentations auxquelles on vous a associé, mais vous vous en êtes bien sorti. Vous savez également qu'on ne peut défendre l'indéfendable. Prenez la résolution de rester logique, et tout à la fois de préserver votre intuition qui vous a toujours rendu de grands services. Si vous occupez un poste qui comporte de grandes responsabilités, on se fie à vous pour faire revenir le calme chez vos collaborateurs qui, d'ailleurs, s'inquiètent plus pour eux-mêmes que pour l'entreprise qui, peut-être, emploie un grand nombre de travailleurs. Votre ascendant, sous la signature de la Balance, symbolise la négociation réussie : vous êtes un fin diplomate et vous choisissez la paix plutôt que le conflit. Vous vivrez quelques situations où les esprits s'échauffent, et une fois encore, ce sera à vous de ramener l'ordre. En 2018, il faudra faire attention à votre santé. En voulant être partout à la fois et sur tous les fronts, le but étant de bien faire fonctionner la roue de votre vie, qui est tant votre travail que votre famille, vous risquez de manger à des heures irrégulières et à dormir moins longtemps. Il s'ensuivra une énorme fatigue. Dès les premiers signes d'affaiblissement, reprenez le contrôle de votre horaire. Ainsi, vous pourrez apprécier vos succès.

Cancer ascendant Scorpion

Vous êtes un double signe d'eau. Le Cancer est régi par la Lune : vos humeurs font basculer vos émotions. Le Scorpion est un signe fixe régi par Pluton, qui voudrait bien garder le contrôle de lui-même en tout temps ; s'il le pouvait, Pluton contrôlerait les événements pour ne choisir que ce qui fait le bonheur d'un Cancer ! Jusqu'en novembre, Jupiter traverse votre ascendant et vous dit que vous aurez plus de chances parce que vous serez plus audacieux. Vous aurez confiance en vous, vous rencontrerez des gens qui sauront vous encourager dès que vous douterez de vous. En tant que double signe d'eau, vous réussirez à mettre vos angoisses de côté, et peut-être même à les comprendre ; ainsi, votre mieux-être deviendra permanent. Vous prendrez l'habitude d'être heureux, d'apprécier ce qui est plutôt que d'avoir peur de ce qui n'arrivera pas. Si vous êtes seul depuis longtemps, et que vous n'avez plus envie de l'être, la plupart des rencontres seront un peu comme un hasard calculé par les éléments célestes qui circulent dans le ciel, et celles-ci seront à la fois intéressantes et nombreuses. Plus votre vie sociale est intense, plus il y a de chances que vous croisiez enfin votre prince ou votre princesse. Si vous avez un attrait pour les conférences, quel que soit le sujet qui vous tient à cœur, les entractes seront de précieux moments pour que se produise un face à face troublant, attirant, suivi d'une immédiate invitation à prendre un café ou un verre de vin afin de discuter de ce qui se sera dit sur le podium. En 2018, vous aurez une grande soif d'apprendre : vous vous ouvrez à divers horizons, vous entrez dans d'agréables inconnues.

Cancer ascendant Sagittaire

Jusqu'en novembre, Jupiter se retrouve dans le douzième signe de votre ascendant où il exalte ! Vous aurez la tête au ciel, mais les deux pieds sur terre. L'année 2018 en est une de préparation en ce qui vous concerne. C'est le moment où vos grands projets ne doivent plus dormir sous la poussière. Il faut les ressortir, y travailler afin de leur donner une forme plus attrayante, propre à ce monde qui semble ne vivre que par et pour les communications. Cet étrange phénomène, où nous sommes à un clic d'un ami parti à l'étranger, n'est qu'un moyen de nous rassurer les uns les autres, mais il est incomplet, il n'est pas non plus entièrement satisfaisant, ce petit clic ; la proximité virtuelle ne remplacera jamais ce bon face à face. Si vous travaillez dans le domaine de l'informatique, de la recherche, de l'innovation, vous trouverez une recette capable de rallier les gens afin qu'ils soient près les uns des autres. L'inventeur, c'est vous. À partir du 9 novembre, Jupiter s'installe en Sagittaire et, ainsi positionné sur votre ascendant, il vous ouvrira toutes les portes si vous avez préalablement bien travaillé. Côté cœur, vous devrez être plus attentif à votre couple, sinon vous traverserez quelques désagréables fronts froids. En tant que célibataire, vous ferez des rencontres ; une personne retiendra votre attention. Un conseil cependant : n'allez pas vivre avec celle-ci au bout de trois mois... prenez le temps de mieux la connaître.

Cancer ascendant Capricorne

Vous êtes né avec le signe opposé au vôtre, qui est aussi votre signe complémentaire. La Lune qui régit votre signe a tendance à faire valser vos émotions et, de temps à autre, à vouloir tout ou presque un peu trop vite. Le Capricorne régi par Saturne vous dit que chaque chose doit se faire en son temps. Il vous retient et, tout à la fois, il vous dit que chaque jour vous devez donner le meilleur de vous-même afin de vous assurer un futur confortable. C'est avec vous-même que vous vivez cette ambivalence: «Je veux maintenant» et «Je peux attendre encore», et faire fructifier votre talent pour avoir davantage plus tard. Maintenant, en 2018, Saturne ainsi que Pluton traversent votre ascendant: vous développerez votre jugement, vous aurez le regard et l'œil du juste. Vous aurez l'occasion de vous impliquer dans votre communauté et peut-être même de faire partie d'un mouvement politique, le but étant de vous lancer dans un projet salvateur pour les gens en difficulté. Cette année, ces deux planètes, Pluton, qui représente les destinées collectives, et Saturne, qui est la vôtre, vous pousseront à voir plus loin que la vie que vous menez pour vous-même. En 2018, c'est un peu comme si vous réussissiez à résoudre une équation mathématique extrêmement complexe. En tant que célibataire, même si vous n'avez pas prévu tomber amoureux, vous serez fasciné et attiré par une personne qui aura quelques années de plus que vous. Il est possible que vous partagiez une même philosophie et une même ouverture sur le monde. La rencontre magique aura lieu à l'université où vous étudiez, à une réunion entre employés et invités spéciaux. Cette année-ci sera agréable à vivre: vous sortirez de votre zone de confort et vous vous rendrez compte que ce vaste monde a beaucoup à vous offrir.

Cancer ascendant Verseau

Vous êtes né de la Lune et d'Uranus. Votre Soleil étant dans le sixième signe de votre ascendant, vous avez constamment peur de manquer de travail! C'est pourquoi vous vous donnez au maximum afin de vous accomplir le plus parfaitement possible dans votre milieu professionnel. Vous avez une imagination débordante et un sens pratique inouï ! En 2018, Jupiter traverse le Scorpion jusqu'en novembre. Il est alors dans le cinquième signe du Cancer et dans le dixième signe du Verseau. Si vous êtes au milieu d'une carrière, vous aurez des choix importants à faire : vous êtes intuitif, instinctif et tout aussi logique, vous comprendrez en un tour de main comment vous devrez agir pour avancer vos pions sur l'échiquier de l'industrie dans lequel vous avez choisi de vous réaliser. Si toutefois vous êtes à la fin de votre carrière et que vous pensez à la retraite, vous ne pourrez vous empêcher de songer à ce vieux rêve que vous concrétiserez enfin. Les projets ne manquent pas sous votre signe et ascendant. Si vous avez choisi une carrière indépendante, tels écrivain, artiste peintre, scénariste, vous mettrez en chantier une œuvre superbe, magistrale. Si vous faites partie de ceux qui travaillent sur un projet depuis de nombreuses années, une rencontre vous fera basculer vers le succès tant souhaité. Côté cœur, l'amour ne reste pas toujours dans votre vie, mais vous le chérirez si l'autre vous fait entièrement confiance ; il n'est pas toujours facile de vivre avec un être qui se passionne autant et qui a besoin qu'on respecte sa liberté. Vous avez besoin tant de votre solitude que de bains de foule pour nourrir votre esprit. Si vous tenez à votre amoureux, il faut vous arrêter de temps à autre et vous demander ce dont il a besoin. Songez que l'amour ne se nourrit que d'amour !

Cancer ascendant Poissons

Vous êtes un double signe d'eau ; à moins d'aspects très durs dans votre thème natal, vous êtes une personne sensible, empathique et quelque part en vous vit toujours cet adolescent qui ne voit que les beautés du monde et les aventures fantastiques qu'il a à vivre. Votre Soleil dans le cinquième signe de votre ascendant fait de vous une personne aimante envers les petits. Vous êtes un bon enseignant en tant que parent parce que votre flot d'amour enveloppe tous ces petits qui vous entourent et qui sont la promesse d'un avenir meilleur. Vous couvez votre progéniture, parfois si longtemps que celle-ci a bien du mal à vous quitter pour voler de ses propres ailes. Sans vous en rendre compte, vous les retenez sauf que, en 2018, si vos enfants sont maintenant grands, vous comprendrez clairement qu'ils suivent leur propre route de vie et que vous devez continuer la vôtre. Si vous n'avez jamais voyagé, en 2018, vous ferez sans doute votre premier long voyage en terre inconnue. Vous avez envie de vous émerveiller, de vous laisser bercer par une vie moins complexe. Vous chasserez de votre esprit ces regrets et ces déceptions autrefois vécus, ils sont loin derrière vous et il est inutile d'entretenir vos anciennes détresses. Pour plusieurs d'entre vous, 2018 est un nouveau départ. Certains décideront de reprendre des études et de les terminer, d'autres sauront spontanément quel métier ils doivent exercer pour se réaliser. Si vous êtes jeune mais adulte et amoureux, 2018 sera pour les hommes et les femmes de ce signe et ascendant un temps de conception ou la venue d'un bébé. Si vous êtes célibataire, une rencontre amoureuse changera votre destinée ; il n'est pas impossible que le travail et l'amour soient liés et que ce face à face ait lieu dans votre milieu professionnel.

CANCER – JANVIER

Les meilleurs jours ce mois-ci pour :

- Jouer à la loterie : 19, 20 et 21
- Le social et les jeux en groupe : 24, 25 et 26
- L'amour : 14, 15 et 16
- La sphère professionnelle : 22, 23 et 24

En général

Vous aurez certainement envie de vous refaire une beauté et peut-être même d'entreprendre une transformation extrême. Vous aurez la motivation nécessaire pour vous investir dans un régime, ou alors vous vous offrirez de nouveaux vêtements, une nouvelle coiffure, bref, votre estime personnelle sera considérablement rehaussée. Vous pourriez aussi décider de vous accorder une vie de passion qui aura le mérite de vous faire sentir des plus vivants !

Travail - Finances

Lorsque vous réussirez à balayer la confusion, vous pourrez remettre de l'ordre dans vos affaires. Il est possible qu'on vous mette quelques bâtons dans les roues, heureusement cette situation aura le mérite de faire sortir le lion en vous, ce qui en impressionnera plus d'un. Ce sera ainsi que vous parviendrez à conclure des accords, à signer des ententes et à boucler des transactions avec vos clients. Ce sera en ayant de l'initiative et du leadership que vous connaîtrez passablement de succès.

Amour - couple

Vous traverserez une période très complexe avec votre amoureux. Les événements fuseront de toutes parts pour bousculer votre couple et vous tenterez tant bien que mal de résister, mais parfois l'impatience et la colère seront dirigées vers l'être aimé. Il serait important de vous confirmer vos sentiments, ou encore d'exprimer vos doutes afin de trouver des solutions et de retrouver l'harmonie.

Amour - Célibataire

Curieusement, ce sont les gens déjà engagés qui vous font des avances. Vous pourriez être tenté d'entreprendre une histoire secrète, mais vous réaliserez bien assez vite que vous vous briserez le cœur à moyen terme dans ce genre d'aventure. Vous dégagerez aussi un puissant magnétisme auprès des grands voyageurs et des étrangers qui vous promettront mers et mondes afin de vivre de doux moments avec vous.

Santé

Beaucoup de fatigue s'est accumulée, et vous ne lésinerez pas longtemps avant de reprendre votre routine. Dès la mi-janvier, vous respecterez scrupuleusement vos heures de sommeil et vous reprendrez de saines habitudes, notamment faire de l'exercice régulièrement. Ce sera possiblement ardu au départ, et quelques sentiments dépressifs pourraient se manifester, mais la persévérance vous garantira par la suite un mieux-être général.

CANCER – FÉVRIER

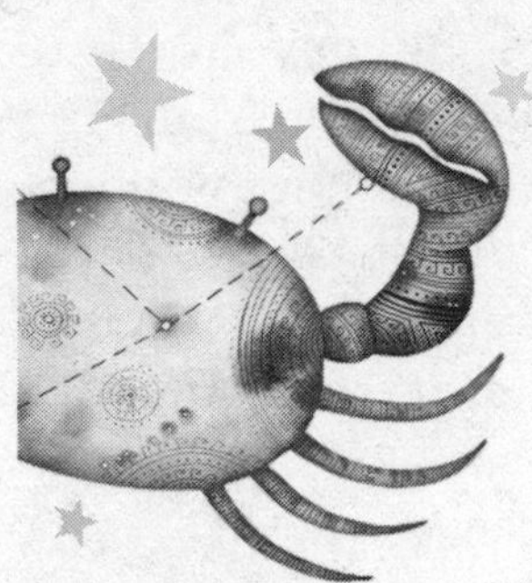

Les meilleurs jours ce mois-ci pour:

Jouer à la loterie: 16, 17 et 18

Le social et les jeux en groupe: 20, 21 et 22

L'amour: 11, 12 et 13

La sphère professionnelle: 18, 19 et 20

En général

Sensible de nature, vous pourriez être submergé de toutes parts par les émotions. Mille et une péripéties se manifesteront et vous feront passer des moments très chargés émotionnellement. Il est possible que vous puissiez assister à une naissance. Heureusement, dès la seconde moitié de février, le sourire reviendra sur votre visage et les tensions disparaîtront comme par enchantement. Après la pluie le beau temps, dit-on! Et peut-être pour célébrer un exploit quelconque, vous réserverez un voyage, du moins une belle escapade vacances dans un endroit magique.

Travail – Finances

Avec Mars qui progresse dans le Sagittaire, il y a fort à parier que vous devrez jouer du coude avec certains collègues, ou alors vous aurez des clients d'humeur plutôt massacrante par moments. Cette situation vous inspirera sûrement de grands changements alors que vous êtes une personne qui a besoin de calme pour apaiser sa nature sensible. Vous pourriez être attiré par l'enseignement, et votre expérience peut valoir son pesant d'or. Peut-être aussi entreprendrez-vous une formation qui vous permettra de réorienter votre carrière.

Amour – couple

Il ne serait pas impossible que la Saint-Valentin vous impose un peu trop de pression et que cette fête ait plutôt un effet négatif au lieu de vous inviter à vivre pleinement la romance. Heureusement, quelques jours avant le moment tant attendu, votre amoureux s'exprimera et désamorcera toute forme de pression: vous réussirez ainsi à vivre quelque chose de magique avec lui. De plus, il ne serait pas étonnant que le cadeau qu'il vous réserve soit un voyage romantique.

♥ Amour – Célibataire

Il n'existe pas de norme dans une histoire d'amour, et chaque individu qui croise notre route nous apporte une expérience ou une leçon de vie. Alors, même si vous rencontrez quelqu'un qui vous fait vibrer et qui disparaît par la suite, il vous aura tout de même apporté quelque chose qui vous sera utile à l'avenir. Évidemment, pendant quelques jours, vous pourriez avoir l'impression que l'on s'est moqué de vous, mais vous comprendrez rapidement la raison de son départ aussi précipité que son arrivée.

Santé

Vous éprouverez peut-être quelques malaises, et votre médecin pourrait même vous terroriser avec une mauvaise nouvelle qui, finalement, n'en sera pas une : les tests que vous avez passés confirmeront que vous n'avez pas à vous inquiéter. D'ailleurs, si vous souffrez le moindrement d'un état dépressif, il est possible que l'annonce d'un drame qui s'avère ne pas en être un vous sortira définitivement de votre torpeur, et vous retrouverez immédiatement la joie de vivre.

CANCER – MARS

Les meilleurs jours ce mois-ci pour :

* Jouer à la loterie : 15, 16 et 17
* Le social et les jeux en groupe : 20, 21 et 22
* L'amour : 5, 6 et 7
* La sphère professionnelle : 7, 8 et 9

En général

L'aspect familial retiendra votre attention ; un de vos enfants pourrait être sélectionné pour un sport ou un art et devra aller performer dans un lieu plus éloigné. En tant que bon parent, vous vous ferez un devoir de l'accompagner et vous en serez particulièrement fier aussi ! Il ne serait pas impossible qu'un membre de votre famille vous demande des soins ou un service bien particulier, ce qui vous obligera à mieux vous structurer pour ne pas perdre trop de temps. Bref, le temps sera une denrée de plus en plus rare, et vous pourriez avoir l'impression de tourner en rond par moments.

Travail - Finances

Il ne serait pas étonnant que vous puissiez suivre une formation qui vous permettra de connaître un avancement impressionnant au travail. Vous ferez des efforts considérables et les résultats ne seront pas encore au rendez-vous, mais patience et persévérance, parce qu'une grande carrière vous attend. Si vous êtes à la recherche d'un emploi, n'hésitez pas à postuler dans des organismes publics, tels qu'hôpitaux, écoles et autres services de l'État.

Amour - couple

Vous aurez sûrement des amis qui viendront vous sortir de votre torpeur en vous invitant dans des sorties où il y aura un peu trop d'action à votre goût, entraînant possiblement quelques frictions avec votre amoureux. En raison de vos nombreuses responsabilités personnelles et professionnelles, vous n'aurez pas beaucoup de temps à vous consacrer l'un et l'autre. L'idée d'aller voir si l'herbe est plus verte chez le voisin pourrait vous traverser l'esprit.

Amour - Célibataire

Ce sera principalement à votre travail que vous pourriez faire de belles rencontres. Toutefois, il ne serait pas impossible que cette personne soit déjà engagée. Évidemment, au cours des premières fréquentations, vous ne poserez probablement pas trop de questions et vous accepterez tant bien que mal la situation. Cependant, avant même la fin du mois, vous réaliserez certainement que cette personne n'est pas encore prête à s'investir sérieusement avec vous.

Santé

La sédentarité est un problème sérieux dans notre société en général, et il est aussi très difficile de se fouetter pour adopter de meilleures habitudes, même si le désir d'être en forme est très puissant en vous. Ce sera avec un peu d'encadrement, de la structure et surtout de la discipline que vous devriez être en mesure de changer quelques mauvaises habitudes et d'apaiser votre niveau de stress.

CANCER – AVRIL

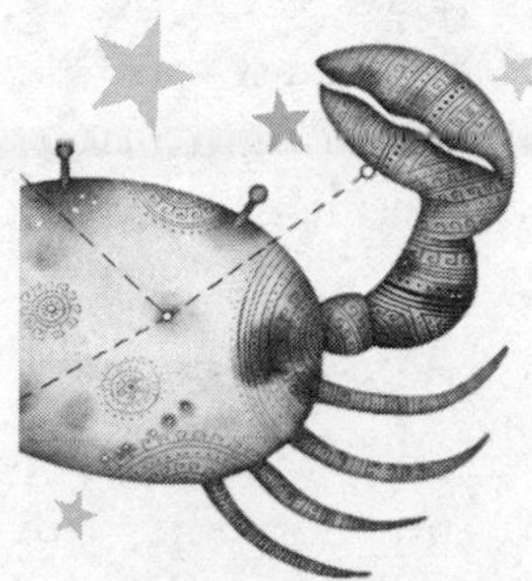

Les meilleurs jours ce mois-ci pour:

* Jouer à la loterie: 11, 12 et 13
* Le social et les jeux en groupe: 16, 17 et 18
* L'amour: 6, 7 et 8
* La sphère professionnelle: 14, 15 et 16

En général

Le temps sera une denrée extrêmement rare, vous serez occupé comme jamais, et tout arrivera en même temps. Non seulement votre travail devrait vous demander beaucoup de temps, mais la famille tout autant, et vous pourriez vous investir dans certaines activités dont vous ne pourrez vous désister. Si vous avez de jeunes enfants, ils auront tendance à défier votre autorité et à se forger un caractère d'eux-mêmes. La patience est exigée, particulièrement auprès de vos adolescents qui voudraient avoir de plus en plus de liberté.

Travail - Finances

Vous aurez droit à de belles occasions d'affaires ! D'abord, il y a de bonnes chances que l'on vous offre une promotion très intéressante ou de nouvelles responsabilités qui auront le mérite de faire progresser significativement votre carrière. Cependant, vos nouvelles fonctions pourraient aussi ne pas être parfaitement compatibles avec votre vie personnelle ou vos obligations à la maison, et vous ressentirez une forte pression en ce sens pour trouver rapidement une solution. Il y aura toute une organisation à revoir ! Au bureau, il faudra recommencer un travail et le planifier sur des bases plus solides.

♥♥ Amour – couple

S'il y a maintenant un peu de tension dans votre relation, il est clair que vous songerez de plus en plus sérieusement à la séparation pour vous libérer de cette pression immense que vous ressentez. Ce sera possiblement une vie sociale plus active ou encore l'intervention de vos amis qui pourraient sauver votre couple. Vous devez chercher mutuellement ce qui vous passionne au fond de vous et ainsi vous bâtir un bel avenir ensemble. Que votre relation soit toute jeune ou non, vous devez vous visualiser en train de vivre des moments romantiques, de voyager dans des destinations paradisiaques.

♥ Amour – Célibataire

Il ne serait pas impossible qu'un étranger ou une personne qui voyage beaucoup rôde autour de vous, et il vous lancera timidement quelques invitations. Vous serez surpris du sérieux de cette personne à vouloir s'investir dans une relation, et vous vous empresserez de la présenter à vos amis afin d'obtenir une forme d'approbation de leur part. Mais il semble que vous ayez tendance à reculer : vous n'êtes certainement pas prêt à vous engager, du moins vous prendrez votre temps avant d'aller plus loin.

✚ Santé

Évitez de faire des folies, et ne soyez pas trop casse-cou ! La prudence est de mise tant sur la route, au terrain de jeu qu'à la maison, surtout si vous faites le moindrement des travaux. Avec la belle saison qui arrive à grands pas, vous vous lanceriez bien dans un régime amaigrissant ainsi que dans un programme d'activité physique pour retrouver une silhouette dont vous serez fier. N'oubliez pas, la persévérance vous procurera des résultats.

CANCER – MAI

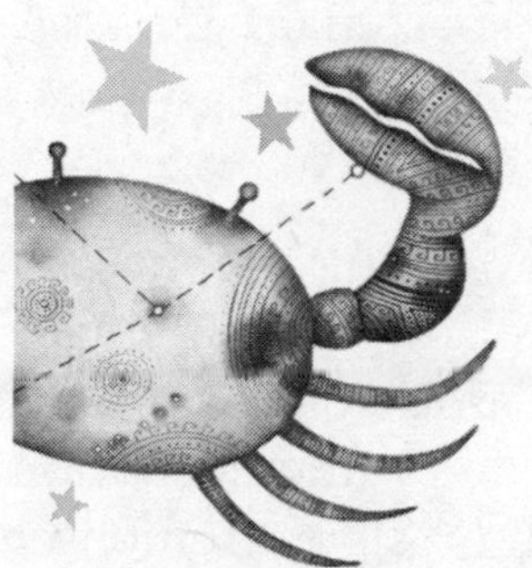

Les meilleurs jours ce mois-ci pour:

- Jouer à la loterie: 9, 10 et 11
- Le social et les jeux en groupe: 13, 14 et 15
- L'amour: 26, 27 et 28
- La sphère professionnelle: 1, 2 et 3

En général

Vous agrandirez votre réseau de contacts et votre cercle d'amis. D'ailleurs, vous avez fortement besoin de voir du monde et de vous impliquer dans des activités entre amis ou même dans une aventure communautaire. Vous pourriez vous investir dans le développement d'un important projet pour votre quartier, ou encore qui demande l'aide des gouvernements. Qu'ils vivent ou non sous votre toit, vos enfants seront également exigeants à votre endroit. Heureusement, vous parviendrez à décrocher et à vous lancer dans une forme de ressourcement. Si vous ressentez un peu trop de fatigue, n'hésitez pas à dire non et à vous isoler pour prendre du repos.

Travail – Finances

Vous obtiendrez de nouvelles responsabilités, mais vous devez vous attendre aussi à un supplément de stress et à être entouré de beaucoup de monde. Il ne serait pas impossible non plus que vous vous occupiez d'un événement qui regroupera bien des gens. En fait, vos nouvelles fonctions pourraient consister à rassembler le monde ou à être au cœur des foules. Mais peut-être qu'un peu de recul vous permettrait de mieux réfléchir à vos ambitions et aspirations.

Amour – couple

Si votre relation est toute jeune, vous songerez de plus en plus à vivre ensemble, à fonder une famille ou à en reconstituer une nouvelle. Il est aussi important de mettre de côté les responsabilités qui freinent les ardeurs entre deux amoureux et de vous accorder du temps de qualité. Peut-être vivrez-vous une sorte de panne en ce qui concerne la communication plus émotionnelle : il ne sera pas facile d'exprimer votre sensibilité, et votre partenaire pourrait sembler un peu plus borné.

♥ Amour – Célibataire

Votre devise est certainement « vaut mieux être seul que mal accompagné » ! Vous devrez probablement attendre la seconde partie de mai avant de commencer à chercher l'amour, à sortir dans le but de faire des rencontres. Si vous avez connu une déception dernièrement, vous aurez besoin d'un peu de temps pour remonter la pente. Et même si vous recevez occasionnellement des avances de la part de prétendants sérieux, vous remettrez sans cesse le premier rendez-vous pour une raison ou pour une autre.

Santé

Vous aurez tendance à bouger davantage, alors il est clair que votre corps aura besoin de s'habituer un peu avant que vos muscles et vos articulations cessent de vous faire souffrir. De plus, attention à vos os : ils sont fragiles et vous ne voudriez pas vous fracturer quoi que ce soit avant la belle saison, d'autant plus que l'on compte sur vous pour organiser certaines activités.

CANCER – JUIN

Les meilleurs jours ce mois-ci pour :

* Jouer à la loterie : 5, 6 et 7
* Le social et les jeux en groupe : 10, 11 et 12
* L'amour : 1 et 2
* La sphère professionnelle : 7, 8 et 9

En général

Même si vous bénéficiez d'une abondance d'énergie, il faudra impérativement la canaliser, autrement vous risquez de brûler la chandelle par les deux bouts. C'est aussi une excellente période pour amorcer toutes sortes de projets, votre esprit d'initiative est fortement décuplé. Vous ne manquerez certainement pas d'audace, aussi bien dans votre comportement que pour votre tenue vestimentaire. Vous pourriez tomber sur des lectures de nature plus spirituelle qui apporteront des solutions très intéressantes aux problèmes auxquels vous avez à faire face. Cette réflexion vous amènera rapidement à poser des gestes concrets et à avancer selon vos aspirations et vos convictions personnelles.

Travail – Finances

Vous connaîtrez un certain ralentissement au cours de la première partie du mois, peut-être en raison de votre santé, ou alors c'est la situation qui l'exige. Il est clair que cela risque de vous apporter un manque à gagner que vous jugerez important; ce sera ainsi que vous trouverez une solution intéressante au problème. Peut-être deviendrez-vous votre propre patron, ou encore vous viserez un nouvel emploi plus rassurant en ce qui concerne le salaire et la sécurité d'emploi.

♥♥ Amour – couple

Vos sentiments s'enflamment facilement, à votre plus grand bonheur. Vous pourriez aussi commencer à faire un peu plus d'activité physique avec votre amoureux non seulement pour vous garder en forme, mais également pour approfondir votre relation. Il ne faudrait pas négliger pour autant les moments plus intimes; ce sera précisément lors des rapprochements physiques que vous constaterez la profondeur des sentiments qui existent entre vous.

♥ Amour – Célibataire

Passablement actif et dynamique en ce moment, ce sera justement en pratiquant une activité physique quelconque que vous devriez croiser une personne très intéressante. Même si vous êtes parfaitement convaincu qu'il s'agit de votre prince charmant ou encore de votre âme sœur, il serait bon de vérifier si cette personne est vraiment célibataire... Bref, vous pourriez avoir rencontré un grand charmeur.

Santé

La vitalité n'est probablement pas au rendez-vous au cours des premiers jours de juin, vous avez nettement besoin de faire des activités physiques. De plus, vous adopterez un mode de vie un peu plus zen, où la détente et l'évacuation du stress seront une forme de priorité. Vous serez aussi extrêmement sensible aux fluctuations des températures et de l'humidité ambiante.

CANCER – JUILLET

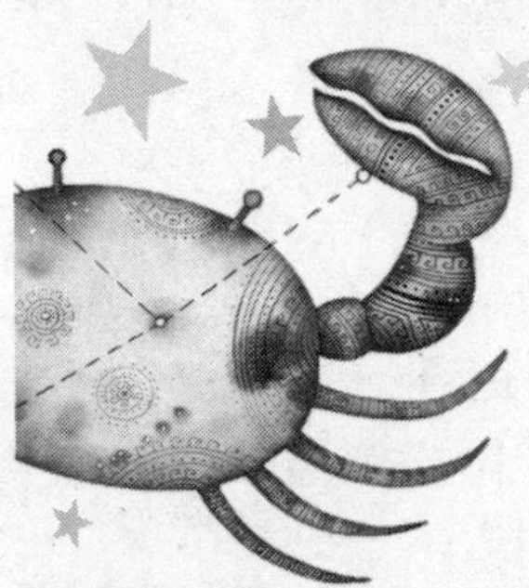

Les meilleurs jours ce mois-ci pour:

* Jouer à la loterie: 29, 30 et 31
* Le social et les jeux en groupe: 7, 8 et 9
* L'amour: 20, 21 et 22
* La sphère professionnelle: 5, 6 et 7

En général

Vous pourriez préparer un grand voyage qui vous offrira une meilleure estime de vous-même. Même s'il ne s'agit que d'une idée en l'air, à réaliser dans un certain avenir, vous prendrez le temps d'explorer toutes les options pour matérialiser ce projet et entreprendre cette grande transformation. Il y aura une sorte d'urgence de vivre qui se fera sentir. Vous aurez également tendance à vous gâter et à dévaliser les magasins pour combler un vide ou pour apaiser certaines émotions. Soyez vigilant avec vos sous.

Travail – Finances

Vous devriez connaître passablement de succès dans tout ce que vous entreprenez, même au quotidien; vous serez sûrement entouré de pas mal de monde, et vous aurez une clientèle nombreuse qui vous permettra d'avoir un revenu en croissance constante. Il faudra un peu de patience avant que les éléments se mettent en place pour que vous puissiez vous hisser vers des objectifs beaucoup plus conformes à vos ambitions. Même si l'on vous confie la chaise du patron pendant ses vacances, vous ne pouvez pas vous permettre d'abuser de votre autorité, autrement vous subirez un stress incroyable.

♥♥ Amour – couple

S'il y a un manque flagrant d'affection dans votre relation, il ne serait pas étonnant que vous soyez tenté d'aller en chercher ailleurs. Cependant, cela ne signifie pas que vous commettrez l'infidélité. Vous pourriez tout simplement choisir d'aller danser avec des amis, par exemple. De plus, ce petit recul dans votre couple vous permettra certainement d'ouvrir le dialogue à ce sujet et d'aspirer à un bien meilleur avenir ensemble. Du moins, vous chercherez à fouetter votre couple, histoire d'ajouter du piquant entre vous et de remettre un peu de passion à l'ordre du jour.

♥ Amour – Célibataire

Vous ne serez probablement pas la personne qui se pointera dans tous les événements pour célibataires ; vous êtes très sélectif et vous savez pertinemment bien que ce n'est pas dans ce genre de soirée que vous trouverez la perle rare. Vous serez plus friand des sites de rencontre : c'est là où vous connaîtrez un franc succès. Mais il ne s'agit pas toujours de gens parfaitement courtois, et certains peuvent lancer quelques avances déplacées. Vous devriez réussir à vous faire respecter, à émettre votre opinion clairement et à imposer vos conditions.

✚ Santé

Vous serez sensible aux abus, que ce soit nourriture, alcool ou manque de sommeil. Votre vitalité en prendra pour son rhume : vous serez peut-être obligé de rester cloué au lit pour récupérer. Si vous êtes passablement actif et sportif, vous pourriez vous infliger une blessure qui vous tiendra à l'écart de votre activité favorite pendant un moment. La détente ou des activités comme le yoga devraient vous aider à retrouver un meilleur équilibre et à vivre plus sainement avec vos émotions.

CANCER – AOÛT

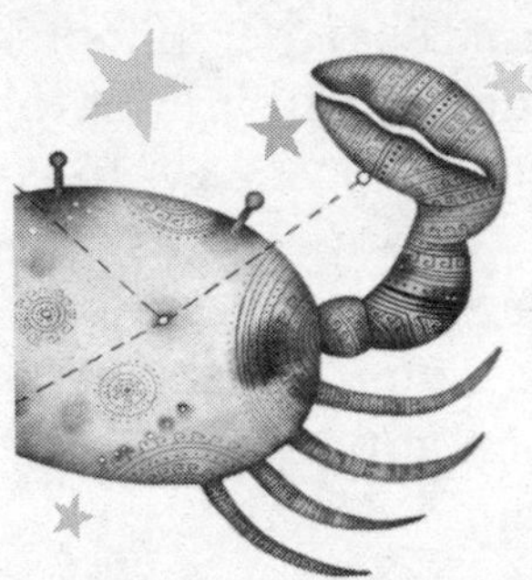

Les meilleurs jours ce mois-ci pour:

- Jouer à la loterie: 26, 27 et 28
- Le social et les jeux en groupe: 3, 4 et 5
- L'amour: 16, 17 et 18
- La sphère professionnelle: 28, 29 et 30

En général

Votre côté épicurien sera mis en avant-plan avec de bons restaurants, votre vie sociale sera active, vous vous ferez faire une beauté, bref, vous profiterez des plaisirs de la vie. Dans certains cas, vous pourriez avoir tendance à vous culpabiliser. Si vous décidez de passer vos vacances à la maison, il est possible que vous vous achetiez un ensemble de patio, ou un autre objet de luxe, pour profiter pleinement de votre chez-soi. Vous organiserez régulièrement des réceptions de famille, histoire de vous rapprocher et d'être en bonne compagnie.

Travail – Finances

Vous serez confronté à une situation compliquée financièrement. Peut-être devrez-vous attendre une forme d'autorisation ou du financement pour entreprendre un projet ou encore pour obtenir une promotion. Heureusement, tout débloquera dès la fin du mois. Vous trouverez le moyen de couper dans le gras et de faire des économies substantielles afin de vous permettre d'entreprendre un projet qui vous tient à cœur. Vous mènerez possiblement une bataille plus personnelle au sujet de votre salaire, car vous méritez beaucoup plus, et vous réussirez à prouver votre valeur inestimable.

Amour – couple

À la suite d'une bonne conversation et après avoir mis au clair vos sentiments mutuellement, vous devriez retrouver une ambiance plus paisible à la maison. Cela crée aussi une atmosphère beaucoup plus propice à un échange affectif très agréable dans le confort de votre foyer. La chambre à coucher vous offrira toute l'inspiration nécessaire pour vivre de beaux rapprochements intimes. Même si la fidélité est une valeur fondamentale pour vous, vous risquez de ne pas rester indifférent à certaines avances que l'on pourrait vous faire, surtout si elles viennent d'un de vos bons amis.

♥ Amour – Célibataire

Ouvrez les yeux autour de vous, là où vous passez régulièrement, et vous y trouverez une personne qui cherche à attirer votre attention depuis déjà très longtemps. Il s'agit en quelque sorte d'un amour d'été extrêmement passionnant. La question de l'engagement pourrait même se faire sentir très rapidement : cette personne aura besoin d'une forme de soutien en s'installant chez vous pendant quelque temps, par exemple, ce qui pourrait refroidir vos ardeurs.

✚ Santé

Il n'existe pas vraiment de régime qui fait perdre du poids instantanément. C'est en comptant les maigres résultats un jour à la fois que vous connaîtrez un franc succès au fil des semaines. Votre estime personnelle a aussi besoin de ce genre de réussite. Votre état psychique est possiblement malmené si vous ne vous sentez pas bien dans votre peau.

CANCER – SEPTEMBRE

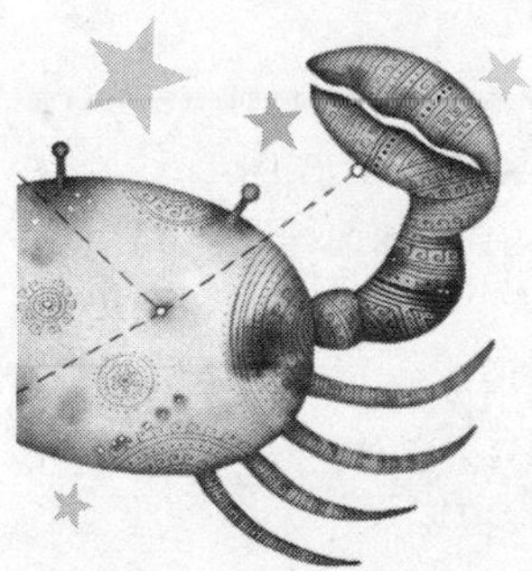

Les meilleurs jours ce mois-ci pour :

* Jouer à la loterie : 22, 23 et 24
* Le social et les jeux en groupe : 27, 28 et 29
* L'amour : 12, 13 et 14
* La sphère professionnelle : 24, 25 et 26

En général

Il ne serait pas impossible que vous puissiez avoir l'occasion de vendre ou d'acheter une propriété, du moins d'obtenir une forme de faveur en ce qui concerne votre logement. Signe de la maternité par excellence, vous avez généralement une patience en or avec vos enfants et les autres membres de la famille. Mais ce mois-ci, les contrariétés pourraient être nombreuses, et vous pourriez perdre facilement votre sang-froid lorsque le discours n'est pas des plus clairs. Vous pourriez devoir vous occuper d'une succession, même si la personne décédée ne fait pas partie de votre famille.

Travail – Finances

Si vous attendiez des nouvelles au sujet d'un projet, on vous donnera le feu vert avec quelques conditions qui ne vous plaisent peut-être pas. Vous êtes généralement une personne qui a un sens de l'initiative développé, et vous pourriez moins bien accepter le fait de devoir partager le pouvoir. Il sera donc important de mettre des gants blancs par moments pour demander des explications afin que le projet se déroule selon vos aspirations.

Amour – couple

Vous aimeriez que vos sentiments mutuels soient un peu plus dynamiques, mais votre partenaire pourrait avoir tendance davantage à rechercher une vie sociale plus active. Vous vous investirez sûrement dans une thérapie, par exemple, vous vous donnerez des objectifs plus précis et concrets à entreprendre. Heureusement que la communication entre vous sera excellente, ce qui vous aidera à mieux retrouver votre amour. N'hésitez pas à échanger des mots d'amour régulièrement, de parler de voyages et de rêves que vous aimeriez faire ensemble.

Amour – Célibataire

Vous recevrez de nombreux mots d'amour par courriel ou à travers d'autres médias où vous connaissez une soudaine popularité. Notamment, un bon ami pourrait vous faire une déclaration d'amour alors que vous n'avez que des sentiments amicaux à son endroit. Il ne serait pas étonnant que de vieux sentiments refassent surface pour un ex qui revient dans le décor, quelqu'un que vous aviez fréquenté lorsque vous étiez étudiant, par exemple.

Santé

Vous éprouverez peut-être des problèmes respiratoires en raison de la saison de l'herbe à poux, par exemple. Vous vous débarrasserez aussi de quelques angoisses qui vous minaient l'existence en suivant une thérapie, vous avez besoin de vous exprimer tout simplement. De plus, cela vous aidera à trouver les bons outils pour vous détendre plus facilement.

CANCER – OCTOBRE

Les meilleurs jours ce mois-ci pour:

* Jouer à la loterie: 19, 20 et 21
* Le social et les jeux en groupe: 24, 25 et 26
* L'amour: 10, 11 et 12
* La sphère professionnelle: 22, 23 et 24

En général

Vous prendrez votre temps pour analyser ce qui vous plaît ou non. Une meilleure organisation à la maison s'impose. Vous pourriez passer pas mal de temps dans les magasins pour habiller vos jeunes enfants ou pour finaliser un déménagement. Vous aurez besoin de vous mettre en valeur: vous ne vous gênerez donc pas pour acheter les vêtements les plus chers, par exemple. Si vous aviez inscrit vos enfants à des activités onéreuses comme des cours de danse ou du hockey, ceux-ci pourraient commencer à reculer et à manifester moins d'intérêt, ce qui serait bien contrariant, surtout si vous aviez aussi fait de gros efforts pour négocier de meilleurs prix.

Travail – Finances

L'idée de devenir votre propre patron devrait vous traverser l'esprit. Vous avez besoin d'un peu plus d'autonomie et de gérer votre temps comme bon vous semble. La patience et la persévérance vous permettront de connaître du succès. Au bureau, il faudra bien aiguiser votre sens du leadership, votre esprit d'initiative, ce sera sur vous que reviendront de nombreuses décisions. Ce sera justement ce qui favorisera largement le développement de votre carrière: vous vous dirigez lentement mais sûrement vers un poste de direction. Vous pourriez accéder à un poste extrêmement intéressant en remplaçant quelqu'un pour un congé parental, par exemple.

♥♥ Amour – couple

Il est possible de ressentir un peu d'insatisfaction sur les plans passionnel, affectif et sexuel. Votre amoureux ne sera pas toujours des plus délicats également, alors vous pourriez émettre quelques critiques en ce sens à plusieurs reprises. Cependant, ce n'est pas nécessairement ce qui fait évoluer votre relation ; essayez d'être plus constructif. Vous êtes nouvellement parent ? Il est normal d'être moins réceptif aux demandes affectives de votre partenaire, la patience et la compréhension sont de mise dans cette situation.

♥ Amour – Célibataire

Si vous vous êtes séparé récemment, vous ne vous empresserez pas de faire de nouvelles rencontres. Vous avez davantage besoin de guérir votre cœur, de rebâtir votre estime personnelle. Vous entreprendrez aussi des démarches pour rendre votre environnement conforme à vos désirs, pour vous installer confortablement dans votre nouveau monde et pour vous recréer un nouvel univers. Vous prendrez le temps de vous faire une liste de qualités à rechercher chez un futur prétendant.

➕ Santé

Vous avez le droit de manger des aliments riches, savoureux en grande quantité, mais vous devez aussi être conscient des conséquences sur votre apparence ainsi que sur les risques de développer une maladie reliée à un surplus de poids. Que vous ayez ou non un problème avec votre poids, vous vous conscientiserez à cette question. Vous en profiterez sûrement pour faire une recherche qui vous permettra de trouver le régime ou le traitement qui convient parfaitement à vos besoins.

CANCER – NOVEMBRE

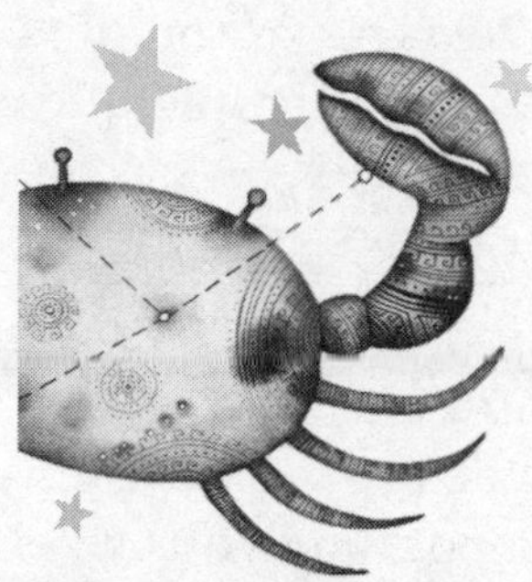

Les meilleurs jours ce mois-ci pour:

- ✶ Jouer à la loterie: 16, 17 et 18
- ✶ Le social et les jeux en groupe: 20, 21 et 22
- ✶ L'amour: 11, 12 et 13
- ✶ La sphère professionnelle: 8, 9 et 10

En général

Vous aurez tendance à frotter en profondeur la maison, vous aurez le sens du détail bien affûté et rien ne vous échappera. D'ailleurs, il ne serait pas étonnant que vous entrepreniez un travail bien précis, une œuvre d'art par exemple, qui accaparera toute votre concentration. Vous vous retrouverez avec de nombreux petits détails à régler qui demandent une grande attention de votre part. Vous devriez apprendre à faire confiance aux autres et à lâcher prise: acceptez le fait que les choses ne sont pas toujours selon vos goûts.

Travail – Finances

Vous êtes particulièrement touché par les rumeurs de mises à pied, de déménagement ou même de fermeture d'entreprise. Il faut apprendre à vous faire confiance; peu importe ce qu'il arrive, on ne pourra pas vous enlever vos forces et vos compétences. Vous êtes en excellente position pour vous négocier une belle carrière avec un avenir très prometteur, même si cela implique un changement d'emploi radical. Vous serez très motivé à vous lancer dans la recherche d'un emploi qui vous convient davantage.

♥♥ Amour – couple

Un peu de cocooning en amoureux, c'est toujours agréable, mais il y a tout de même des limites et vous avez aussi besoin de voir autre chose que votre salon et votre chambre à coucher. Votre partenaire risque de ne pas saisir le fait que vous aimeriez aussi avoir une vie sociale plus active. Cette situation pourrait engendrer un peu de frustration et des conflits entre vous. Essayez de vous accorder une belle sortie chaque semaine, ne serait-ce que pour aller au resto.

♥ Amour – Célibataire

Un voisin ou quelqu'un que vous croisez régulièrement pourrait vous manifester un intérêt, mais votre situation familiale ou encore votre ancienne relation freineront vos ardeurs. Si vous êtes célibataire depuis peu, il est important que vous soyez bien installé, que votre chez-soi vous représente vraiment, que vous vous sentiez enfin autonome, à l'aise et indépendant avant d'être en mesure d'ouvrir votre cœur.

Santé

La saison du rhume et de la grippe s'annonce virulente, d'où l'importance de renforcer votre système immunitaire avec une bonne alimentation, un peu d'exercice et peut-être aussi quelques suppléments pour éviter toute forme de carence. Il ne serait pas étonnant que vous multipliiez les visites chez le médecin, histoire de vous rassurer sur votre bonne santé et d'obtenir une médication préventive.

CANCER – DÉCEMBRE

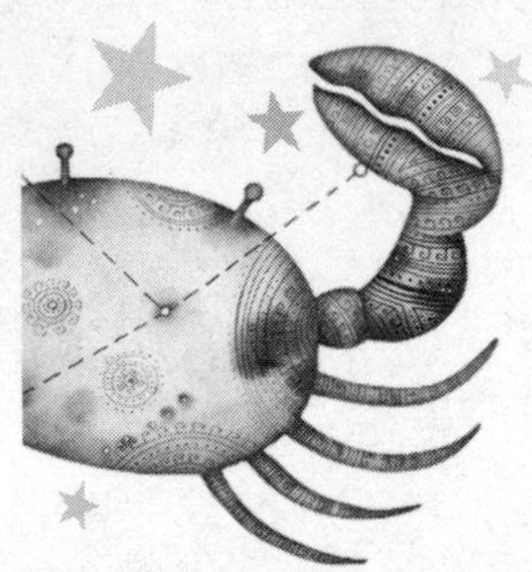

Les meilleurs jours ce mois-ci pour:

- Jouer à la loterie: 13, 14 et 15
- Le social et les jeux en groupe: 18, 19 et 20
- L'amour: 8, 9 et 10
- La sphère professionnelle: 16, 17 et 18

En général

Vous êtes une personne très bien organisée en général et vous ne négligerez aucun détail. Qu'il s'agisse des décorations de Noël, des repas à préparer ou des petites choses plus personnelles, vous serez d'une efficacité exemplaire pour satisfaire tout le monde autour de vous. D'ailleurs, on se fiera entièrement à vous pour organiser les festivités de Noël et vous occuper aussi de l'ensemble des responsabilités familiales. Vous pourriez même aller faire un peu de bénévolat auprès des plus démunis, histoire de vous sentir mieux à l'intérieur, d'avoir le sentiment de contribuer à l'amélioration de la qualité de vie de certaines personnes.

Travail – Finances

Si vous travaillez dans une boutique d'articles de Noël, il est clair que vous serez passablement occupé et on sera très exigeant à votre endroit. Heureusement, vous serez très efficace et ainsi vous vous taillerez une place beaucoup plus intéressante. Au moment où vous vous y attendez le moins, on vous offrira une promotion. Certains projets et dossiers doivent être impérativement terminés avant la fin de l'année. Vous devriez réussir à coordonner le travail et le repos de manière que vous puissiez maintenir une cadence intense pendant les semaines à venir.

Amour – couple

Même si vous êtes passablement occupé, vous ne négligerez pas votre amoureux. Vous vous consacrerez du temps mutuellement pour entretenir la flamme amoureuse entre vous. La magie de Noël aura un très bel impact sur votre relation ; il ne serait pas étonnant non plus qu'elle vous inspire une belle escapade romantique. Et n'oubliez surtout pas de laisser libre cours à la fantaisie : vous réussirez ainsi à créer une belle ambiance très romantique entre vous.

Amour – Célibataire

Il ne suffit que de demander l'amour au père Noël pour qu'il vous l'apporte. Il ne serait pas étonnant que vous puissiez vivre des moments magiques avec une personne qui saura vous faire rire et passer du bon temps. Ce sera véritablement dans un contexte social, tel qu'au cinéma, en voyage, dans une conférence, au musée, etc., que vous devriez faire cette belle rencontre et ressentir quelques papillons.

Santé

À la suite d'un abus, votre digestion aura des ratés, vous ne pourrez probablement pas consommer tout ce que vous auriez aimé. Vous n'aurez pas trop le choix d'être raisonnable cette année pour le temps des fêtes. Votre corps ne peut supporter le moindre excès, et vous devrez probablement compter sérieusement vos calories ou encore vos consommations d'alcool, sinon vous ressentirez immédiatement des malaises. Vos intestins risquent de vous causer quelques désagréments.

Lion

(du 22 juillet au 22 août)

Victoria Aubry, Marianne Parenteau,
Philippe Pépin, Madeleine Noury, Lise Warden

Le quotidien et les situations concernant votre environnement immédiat seront des plus remarqués. Votre maison, votre famille et votre routine devraient connaître certains changements des plus favorables et agréables. Jupiter vous apportera sa protection et ses faveurs ; il vous procurera beaucoup de plaisir avec vos proches et ainsi vous fera vivre des moments inoubliables.

Il ne serait pas étonnant que vous envisagiez sérieusement de déménager vers un chez-vous qui sera conforme à vos aspirations, du moins ce sera un endroit à votre goût. Peut-être que vous vous investirez dans une toute nouvelle décoration avec des électroménagers tout neufs. Si vous êtes habile du marteau, vous pourriez décider de refaire le sous-sol ou d'abattre un mur pour avoir un environnement à aire ouverte. Bref, vous consacrerez du temps et des efforts pour avoir un chez-soi des plus intéressants.

Si vous avez l'ambition de devenir propriétaire, vous réussirez à traverser toutes les étapes avec brio. L'endroit deviendra votre havre de paix. Mais il faudra y consacrer passablement de temps et de travail avant qu'il devienne conforme à vos attentes. Et ces changements sont possiblement en lien avec une nouvelle réalité dans votre quotidien. Des événements familiaux sont sûrement à l'origine de ceux-ci.

Notamment, si vous êtes dans la fleur de l'âge, il ne serait pas impossible que cette propriété soit en lien avec la venue d'un enfant. Tout le monde sait qu'il s'agit d'une période de vie merveilleuse, mais aussi passablement exigeante, ne serait-ce que les heures de sommeil qui sont perturbées.

Vous pourriez aussi accueillir vos vieux parents qui demandent maintenant des soins particuliers ou qui ne peuvent plus entretenir leur propre maison. Vous êtes donc la personne toute désignée pour leur offrir vos services et votre hospitalité. Il s'agit inévitablement d'efforts supplémentaires, mais ils seront largement compensés par le pur bonheur de retrouver la famille réunie ainsi. Peut-être aussi s'agit-il d'un de vos enfants qui fera un retour à la maison, l'enfant prodigue en quelque sorte.

Si vous êtes plutôt seul, d'une nature solitaire et vagabonde ou encore que vous ressentez l'appel de fuir et d'aller vivre l'aventure de votre vie, vous n'hésiterez pas un seul instant à tout vendre pour aller travailler à l'étranger et vivre une toute nouvelle expérience professionnelle. D'autant plus que si vous sentez l'âge avancer, vous prendrez conscience que c'est maintenant qu'il faut tenter cette expérience, et celle-ci aura un effet bénéfique sur votre santé. De plus, vous aurez l'impression de reculer votre âge de quelques années.

Si vous êtes plus fortuné, peut-être investirez-vous dans un condo en Floride ! Vous envisagerez sérieusement l'achat d'une propriété à l'étranger ; du moins, ce pourrait être un chalet au bord d'un lac afin de vous dépayser largement pour vivre avec la pression de la ville en moins sur vos épaules.

L'année est propice aux développements aussi bien personnels que professionnels. D'une façon ou d'une autre, les choses doivent bouger, et le tout pourrait bien commencer à la maison principalement. Il est possible que vous amorciez le développement d'une entreprise à la maison, mais les efforts risquent d'être énormes ; entre autres, vous aurez à négocier l'approbation de votre conjoint et il y aura également votre employeur qui verra d'un bien mauvais œil vos initiatives, non seulement par crainte de vous perdre mais aussi par jalousie, au cas où vous réussiriez plus que lui. Vous devrez donc développer votre affaire en parallèle, sans trop bousculer les acquis et en silence, autrement la pression risque d'être trop forte pour que vous puissiez persévérer. C'est de la patience qu'il vous faudra ; heureusement, vous ne manquerez pas d'objectifs et de motivation, lentement mais sûrement vous poursuivrez vos buts, même si votre cœur vous dit de pousser à fond.

Côté couple, si vous êtes tout jeune, vous ferez partie de ceux qui s'achètent leur première maison et qui fonderont une famille. Si votre relation est récente, vous commencerez au moins par vivre ensemble, mais avant la fin de l'année, il y aura des projets de grande envergure entre vous. L'inverse est possible également : vous aurez une profonde réflexion au sujet du bonheur que vous partagez au quotidien avec votre douce moitié, et si vous réalisez que vous n'êtes pas des plus heureux ensemble, vous pourriez décider d'une séparation des plus cordiales. Il n'y aura pas de pleurs, de peine déchirante et autre douleur qui vous plongeraient dans une profonde dépression. Ce sera davantage libérateur, et vous aurez une magnifique relation post-rupture avec cette personne, même si vous étiez en couple depuis de nombreuses années. De plus, si vous avez de jeunes enfants, vous miserez sur leur bonheur à eux et vous leur assurerez que même si papa et maman prennent des chemins différents, ils pourront toujours compter sur votre complicité.

Vous êtes célibataire ? Le confort de votre foyer ne vous stimulera pas beaucoup à sortir de la maison pour aller faire des rencontres. Et Internet est certainement une source incroyable de possibilités pour développer de nouveaux contacts et faire une première approche. Mais il n'en demeure pas moins qu'il faut inévitablement se rencontrer tôt ou tard. Cette dernière étape ne sera certainement pas l'une de vos priorités, et vous pourriez même découvrir que vous êtes très heureux comme célibataire. La solitude est un état où le bonheur pourrait se faire sentir, donc le besoin de partager de bons moments devient superflu et vous préférerez nettement rester seul.

Mais comme tout être humain, vous avez besoin d'affection de temps à autre. Certains d'entre vous chercheront une histoire plutôt discrète et sans engagement. Et celle-ci pourrait bien se dérouler avec un collègue de bureau. Du moins, vous agirez probablement comme de bons amis devant les gens, mais il y aura peut-être certains soirs où vous transgresserez l'amitié pour vivre des moments intimes qui ne vous engageront à rien. Cependant, si cette histoire se poursuit jusqu'à la fin de l'année, vous y mettrez un terme avant que 2019 arrive.

Côté santé, vous pourriez prendre conscience de l'interrelation de tout ce qui nous entoure. Les habitudes du passé, les émotions et autres facteurs ont un impact direct sur la qualité de vie. Même les gestes et les changements que l'on pose peuvent avoir une incidence précise sur notre mieux-être. De plus, vous aurez une sensibilité accrue, cette année, qui exposera davantage l'aspect émotionnel de votre existence : vous prendrez en charge certaines situations afin de retrouver la paix intérieure.

Le système digestif est à la base d'une bonne santé, le système immunitaire prend sa source dans nos intestins et si vous n'êtes pas du genre à prendre soin de votre alimentation, il est clair que votre santé n'hésitera pas à vous le faire remarquer. Notamment, vous pourriez subir une prise de poids considérable. Heureusement, cette situation pourrait vous faire réaliser que vous « mangez » vos émotions, il est donc possible d'en trouver la cause ainsi que des solutions.

Si, comme retraité, vous vous sentez inutile et enfermé chez vous, vous ne tolérerez plus cette situation bien longtemps et vous irez chercher du boulot selon vos capacités, ne serait-ce que pour vous prouver à vous-même que vous êtes utile et toujours vivant. Si ce n'est pas le travail qui vous demande temps et efforts, ce sera la famille alors. D'ailleurs, un drame parmi un de vos proches sera à l'origine de votre implication. Notamment, un de vos enfants pourrait avoir besoin de vous, ou alors vous pourriez jouer le rôle de grands-parents régulièrement et prendre soin de vos petits-enfants pour une raison ou pour une autre.

Lion et ses ascendants en 2018

Lion ascendant Bélier

Vous êtes un double signe de feu. Doublement positif! Uranus est en Bélier, cette planète qui se trouve sur votre ascendant depuis quelques années, et vous pousse à tout vouloir en même temps. Uranus sera en Taureau du 16 mai au 6 novembre, puis reviendra dans votre signe: vous devrez être plus prudent que jamais avec l'argent que vous désirez investir. C'est en 2019 qu'Uranus s'installera en Taureau pour quelques années, Uranus est en chute dans le Taureau. C'est pourquoi l'année 2018 est importante, car il faut sécuriser vos biens et ne rien laisser au hasard. Si vous voyagez beaucoup, vous diminuerez le nombre de vos déplacements, car il faut remettre de l'ordre dans vos papiers et entamer des négociations qui risquent d'être longues si vous jouez dans la cour des grandes finances. Jupiter va traverser le Scorpion dans le quatrième signe du vôtre et dans le huitième signe du Bélier. Si vous avez l'intention d'acheter une maison, des terrains, ne faites aucune acquisition qui serait au-dessus de vos moyens. Il arrive que vous ne regardiez que le bien, le bon et le beau, et malheureusement, dans cette société, rien n'est totalement parfait. Aussi devez-vous vous faire quelques réserves au cas où l'économie augmenterait encore le panier d'épicerie ainsi que tous les autres services indispensables à notre équilibre personnel. Vous devez mener votre vie professionnelle comme si tout était ordonné et faire le maximum pour garder votre emploi. L'année 2018 en est une où la réflexion est conseillée avant toute grande décision.

Lion ascendant Taureau

Vous êtes né du Soleil et de Vénus; votre désir de plaire est immense, votre besoin d'amour est gigantesque et votre désir de posséder frôle la démesure. Avec vous, rien n'est petit, mais rien n'est assez gros. Il vous arrive aussi de croire qu'être aimé c'est être admiré, ou inversement parce qu'on vous admire on doit certainement vous aimer. Tout au long de votre vie, vous devrez discerner le vrai du faux en matière de sentiments. Les apparences sont souvent trompeuses. Votre septième signe est en Scorpion, et en 2018, Jupiter traverse ce signe jusqu'en novembre. Si vous êtes seul depuis longtemps, si vous êtes devenu ce célibataire qui se méfie de l'amour, vous serez pris au dépourvu lors d'une rencontre, car on fera fondre votre cœur endurci. Vous rencontrerez une personne qui aura vécu des expériences fort différentes des vôtres et qui ne traînera pas avec elle ses vieux regrets ni non plus la peur d'aller vers une autre ouverture de l'amour. N'allez surtout pas lui présenter votre côté sauveur, cet homme ou cette femme qui vous attirera n'a pas besoin d'être sauvé. Soyez simplement vous. Vous êtes ambitieux et entrepreneur, et c'est souvent la vie elle-même qui se charge de vous mettre sur cette voie. Uranus, qui achève de traverser le Bélier et qui fera un saut en Taureau entre le 16 mai et le 6 novembre, sera l'occasion de brasser de bonnes affaires. Si vous êtes un acheteur, non seulement le prix de l'offre sera-t-il bas, mais vous réussirez également à le faire baisser encore. Vous pourriez acquérir une petite entreprise à un coût dérisoire, et si vous vous y attardez, c'est parce que vous saurez déjà comment la faire progresser. Il en sera de même pour l'achat d'une propriété. Si vous vous impliquez socialement, vous prendrez de plus en plus d'importance au sein du groupe dont vous ferez partie.

Lion ascendant Gémeaux

Vous êtes né du Soleil et de Mercure : vous pensez rapidement, vous vous exprimez clairement, surtout quand vous parlez d'affaires. Vous aurez plus de travail que vous ne pouvez l'imaginer en 2018 ; vous avez fait vos preuves et on apprécie vos méthodes, vos produits et vos services. Vous serez parfois surpris de constater que de grosses entreprises qu'on aurait crues immuables ne supportent plus le poids de leurs dépenses ! Vous réfléchirez sur le sujet et, en tant que travailleur autonome, vous savez déjà comment travailler avec un petit budget et être rentable. Le vide ne reste jamais vide. Si des entreprises s'effondrent, d'autres naissent, et si vous faites partie de cette renaissance, rien ne vous sera donné, vous ferez de longues heures mais vous en sortirez gagnant. Si vous êtes un artiste, par exemple un comédien, vous aurez plus de rôles que vous n'en espériez. Quel que soit l'art pratiqué, vous

vous démarquerez. Certains parmi vous n'ont pas encore choisi leur orientation professionnelle ; si vous faites partie de ceux qui hésitent à s'engager parce qu'ils sont attirés par mille et une choses, en 2018, vous trouverez la direction à prendre et vous vous y maintiendrez pendant encore de nombreuses années. Si vous avez de la difficulté à faire des choix, la vie s'en chargera pour vous. Autrefois, on disait qu'il fallait mettre le pied à l'étrier, et c'est ce que vous ferez en 2018. En ce qui concerne l'amour, si vous avez fréquenté une personne en 2017, la relation devrait se poursuivre, et ce sera sur de nouvelles bases parce que vous vous connaissez mieux et vous avez dépassé les heures de romance et de cœur palpitant : vous entrez dans l'étape de l'attachement durable, laquelle repose sur quelques compromis et un renoncement nécessaire à votre côté d'éternel adolescent. Vous passez donc en mode personne responsable.

Lion ascendant Cancer

Vous êtes né du Soleil et de la Lune, vous êtes généralement une personne protectrice envers vos proches. Vous ne faites aucun effort pour vous faire aimer, vous êtes de nature agréable, un brin timide et tout à la fois vous êtes indépendant, résistant. Vous choisissez de voir le meilleur en chaque personne que vous rencontrez, aussi êtes-vous un collègue apprécié au travail. Vous êtes logique, mais également très intuitif, et il arrive très souvent que vous preniez d'importantes décisions en suivant votre flair ! Rares sont ceux qui vivent mal leur vie sous ce signe et ascendant ; aussi vais-je m'attarder à ceux qui profitent des dons que le ciel leur a donnés à leur naissance. Vous êtes fort habile avec l'argent. Vous savez comment l'économiser et comment le dépenser, le placer, l'investir. Rien ne vous échappe quand il s'agit de vous mettre financièrement à l'abri. En 2018, Jupiter va traverser le Scorpion, et il sera dans le quatrième signe du Lion et le cinquième signe du Cancer. Il est possible que vous songiez à déménager, peut-être la maison est-elle devenue trop grande ? Si vous avez des enfants, elle est trop petite, vous magasinerez votre propriété avec une grande minutie et vous en trouverez une qui vous conviendra parfaitement. Prenez votre temps, ne laissez aucun vendeur faire pression sur vous. Jusqu'au mois de novembre, vous devrez mieux surveiller votre alimentation, et si vous devez, pour votre santé, perdre du poids, ne suivez pas un régime sans être supervisé par un médecin. Il ne faut pas tomber dans l'excès du manque et de l'estomac qui crie sans cesse famine ! Si vous avez atteint un âge où les os vous font mal les jours de grande humidité, évitez des sports comme le patin à roues alignées ! En somme, quel que soit le genre de sport que vous pratiquez, soyez prudent, gardez votre équilibre et ne prenez aucun risque. Côté cœur, il est possible que votre amoureux traverse une période difficile, mais vous serez là pour l'épauler et l'aider à se relever. Si vous êtes célibataire, une rencontre modifiera considérablement le parcours de votre destinée.

Lion ascendant Lion

Double signe solaire. Lors de votre venue au monde, votre mère a tout de suite pensé qu'elle venait de mettre au monde un demi-dieu ou une demi-déesse. La famille s'est concentrée autour de vous, pensant qu'il fallait vous protéger de tout ! Vous avez grandi, on s'est rendu compte que vous étiez une très bonne personne, cependant on a cessé de faire des courbettes autour de vous, et c'est là que vous vous êtes mis en quête d'admirateurs ! Vous avez besoin de ressentir que vous maîtrisez la vie ! N'est-ce pas au-dessus des forces de tout être humain ? Vous finissez par admettre qu'il est impossible de tout contrôler. Il faut parfois bien des années à un Lion/Lion pour le comprendre. Votre puissance solaire peut faire de vous une vedette, vous pouvez être l'acteur des acteurs, un très grand chanteur, le meilleur écrivain qui soit et même faire parler de vous longtemps après votre mort ! Vous pouvez devenir l'icône de votre époque, et il n'y a pas d'âge pour commencer. Quoi que vous fassiez de votre vie, vous y mettez du cœur et toute votre énergie. En 2018, vous ne devrez pas dépasser les limites que votre corps vous impose ; pour les plus généreux d'entre vous, ce sera le temps de prendre du repos. Jupiter en Scorpion vous impose un régime de vie plus sain. Si vous ne tenez pas compte de la consigne, le premier signal vous sera donné par votre estomac, et vous aurez du mal à digérer. Quel que soit votre âge, vous êtes si intense qu'il est nécessaire de prendre du recul de temps à autre, surtout cette année. Si vous avez tendance à boire quelques verres de vin pour vous détendre le soir, de grâce ne prenez jamais le volant, vous pourriez vous causer le plus grand stress de votre vie, ou pire encore ! Au travail, vous aurez du mal à ralentir, même durant vos journées de congé. Il faut apprendre à lâcher prise. De toute manière, la terre continue de tourner même si vous vous arrêtez ! Si vous êtes célibataire, l'amour se pointera à la fin de 2018, en novembre, lorsque Jupiter va entrer en Sagittaire, mais d'ici là, mettez les drames de côté et soyez plus philosophe.

Lion ascendant Vierge

Votre Soleil est un brin voilé, l'ascendant Vierge a la réputation de faire de vous une personne à l'écoute, vous n'avez pas à prendre les devants de la scène comme d'autres Lion le font parce que, tout au fond, vous préférez être le créateur, celui qui est à l'origine et parfois celui qui œuvre en coulisse et qui tire les ficelles. Votre puissance ne se dévoile pas, elle s'enveloppe de mystères. Vous aimez jouer avec les idées, vous adorez l'enchevêtrement qu'est la pensée elle-même qui jamais ne s'absente. Vous aurez beaucoup de plaisir avec les jeux d'esprit en 2018. Jupiter est en Scorpion, il se retrouve dans le quatrième signe du Lion, ce qui représente une forme d'exaltation : Jupiter en Scorpion traverse, à cet instant même, le troisième signe de votre ascendant, symbolisant ce que vous communiquerez ou pas aux autres. Cette position de Jupiter ne vous est favorable que si vous dites la vérité, toute la vérité et rien que la vérité ; ne dire les choses qu'à demi et vous imaginer qu'on vous croira est une erreur que vous ne devrez jamais commettre, car vous pourriez vous retrouver dans l'embarras, tant dans un milieu professionnel que dans votre vie personnelle. En 2018, vous devrez réviser chaque bout de papier au bas duquel vous signerez votre nom afin d'éviter la moindre erreur, laquelle ralentirait vos affaires en cours, par exemple l'obtention d'un quelconque permis. Saturne et Pluton qui sont en Capricorne se trouvent aussi dans le cinquième signe de votre ascendant : quel que soit votre âge, si vous êtes seul, célibataire, vous vous retrouverez entouré de gens qui vous apprécient et, parmi eux, il y a sans doute quelqu'un qui vous attirera et avec qui vous partagerez des moments heureux et intimes.

Lion ascendant Balance

En 2017, Jupiter s'est retrouvé sur votre ascendant et vous a mis en lumière dans votre milieu de travail. Peut-être avez-vous pris un important tournant de vie ? Si telle est votre situation, si vous êtes à fond dans ce virage professionnel, en 2018, le temps est venu de stabiliser tout ce que vous avez entrepris l'année dernière. Si vous avez obtenu un poste où vous avez de nombreuses responsabilités, vous dépasserez les attentes que les gens ont de vous. Autant en 2017 vous avez dû faire de nombreux déplacements, autant maintenant tout se règle de votre bureau ou de votre maison ; la technologie vous permet d'être en étroite relation avec vos clients ou vos collègues, et eux, à leur tour, sillonnent le monde pendant que vous coordonnez leurs mouvements. Votre tâche vous semblera lourde les jours où vous devrez vous poser en tant que conciliateur entre deux parties qui s'opposent, deux entreprises qui se boudent plutôt que s'entraider comme cela aurait dû être. Vous vous imposerez par votre intelligence et votre présence d'esprit. Vous serez aussi extrêmement habile dans toutes les questions d'argent. Vous achèterez avec une extrême prudence, vous excellerez lors de vos négociations. Vous poursuivez sur la voie du succès ; cependant, vous êtes plus fatigué et parfois vous ne dormez pas suffisamment. Méfiez-vous des repas longs et lourds qui se prolongent tard en soirée, votre digestion est plus capricieuse. Côté cœur, si vous n'êtes pas heureux de l'état de votre vie de couple, vous pourriez vous éloigner en vous repliant dans le silence pour ensuite poser un geste radical en présentant à votre partenaire un contrat de divorce !

Lion ascendant Scorpion

Vous êtes né du Soleil, de Mars et de Pluton ! Vous êtes un double signe fixe, vous avez le sens de la continuité et vous aspirez à quelque chose de grand ! Quoi, au juste ? Vous seul avez la réponse. Vous pouvez être le meilleur acteur, chanteur, danseur, imitateur, humoriste, médecin, chercheur, ou le plus grand des politiciens. Vous faites de votre vie ce que vous voulez. Si la double fixité de votre signe vous rend tenace, c'est le premier choix de vie qui vous est le plus difficile à prendre. D'un côté, le Lion a besoin de briller; d'un autre, le Scorpion veut se libérer du monde des apparences et plonger au cœur de lui-même et des autres. Un Lion/Scorpion qui devient psychiatre ne se contentera pas de ce qui a été fait pour exercer sa profession, il fera de longues recherches afin d'en savoir plus que ses prédécesseurs; ainsi, longtemps après qu'il se sera retiré, on parlera encore de lui! Cette année, si déjà vous avez fait votre choix de vie, si vous connaissez la carrière que vous voulez exercer, si vous avez terminé vos études, il suffit de vous présenter là où vous voulez pour qu'on vous embauche. Jupiter dans votre maison vous donne un grand magnétisme, une force extraordinaire. C'est l'année pour réaliser votre rêve ou, du moins, entrer dans la première étape de ce qui fera votre succès. En ce qui concerne l'amour, il vous cherchera... et vous trouvera.

Lion ascendant Sagittaire

Vous êtes un double signe de feu, un être optimiste, vous avez foi en la vie! Comme bien d'autres sur cette planète, vous subissez des coups durs, cependant vous n'êtes pas de nature à vous apitoyer sur vous-même. Vous avez un talent particulier pour prendre de la distance par rapport à une expérience dont vous n'êtes pas sorti gagnant. Grâce à ce recul, vous avez alors une meilleure vue d'ensemble et surtout une vision plus nette de ce que vous ferez pour être meilleur à l'avenir. Vous êtes né du Soleil et de Jupiter, et tout vous attire; vous êtes tel un jeune universitaire qui aurait envie de s'inscrire à toutes les facultés juste pour savoir ce qu'il lui plaît le plus d'apprendre et quelles matières il devrait approfondir. En 2018, Jupiter, planète qui régit votre ascendant, se retrouve dans le douzième signe de celui-ci, en Scorpion: d'ici le mois de novembre 2018, vous serez à la recherche d'un autre savoir, il est possible que vous décidiez d'un retour aux études afin de terminer un cours pour ainsi détenir un autre diplôme en poche. Vous avez aussi la capacité de changer complètement le cours de votre orientation professionnelle ou d'y faire un ajout. Si vous êtes en commerce, quelques planètes dans le ciel vous disent que vous êtes vulnérable et qu'il ne faut pas croire tout ce qu'on vous dit quand on vous parle d'affaires, surtout quand on essaie de vous faire croire que vous deviendrez riche en un clic! Si vous faites des placements, il est préférable de continuer à vous fier à vos compétences qui, jusqu'à maintenant, vous ont permis de faire de belles acquisitions. La prudence est de mise ; c'est une année préparatoire avant le grand décollage qui commencera le 9 novembre 2018. Jupiter est une planète si grosse que ses effets se font ressentir deux mois avant son passage d'un signe à un autre. Vous commencerez à recevoir de très bonnes nouvelles dès septembre 2018.

Lion ascendant Capricorne

Vous êtes sérieux. L'excentricité vous plaît, mais surtout quand ce sont les autres qui l'affichent ! Vous aimez vous faire remarquer pour votre talent, votre honnêteté, votre résistance, votre sens des affaires et de l'organisation, vous êtes pratique, et le travail occupe un large espace de votre vie. Votre Soleil est dans le huitième signe de votre ascendant ; conséquemment, vous craignez la fin de l'application de vos compétences, et tout à la fois vous avez un puissant désir d'immortaliser votre savoir que vous aurez transmis aux générations suivantes. Cela fait de vous une personne qui croit en elle et qui déteste l'idée de mourir un jour ! En 2018, Jupiter est en Scorpion et traverse le onzième signe de votre ascendant ; quel que soit votre métier ou votre profession, les offres de travail seront nombreuses. Il est également possible que vous élargissiez le domaine dans lequel vous opérez. Si déjà vous êtes impliqué dans un mouvement social, communautaire et même politique, vous aurez un énorme succès. Vous serez au centre de toutes les discussions, et le groupe auquel vous faites partie vous confie la place la plus en vue, celle où vous devenez le représentant principal de la cause à laquelle vous donnez votre temps. En tant que parent, un de vos enfants peut faire de vous un grand-père ou une grand-mère ! Certains d'entre vous, même si leurs enfants sont des adultes, les recevront à vivre sous le toit familial en raison de la situation difficile à laquelle ils doivent faire face. En ce qui concerne votre profession, vous êtes en haut de la liste quand il est question de promotion, ou encore vous signerez un contrat pour lequel vous serez payé de trois à cinq fois plus que ce qu'on vous offrait précédemment. Si 2018 est une année sérieuse, elle est au moins très bien rémunérée.

 Lion ascendant Verseau

Vous êtes né avec votre signe opposé, mais dans le meilleur des mondes, il est complémentaire. Même si le Lion s'emporte de temps à autre, un Lion/Verseau se met dans tous ses états quand on est en désaccord avec lui, ou il prend la fuite ou s'arrête quand il croit que ses opposants n'ont pas une once de pacifisme et aucune intention de discuter en vue d'une entente. L'amour ne peut s'écrire qu'en lettres lumineuses sous votre signe et ascendant; quand ce n'est pas le cas, vous doutez des sentiments de l'autre. Il vous arrive même de rompre avant d'avoir reçu toutes les preuves de ce que vous croyiez être une tromperie dont la seule issue est une rupture. En 2018, le temps d'une réflexion qui vous apportera de la sagesse est au premier plan, inscrivez-vous à une thérapie. Si, par exemple, vous avez vécu de profondes et blessantes ruptures, le moment est venu de comprendre pourquoi un couple en amour doit absolument se briser. Votre désir de stabilité se heurte à votre ascendant Verseau, lequel semble n'aimer que la liberté. En 2018, vous aurez de grandes responsabilités à assumer, tant sur le plan des affaires que sur le plan amoureux, et cette fois vous ne pouvez pas et ne voulez pas vous éloigner de votre famille. Vous aurez la sagesse de ne plus confondre votre seul bien et celui de la communauté dont vous faites partie. En 2018, c'est l'année d'un réveil brutal pour les uns, modéré pour d'autres. En somme, vous serez nombreux à avoir un rôle social plus grand et à y répondre par le sens du devoir et l'aide à autrui.

 Lion ascendant Poissons

Vous êtes du Soleil et de Neptune. Votre Soleil se retrouve dans le sixième signe de votre ascendant. Ce dernier est une représentation symbolique du travail. Vous êtes celui qui ne cesse de travailler, dans un environnement toujours en mouvement; peut-être faites-vous de la recherche sans vraiment savoir ni à qui ni à quoi elle servira. Vous êtes le parfait exécutant, mais voilà qu'en 2018 vous voulez savoir où vous conduisent vos travaux, à quelles fins ils serviront. Si les uns sont heureux du dénouement, ceux qui le sont moins participeront aux changements à apporter afin que ce qu'ils fabriquent soit utile aux consommateurs. En tant que Lion, lorsque vous parlez, on vous écoute, et si vous devez éveiller les consciences des travailleurs ou une conscience politique, vous aurez les mots qu'il faut pour faire bouger les choses tant pour vous que pour les autres. Comme parent, si vos enfants sont maintenant de jeunes adultes, ils ont besoin de mieux vous comprendre et surtout d'être approuvés dans leurs choix. Si toutefois vos idéaux heurtent les leurs, surtout ne les rejetez pas et, pour le bien-être de tous, c'est maintenant que vous devez parler de leurs rêves d'avenir. C'est également à vous de leur expliquer pourquoi ils sont en désaccord avec vous pour enfin conclure que chacun doit respecter le choix de l'autre. Sentimentalement, si vous êtes sans amour, seul depuis parfois plusieurs mois ou des années, 2018 est faite de rencontres agréables. Plusieurs croient toucher votre cœur, mais une seule personne y réussira. Ce sera le commencement d'une vie différente et plus exaltante.

LION – JANVIER

Les meilleurs jours ce mois-ci pour:

* Jouer à la loterie: 22, 23 et 24
* Le social et les jeux en groupe: 26, 27 et 28
* L'amour: 17, 18 et 19
* La sphère professionnelle: 24, 25 et 26

En général

Il y aura mille et une petites choses à faire, et vous aurez parfois l'impression qu'elles deviennent interminables. De plus, vous pourriez vous investir dans le bricolage, la peinture ou toute forme de rénovation à la maison. Ce sera principalement parce que vous craindrez l'ennui, vous aurez besoin d'occuper vos dix doigts aussi souvent que possible. D'ailleurs, vous envisagerez un déménagement, notamment l'achat d'une maison d'ici les prochains mois, que vous préparerez avec un enthousiasme déconcertant.

Travail – Finances

Vous serez approché pour développer votre propre affaire à la maison ; ce deuxième boulot s'avérera très profitable et pourrait même devenir suffisamment accaparant pour que vous songiez sérieusement à quitter votre emploi. Vous cherchez du travail ? Vous aurez possiblement quelques tests à passer, mais vous les réussirez à la suite d'importants efforts et vous décrocherez le poste que vous pourriez même occuper jusqu'à votre retraite.

♥♥ Amour – couple

Boulot et santé risquent de freiner vos ardeurs au cours des premières semaines de janvier. Heureusement, par la suite, il y aura une certaine magie dans l'air qui vous fera vivre des moments exceptionnels. Si votre relation est toute jeune, il est possible de vous sentir envahi par ce nouveau partenaire qui aura eu tendance à s'incruster chez vous durant les fêtes. Vous devrez impérativement mettre les choses au clair et prendre un certain recul pour corriger les mauvais plis qui s'étaient peut-être déjà installés.

♥ Amour – Célibataire

Il est possible que vous vous sentiez sous pression au travail, qu'un collègue ou qu'un supérieur s'intéresse à vous alors que vous aurez l'impression en quelque sorte d'être en conflit d'intérêts. De plus, cette personne pourrait même se présenter chez vous durant les week-ends. Heureusement, les choses se replaceront rapidement, et il sera même possible d'envisager une relation amoureuse après avoir débroussaillé la situation.

Santé

Les abus de table et d'alcool des dernières semaines commenceront à se faire sentir : vous devrez inévitablement reprendre vos saines habitudes. Heureusement, la joie de vivre est extrêmement favorable à une bonne santé, ce qui contrebalance les effets brutaux des différents excès.

LION – FÉVRIER

Les meilleurs jours ce mois-ci pour:

* Jouer à la loterie: 18, 19 et 20
* Le social et les jeux en groupe: 23, 24 et 25
* L'amour: 8, 9 et 10
* La sphère professionnelle: 20, 21 et 22

En général

Vous devrez faire preuve de diplomatie en de nombreuses circonstances, même si l'on tente de vous pousser à bout par moments. Il est possible que vous ayez à lâcher prise au sujet d'une personne ou d'une situation qui vous bouscule considérablement sur le plan émotionnel. Vous devrez éviter d'en faire une affaire personnelle. Il est possible que vous ayez à jouer l'intermédiaire dans un conflit concernant certains de vos amis, et heureusement vous trouverez les bonnes solutions au problème.

Travail – Finances

Votre leadership et votre sens de l'initiative permettront de trouver les bons arguments pour conclure une entente très intéressante. Vous aurez un rôle important à jouer dans une négociation, ou vous décrocherez un contrat très avantageux. Cependant, il est possible que vos efforts soient vains et qu'une certaine déception se manifeste alors que vous aviez cru que toutes les parties étaient heureuses de vos suggestions. En fait, la vente commence lorsque le client dit non, il y a donc encore quelques efforts à faire.

Amour – couple

Si votre couple a de nombreuses années derrière lui, vous réussirez probablement à remettre un peu de passion entre vous, fortement motivés par la Saint-Valentin, mais vous réaliserez que celle-ci ne gardera pas sa flamme bien longtemps tandis que la routine reprendra sa place trop rapidement. Si votre relation est toute jeune, il est possible que vous connaissiez une période de désillusion, du moins vous découvrirez une facette de l'autre que vous n'appréciez pas tellement.

♥ Amour - Célibataire

Tandis que vous participez à un événement pour célibataires, vous croiserez bien une personne très intéressante qui réussira à vous faire vivre des instants magiques, et qui vous fera peut-être même une promesse de mariage. Par contre, aussitôt après la première nuit d'amour, le charme sera rompu ou alors cette personne ne donnera plus de nouvelles. Un sentiment de trahison peut se faire sentir. Il est possible aussi de vivre une situation compliquée avec un ex.

Santé

Les problèmes de santé sont trop souvent reliés à un état émotionnel, et il faut parfois chercher longtemps pour trouver la réponse. Il est possible que la vie vous demande maintenant de vous accorder une attention plus importante sur vous-même, et surtout sur votre bien-être psychique. Votre médecin pourrait aussi étudier plus en profondeur un souci de santé, ce qui provoquera ainsi quelques inquiétudes pour vous, mais heureusement ce sera très bénin.

LION – MARS

Les meilleurs jours ce mois-ci pour:

- ✶ Jouer à la loterie: 17, 18 et 19
- ✶ Le social et les jeux en groupe: 22, 23 et 24
- ✶ L'amour: 7, 8 et 9
- ✶ La sphère professionnelle: 20, 21 et 22

En général

Si vous vous lancez dans l'achat d'une maison, il est clair que vous entreprendrez certains travaux vous-même. Et pourquoi pas! Même si vous croyez que vous n'avez aucun talent, votre persévérance et votre audace vous permettront d'accomplir un joli chef-d'œuvre. C'est un mois où les excès peuvent être nombreux, vous aurez certainement envie d'avoir une vie bien remplie et des plus excitantes également. De plus, un voyage pourrait s'organiser spontanément, mais ne négligez pas tous les préparatifs pour ce genre d'aventure.

Travail – Finances

Vous êtes une personne enthousiaste et optimiste de nature, vous n'avez surtout pas peur des changements, mais parfois il est possible que vous précipitiez un peu trop rapidement certains éléments. Heureusement que votre fierté et votre orgueil peuvent vous aider à vous sortir du pétrin, particulièrement si vous avez investi de l'argent et qu'il faille maintenant rentabiliser l'affaire. Vous ne voulez surtout pas avoir l'air fou dans cette histoire, et c'est précisément ce qui en fera une histoire à succès.

♥♥ Amour – couple

Un voyage, c'est toujours excellent pour le couple ! Financièrement, c'est peut-être un stress de trop, mais tout compte fait ce sera très profitable pour votre relation. La passion sera fortement accentuée entre vous et vous vivrez sans arrêt de belles activités à couper le souffle. Une vie sociale plus active serait aussi bénéfique pour votre histoire d'amour. D'ailleurs, peut-être que le fait de voir votre partenaire se faire approcher par quelqu'un d'autre motivera votre intérêt pour lui, et vice versa.

♥ Amour – Célibataire

Si vous êtes célibataire depuis longtemps, il serait important de suivre un cours, simplement pour sociabiliser un peu plus et pour découvrir de nouveaux amis. Vous y apercevrez une personne qui voyage beaucoup, un étranger ou alors quelqu'un qui possède une grande culture ainsi qu'une grande maturité. Des liens d'amitié se développeront d'abord, et vous verrez par la suite si cette personne vous plaît tout particulièrement.

Santé

Parfois, il faut aborder la vie plus tranquillement, prendre le temps de respirer, de se détendre, de manger lentement, et apprécier chaque bouchée que vous dégustez. Bref, ce sont les petits plaisirs de la vie qui seront votre meilleur remède. Si vous partez en voyage, n'oubliez pas d'aller chez votre médecin pour vous faire vacciner adéquatement.

LION – AVRIL

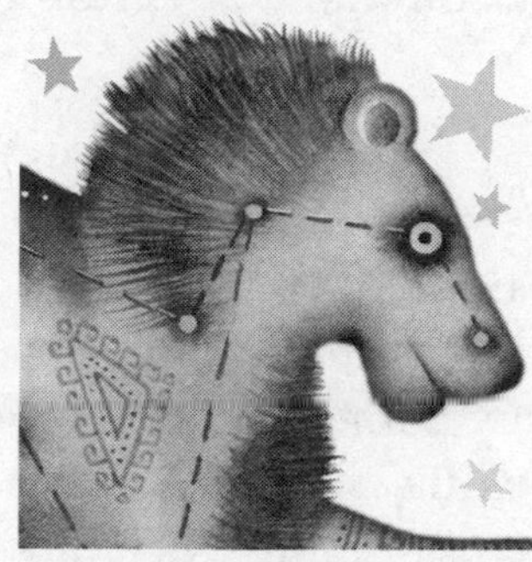

Les meilleurs jours ce mois-ci pour:

* Jouer à la loterie: 14, 15 et 16
* Le social et les jeux en groupe: 18, 19 et 20
* L'amour: 4, 5 et 6
* La sphère professionnelle: 16, 17 et 18

En général

N'hésitez pas à faire valider vos numéros chanceux: il y a de bonnes chances que vous puissiez avoir une raison de célébrer. Passionné de nature, il ne serait pas impossible que vous vous lanciez dans de longues études pour vous permettre d'entreprendre un chemin de vie beaucoup plus conforme à vos aspirations. Vous préconiserez les soupers entre amis où on mélange souvent plaisir et philosophie, bref, le genre de soirée où l'on refait le monde. Vous serez extrêmement curieux et vous explorerez de nouvelles cultures, ne serait-ce qu'en allant manger dans des restaurants plutôt exotiques, par exemple.

Travail – Finances

Vous aurez droit à des occasions d'affaires très intéressantes avec des gens de l'étranger. Si vous avez l'intention de trouver un emploi dans un autre pays, il est clair que vous y ferez probablement fortune si vous démontrez l'audace nécessaire. Il ne serait pas étonnant que vous ayez à faire un important travail de traduction ou à préparer un cours ou une formation. Peut-être faudra-t-il approfondir vos connaissances en ce qui concerne une autre langue également. Vous pourriez faire face à une forme de choc des cultures au travail.

Amour – couple

Si votre relation est toute jeune, vous envisagerez très sérieusement de vivre ensemble, et peut-être même aussi de fonder une famille. On pourrait vous annoncer que vous allez être grands-parents. Un projet de déménagement a certainement des points positifs, mais tout autant de négatifs. Il s'agit d'un stress, et c'est toujours plus difficile pour se détendre et apprécier le moment présent. Il est important de revenir à la base et de s'accorder un peu d'affection. La sexualité n'est pas à négliger dans une relation saine.

♥ Amour - Célibataire

Ce sera certainement au travail que vous recevrez le plus d'avances et de propositions ce mois-ci. Alors, s'il y a un collègue qui vous offre de travailler sur un dossier en dehors des heures de bureau, ce sera véritablement pour apprendre à vous connaître sous un autre jour. De plus, il ne serait pas impossible que votre ex tourne autour de vous. Il faudra clairement lui faire comprendre que vous êtes passé maintenant à autre chose dans la vie.

Santé

Le cholestérol étant un problème qui s'accumule au fil du temps, vous pourriez commencer à ressentir certains désagréments. Vous pourriez faire quelques excès alimentaires dans un sens comme dans l'autre; par moments, vous vous empiffrez alors que le lendemain vous jeûnez dangereusement. Heureusement, vous retrouverez une belle joie de vivre si vous avez ressenti un état quelque peu dépressif dernièrement.

LION – MAI

Les meilleurs jours ce mois-ci pour:

* Jouer à la loterie: 11, 12 et 13
* Le social et les jeux en groupe: 15, 16 et 17
* L'amour: 1, 2 et 3
* La sphère professionnelle: 13, 14 et 15

En général

Même si la saison des vacances n'est pas encore commencée, vous pourriez vous accorder quelques jours de pur plaisir. Animé par une grande curiosité, vous aurez envie d'en savoir plus sur de nombreux sujets, et vous pourriez même explorer davantage la spiritualité. Si vous avez entamé le processus de vendre ou d'acheter une propriété, il est clair que les éléments se bousculeront: vous ne pourrez plus vous permettre d'avoir une quelconque liberté, il y a mille et une choses à organiser. Vous êtes une personne très appréciée, vos amis et vos proches seront certainement d'un grand soutien pour vous : n'hésitez pas à leur demander un coup de main, ils s'empresseront de vous l'offrir.

Travail – Finances

Il y a certainement un projet de grande importance qui accaparera toute votre disponibilité au cours des prochaines semaines. Vous ne pourrez pas sauter d'étape et il faudra suivre un cadre et une structure rigides. De plus, lorsque vous planifiez des rendez-vous, évitez de les coincer à travers un horaire chargé. Il vous faut impérativement un peu plus de souplesse pour éviter d'être en retard un peu partout. Vous aurez une clientèle en forte croissance, vous amenant ainsi vers un succès phénoménal.

Amour – couple

Vous ne voulez surtout pas d'un été où vous allez vous ennuyer, et c'est pour cette raison que vous penserez déjà à vous planifier des activités sociales ; votre partenaire participera avec plaisir à tout ce que vous lui proposerez. Et vous vous attendez à beaucoup de romance de sa part. Le surplus de travail ou un état de santé fragile pourraient ralentir vos ardeurs et mettre sur la glace les activités intimes, mais heureusement ce ne sera que temporaire.

Amour – Célibataire

Vous serez extrêmement populaire ; il y aura sûrement un grand nombre de prétendants autour de vous et vous ne serez pas en mesure de choisir. Vous pourriez même avoir le coup de foudre pour plus d'un d'entre eux. Passionné et romantique de nature, vous trouverez votre alter ego en plusieurs exemplaires ainsi qu'un certain empressement à vivre une histoire d'amour plus dynamique. Par contre, l'engagement ne sera pas nécessairement une priorité de leur part.

Santé

Un abus de nourriture ou d'alcool vous entraînera inévitablement vers un changement de comportement radical qui ne peut que vous être bénéfique par la suite. La pression sur vos articulations et votre ossature est souvent reliée au surplus de poids. Vous trouverez la motivation nécessaire pour entreprendre un régime amaigrissant qui améliorera considérablement votre mobilité.

LION – JUIN

Les meilleurs jours ce mois-ci pour:

- Jouer à la loterie: 7, 8 et 9
- Le social et les jeux en groupe: 12, 13 et 14
- L'amour: 25, 26 et 27
- La sphère professionnelle: 27, 28 et 29

En général

Vous devriez connaître une vie sociale particulièrement active au cours des prochaines semaines, et il ne serait pas étonnant non plus que ce soit vous qui organisiez seul un grand événement qui rassemblera beaucoup de monde. Vous vous accorderez aussi le droit d'aller au cinéma, de voir des expositions, de vous investir dans une œuvre artistique: votre sens créatif prendra beaucoup de place. Vous êtes une personne généreuse et dévouée, alors attention car on pourrait abuser de vos services, ce qui vous enlèvera du temps que vous aviez prévu pour vous-même.

Travail – Finances

Vous pourriez décider de prendre quelques jours de congé pour trouver une meilleure situation professionnelle. Vous avez besoin d'occuper des fonctions où vous êtes mis en valeur, où vous êtes en mesure de vous démarquer et d'aspirer à une évolution continuelle. Les domaines de la santé et des arts semblent très favorables en ce moment. Vous vous retrouverez avec beaucoup de monde à servir, et vous devrez faire des heures supplémentaires qui vous seront généreusement récompensées. Le patron vous confiera sa chaise durant ses vacances, et ce, à votre plus grand étonnement.

♥♥ Amour – couple

Vous aurez certainement besoin de vous retrouver dans votre bulle régulièrement. Peut-être également que votre santé ne vous permet pas d'entretenir une relation passionnelle en continu. La fatigue semble prendre le dessus assez souvent, ce qui risque d'espacer les rapports intimes. Heureusement, une fois l'été bien installé, vous retrouverez le désir et la passion à l'endroit de l'être aimé. Un brin de jalousie et de possessivité peut démontrer une belle intensité amoureuse, et heureusement ces émotions négatives s'apaiseront rapidement.

Amour - Célibataire

Le milieu de travail n'est pas nécessairement le meilleur endroit pour développer une relation amoureuse, sauf que lorsque des sentiments s'installent il est plutôt difficile de faire marche arrière. Par contre, cette relation ne se développera que de manière discrète. Vous pourriez aussi être choyé et même très gâté par des gens qui vous inviteront dans de très belles sorties afin, bien entendu, de vous séduire.

Santé

La température ou un sprint final avant les vacances pourraient bien user vos batteries. Le respect de vos heures de sommeil est de rigueur. Surtout, prenez le temps de discuter de vos émotions pour éviter de les ravaler et de vous ronger de l'intérieur. Vos rêves pourraient vous apporter la solution aux différentes préoccupations qui perturbent votre quiétude.

LION – JUILLET

Les meilleurs jours ce mois-ci pour:

* Jouer à la loterie: 5, 6 et 7
* Le social et les jeux en groupe: 9, 10 et 11
* L'amour: 1 et 2
* La sphère professionnelle: 7, 8 et 9

En général

Vous profiterez amplement de la période estivale pour vous amuser en côtoyant famille et amis régulièrement, et vous pourriez être très souvent sur la route pour explorer de nouveaux horizons. Si vous avez déménagé récemment, vous consacrerez beaucoup de temps à la décoration de votre nouvel environnement. Vous ne lésinerez pas sur les moyens : vous êtes le roi ou la reine du zodiaque, et votre chez-vous doit tout de même refléter cette forme de royauté.

Travail – Finances

Vous pourriez avoir un rôle à jouer dans une histoire de conflit de travail : vous serez un excellent négociateur et vous aurez une grande habileté pour faire parler les chiffres en votre faveur. Vous pourriez avoir l'impression de faire du surplace et d'attendre continuellement après certaines personnes, et peut-être devrez-vous communiquer dans une langue que vous ne maîtrisez pas parfaitement. Vous aurez de nombreuses idées et des initiatives beaucoup plus intéressantes à proposer, lesquelles auront le mérite de faire progresser votre carrière significativement.

Amour – couple

Vous aurez passablement d'activités familiales qui ne vous permettront pas de vivre des moments intimes aussi régulièrement. Peut-être serait-il plus sage de votre part de prendre quelques jours de vacances seul avec l'être aimé. Ou alors vous pourriez transformer votre chambre à coucher en un univers hautement romantique pour y vivre des moments magiques et intenses. Essayez de profiter pleinement de vos échanges affectifs et évitez de les remettre aux calendes grecques.

Amour – Célibataire

Il ne serait pas surprenant qu'un de vos collègues s'intéresse à vous. Il se manifestera sûrement au cours de vos vacances, par exemple en cherchant à vous contacter régulièrement. Vous ne prendrez en considération que les gens qui ont envie de bâtir un grand avenir à deux, ou du moins ceux qui dégageront beaucoup plus de sérieux quant à leur engagement.

Santé

Vous êtes sensible aux différents allergènes saisonniers, et votre médication habituelle sera beaucoup moins efficace. Peut-être serait-il sage de faire attention à votre alimentation ou à votre consommation d'alcool, sinon vos malaises pourraient s'amplifier. Vous avez également besoin de bouger, de faire de l'exercice et de lâcher votre fou, et surtout de dépenser les nombreuses calories que vous consommez avec plaisir !

LION – AOÛT

Les meilleurs jours ce mois-ci pour :

- ✶ Jouer à la loterie : 1, 2 et 3
- ✶ Le social et les jeux en groupe : 9, 10 et 11
- ✶ L'amour : 23, 24 et 25
- ✶ La sphère professionnelle : 21, 22 et 23

En général

Avant de reprendre la vie active ou la routine de septembre, vous serez en mesure de connaître une période de grande réflexion. Vous avez vieilli d'un an, ou ce sera pour bientôt, et il ne serait pas étonnant que vous ayez tendance à le sentir significativement cette année, et pas seulement en ce qui concerne votre santé, mais surtout en ce qui a trait à une forme de prise de conscience et de maturité. Vous pourriez réussir à vous acheter une nouvelle maison juste à temps pour la rentrée ; ainsi, si vous avez de jeunes enfants, ils ne seront pas bousculés en plein milieu de l'année par un déménagement.

Travail – Finances

Vos différentes initiatives seront très profitables. Que vous soyez à votre compte ou non, on vous donnera carte blanche pour réaliser un projet bien précis et vous rapporterez beaucoup de travail à la maison. D'ailleurs, il ne serait pas impossible qu'une soudaine inspiration vous donne l'idée d'entreprendre un projet d'entreprise, ou tout simplement d'exploiter un petit commerce chez vous qui prendra une ampleur très importante à long terme.

♥♥ Amour – couple

La communication est un élément essentiel dans une relation amoureuse. Alors, n'hésitez pas à exprimer clairement tant vos désirs que vos frustrations, et vous éviterez ainsi des tensions inutiles entre vous. Ce sera aussi lorsque vous serez confortablement installé sur l'oreiller que vous élaborerez de très beaux projets avec votre amoureux. Vous aurez certainement besoin de vivre des moments merveilleux au cours de belles escapades romantiques.

♥ Amour – Célibataire

Il est possible que vous puissiez communiquer avec plusieurs personnes, mais aucune d'entre elles ne semble vous apporter ce que vous cherchez précisément. De plus, vous pourriez recevoir des critiques, car vous n'acceptez pas tous les rendez-vous. Si vous êtes séparé depuis peu de temps, il faut inévitablement faire le deuil de votre ancienne relation avant d'être capable d'aimer à nouveau. Pendant ce temps, dressez une petite liste de ce que vous voulez en amour et définissez le genre de personne que vous aimeriez rencontrer, par exemple.

Santé

Votre santé est relativement fragile. Chaque abus que vous commettez impose une période de repos pour récupérer. Parfois, ce qui est bon pour le moral l'est moins pour le corps. Avec de la volonté et de la persévérance, vous réussirez à créer un nouveau «moi» conforme à vos aspirations en éliminant la cigarette, la malbouffe et les grignoteries de fin de soirée qui sont rattachées généralement à un vide émotionnel que vous devrez surmonter.

LION – SEPTEMBRE

Les meilleurs jours ce mois-ci pour:

- ✶ Jouer à la loterie: 24, 25 et 26
- ✶ Le social et les jeux en groupe: 2, 3 et 4
- ✶ L'amour: 15, 16 et 17
- ✶ La sphère professionnelle: 17, 18 et 19

En général

Avec Mars en face de votre signe, il est clair que la patience risque de ne pas être votre plus grande vertu. Vous pourriez avoir l'impression que tout est en stagnation autour de vous. De plus, vous aurez un peu de difficulté à maintenir un environnement impeccable à la maison. Vos enfants et les autres membres de votre famille qui vivent sous votre toit n'auront pas tendance à se ramasser. Comme pour bien des parents, la fameuse rentrée scolaire devrait être encore plus onéreuse que par les années précédentes, ou elle risque de dépasser considérablement le budget que vous aviez cru être des plus justes.

Travail – Finances

Vous vous retrouverez sûrement dans le secret des dieux pour une affaire qui n'est pas des plus claires. Il y a pas mal de confusion entourant votre description de tâches et les différentes consignes que vous devriez respecter. Heureusement, vous n'aurez pas la langue dans votre poche et vous parviendrez à clarifier la situation. Il est possible de connaître une situation un peu plus complexe sur le plan financier, mais c'est précisément ce genre de stress qui vous fait bouger pour vous donner le courage de corriger la situation avec grand succès.

♥♥ Amour – couple

Vous aurez certainement besoin de retrouver une dynamique plus routinière ce mois-ci. Il y a eu assez de monde autour de vous dernièrement, et c'est le temps de se retrouver en famille et avec votre amoureux à la maison. Vous n'aurez qu'à fermer les lumières pour vous transporter dans un nouvel univers plus sensuel. N'ayez pas peur de prendre le temps de préparer quelques bougies, un bon repas ou des bouchées à saveur aphrodisiaque : ce sera ce qui engendrera un peu de magie entre vous.

♥ Amour – Célibataire

Votre priorité sera assurément votre famille et vos enfants. Même le travail pourrait être exigeant, ce qui vous fera fuir les hauts lieux de rencontres ainsi que les invitations des prétendants. Le voisinage semble propice pour que vous diffusiez vos charmes sans que vous en soyez nécessairement conscient. Votre pouvoir de séduction fera tourner les regards dans votre direction, notamment lorsque vous sortez de la maison pour vous rendre au boulot.

Santé

Il faudra apprendre à bien gérer vos forces et votre énergie pour ne pas brûler la chandelle par les deux bouts. Prenez le temps de vous détendre. Si vous avez de jeunes enfants qui commençaient l'école dernièrement, il est possible qu'ils vous ramènent quelques microbes qui vous causeront de petits problèmes respiratoires à cause du rhume et de la grippe. Vous songerez de plus en plus sérieusement à une chirurgie esthétique.

LION – OCTOBRE

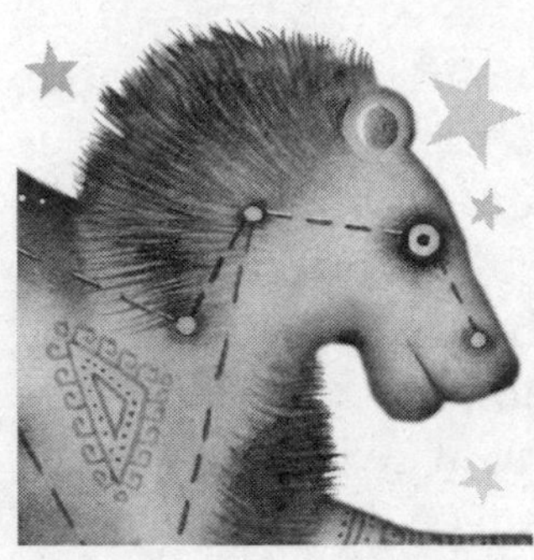

Les meilleurs jours ce mois-ci pour :

* Jouer à la loterie : 22, 23 et 24
* Le social et les jeux en groupe : 26, 27 et 28
* L'amour : 12, 13 et 14
* La sphère professionnelle : 14, 15 et 16

En général

Il ne sera pas toujours facile de concilier toutes les sphères de votre vie, et l'aspect familial prendra beaucoup d'importance. Vous pourriez entreprendre les démarches nécessaires pour acquérir une nouvelle maison qui pourra accueillir un nouveau-né ou encore vos vieux parents, selon le cas. Vous pourriez aussi devoir faire quelques travaux importants sur votre propriété, ou encore il s'agit peut-être de petits problèmes que vous avez négligés et qu'il ne sera plus possible de retarder dorénavant.

Travail – Finances

Il y a de bonnes chances que vous soyez fortement inspiré de démarrer votre propre entreprise, d'ailleurs il est possible que vous entrepreniez ce projet avec des membres de la famille. Vous pourriez avoir l'impression de ne pas être rémunéré à votre juste valeur. Heureusement, vous êtes en excellente position pour ouvrir le dialogue concernant une augmentation de salaire. Vous vous rendrez indispensable aux yeux de votre employeur.

Amour – couple

Difficile de faire correspondre le désir et les passions enflammées avec les moments où il sera possible d'avoir des échanges intimes. D'ailleurs, si vous avez de lourdes obligations familiales, il n'est pas toujours facile d'être en bonne position pour profiter pleinement du moment présent et se laisser aller dans l'élan passionnel. S'il s'agit d'un amour d'été qui se poursuit, vous songerez à prendre les choses plus au sérieux. Vous aurez chacun un tiroir chez l'autre, puis il sera question de vivre ensemble.

♥ Amour – Célibataire

Il est possible que vous ayez eu à mettre fin à une liaison ou à une simple fréquentation qui ne vous convenait pas et qui brimait sérieusement votre liberté. D'autant plus que vous ne ressentiez pas des sentiments suffisamment puissants pour entreprendre une relation amoureuse. Également, il ne serait pas impossible de connaître quelques difficultés avec un ex, particulièrement si vous avez eu des enfants ensemble.

Santé

Vous avez tendance à fuir les médecins et à chercher à vous soigner par vous-même, et même à tenter quelques traitements expérimentaux. Dans certains cas, cela s'avère très efficace. Plus simplement, si vous combiniez un peu d'exercice physique avec une saine alimentation, vous pourriez même corriger un léger problème chronique. Il suffit d'un peu plus de rigueur dans votre régime de vie pour être mieux dans votre peau.

LION – NOVEMBRE

Les meilleurs jours ce mois-ci pour:

* Jouer à la loterie: 18, 19 et 20
* Le social et les jeux en groupe: 23, 24 et 25
* L'amour: 8, 9 et 10
* La sphère professionnelle: 11, 12 et 13

En général

Que ce soit pour une raison familiale, professionnelle, personnelle ou autre, on vous mettra de la pression pour prendre une décision, même si on vous dit d'y réfléchir. De plus, il ne serait pas étonnant que cette situation touche votre orgueil et affecte quelque peu votre estime personnelle. Vous souhaiterez possiblement revoir la décoration à la maison. Vous aimez impressionner, du moins vous êtes fier de vos affaires, et vous seriez très heureux de recevoir la famille à Noël dans un nouveau décor.

Travail – Finances

L'orgueil a souvent tendance à dominer les natifs de votre signe, et quand quelque chose ne fonctionne pas à votre goût, vous pouvez avoir tendance à disparaître. Ce sera après une bousculade émotionnelle que votre esprit d'initiative et le chef en vous prendront la relève pour affronter la situation vaillamment. Peu importe votre fonction dans l'entreprise, il y a de bonnes chances que l'on vous confie un poste de direction ou des tâches qui demandent un sens du leadership bien développé.

♥♥ Amour – couple

Si votre relation est toute jeune, vous aurez besoin d'un signe d'engagement de la part de l'autre et de ne plus sentir que vous n'êtes qu'une simple fréquentation. Autrement, votre cœur risque de se durcir, et vous mettrez fin à cette histoire. Vous pourriez même utiliser le terme d'« ultimatum » pour provoquer un peu les choses. Avec une bonne communication, votre couple pourrait se redécouvrir. N'hésitez pas, votre amoureux et vous, à explorer quelques facettes cachées de votre sexualité, vous y découvrirez un tout nouvel univers.

♥ Amour – Célibataire

Internet et le monde virtuel seront les meilleurs moyens pour faire des rencontres. Même si vous réussissez à fixer un rendez-vous, il y a de bonnes chances qu'il soit annulé pour une raison ou pour une autre. Heureusement, ce ne sera que partie remise, puisque l'intérêt mutuel devrait se poursuivre. Vous pourriez même développer certaines craintes devant l'intensité des sentiments qui vous habiteront. Vous aurez beaucoup de plaisir dans les endroits où il y a beaucoup de monde.

Santé

Si vous souhaitez perdre un peu de poids d'ici les fêtes, vous avez encore le temps d'obtenir des résultats intéressants avec un régime strict. Vous vous sentirez ensuite beaucoup mieux dans votre peau. De plus, le cœur étant la principale fragilité du Lion en général, vous allégerez la pression sur cet organe d'une importance capitale en diminuant votre tour de taille.

LION – DÉCEMBRE

Les meilleurs jours ce mois-ci pour:

* Jouer à la loterie: 16, 17 et 18
* Le social et les jeux en groupe: 20, 21 et 22
* L'amour: 6, 7 et 8
* La sphère professionnelle: 18, 19 et 20

En général

Vous ne négligerez certainement pas votre présentation et vous ferez un peu de magasinage pour vous mettre en valeur. La période des fêtes s'annonce pour être une grande réussite pour vos proches et pour vous-même; ce sera très apprécié de tous, on reconnaîtra vos efforts, et c'est tout ce dont vous aviez besoin pour être heureux cette année. D'ailleurs, si vous avez de jeunes enfants, vous réussirez probablement à recréer la magie de Noël de manière spectaculaire: ils auront certainement les yeux brillants d'émerveillement à plus d'une reprise.

Travail – Finances

Vous êtes une personne ambitieuse de nature, vous avez le talent pour diriger et vous pourriez prendre le temps des fêtes pour réfléchir plus sérieusement à la suite de votre carrière. D'ailleurs, vous serez certainement en excellente position pour obtenir une promotion en démontrant votre sens de l'initiative et du leadership. Il ne serait pas impossible qu'un compétiteur vous fasse une offre que vous ne pourrez pas refuser.

♥♥ Amour – couple

Vous apprécierez certainement les moments où vous vous installez confortablement sur le divan avec votre amoureux pour y écouter un bon film. Ce sera aussi un mois où vous aurez besoin d'échanger beaucoup autour d'un bon repas, aussi bien à la maison, lors d'un souper à la chandelle, qu'au resto, en découvrant de nouvelles saveurs. Jeune couple, vous pourriez avoir quelques sentiments ambigus au fond de votre cœur. Vous pourriez craindre au sujet de votre liberté, surtout s'il y a des projets de cohabiter prochainement.

♥ Amour – Célibataire

Évidemment, les occasions de faire des rencontres ont tendance à diminuer en cette période de l'année, les gens se concentrant davantage sur leurs obligations familiales. Malgré tout, il est possible que vous fassiez la rencontre d'une personne intéressante. Cependant, elle serait possiblement déjà engagée, mais sur le point de se séparer, ou alors vous-même êtes peut-être aussi séparé depuis peu. Vous ressentirez fortement qu'il s'agit de votre âme sœur, sauf que la patience sera nécessaire : prenez le temps de faire le deuil de votre ancienne vie.

✚ Santé

Quelques douleurs au foie et un peu de gonflement risquent de se faire sentir fortement. Votre cœur aura un peu de difficulté avec les excès d'alcool et de nourriture. Heureusement, aussitôt que vous vous retrouverez en vacances ou qu'il vous sera possible de vous détendre, ces mêmes malaises devraient disparaître comme par enchantement.

Vierge

(du 23 août au 21 septembre)

Sylvie Bellerose, Guy Nantel, Avika Tchëff, Christian Ouellet

Votre grand plaisir cette année sera la communication : vous aimerez parler, émettre vos opinions, argumenter sur tous les détails, bref, vous serez un excellent candidat pour participer aux tribunes des différents médias. Si vous n'êtes pas un adepte de l'informatique et d'Internet, vous le deviendrez. Si vous l'êtes déjà, vous irez encore plus loin pour diffuser vos positions sur tout et rien en créant un blogue, par exemple, ou en participant activement aux différents forums de discussion. Vous embarquerez dans l'ère de la révolution des communications et des connaissances à cent milles à l'heure.

Trop souvent, les Vierge n'ont pas une grande estime d'elles-mêmes, elles minimalisent leurs actions et leurs réussites. Mais cet élan communicationnel vous placera sur un piédestal, du moins vous attirerez l'attention considérablement et vous réaliserez qu'on s'intéresse à vous et à ce que vous avez à dire. Du coup, vous vous sentirez devenir une personne importante, ce qui aura un impact positif sur votre estime de soi et la confiance en vous. De plus, n'étant pas nécessairement une personne extravertie, ce seront véritablement votre profondeur et votre sens du détail qui vous permettront de réaliser un tel exploit.

Avec de jeunes enfants, vous agirez un peu à titre d'enseignant; vous serez passionné par leurs travaux scolaires et leurs activités, et vous voudrez vous impliquer pour pouvoir les aider. Cependant, les enfants auront besoin de réalisations concrètes pour bien vous suivre, et surtout ils ne veulent pas des phrases qui commencent par «dans mon temps» et des beaux discours philosophiques.

Vous n'êtes vraiment pas un ermite: vous réaliserez que vous avez besoin d'une vie sociale plus active, surtout si cela fait quelques années que vous avez tendance à vous isoler, consciemment ou non. En 2018, il y aura sûrement une fête, une célébration quelconque qui vous réconciliera avec le fait de vous retrouver dans une foule, ou vous organiserez des activités en groupe. Il vous faudra cet équilibre entre la solitude et une vie sociale.

Si vous êtes célibataire depuis longtemps, cette vie sociale devrait vous aider à ouvrir la porte à une relation amoureuse. D'ailleurs, il ne serait pas étonnant que l'une de vos connaissances de longue date vous suive régulièrement dans les activités sociales. Ce pourrait même être la personne qui vous accompagne lorsqu'il faut être en couple, elle pourrait également partager la chambre d'hôtel dans une escapade sans qu'il y ait de rapports intimes entre vous. De fil en aiguille, des sentiments pourraient commencer à évoluer entre vous, et cette personne s'avérera être un grand amour. Lentement, mais sûrement! Vous ne mettrez pas la charrue devant les bœufs et vous ne précipiterez pas les étapes pour développer la relation. Évidemment, la question de partager le quotidien et de vivre à deux viendra sur la table avant la toute fin de l'année, mais il est possible que vous preniez une autre année avant de mettre ce projet en marche.

Ce sera similaire si votre relation est toute jeune: vous passerez une partie de l'année à vous étudier, à parler et surtout à sortir tous les squelettes des placards avant d'ouvrir pleinement votre cœur. Vous serez réservé sur le plan sentimental, mais tout le contraire en ce qui concerne la communication. Vous parlerez amplement, et ce nouveau copain pourrait devenir une sorte de confident qui vous permettra d'évacuer par moments le trop-plein d'émotions.

Vous êtes en couple depuis longtemps ? Si la passion s'est estompée avec le temps, vous serez tentés de la retrouver, du moins de redonner davantage de stimuli à votre histoire d'amour pour éviter tous les deux de vous isoler chacun de votre côté. La sexualité sera un sujet qui se démarquera entre vous. En effet, si l'un ou l'autre connaît certains troubles, vous prendrez au sérieux la situation afin d'y trouver des pistes de solution. La sexualité permet à deux personnes qui s'aiment de garder une proximité et d'être davantage en contact. Ce sera donc sous cet angle que vous tenterez de retrouver une forme de passion entre vous. Il est possible aussi que vous vous sentiez assailli par un regain de vitalité intérieurement : vous aurez ainsi besoin que votre amoureux soit disponible pour vivre avec vous cet état d'être des plus stimulants.

Bien que le désir et l'attirance soient fondamentaux entre deux personnes pour développer leur amour, une vie de couple est beaucoup plus vaste et il y a beaucoup d'éléments à prendre en considération pour réussir à s'aimer passionnément. L'année 2018 est une sorte de test pour votre vie amoureuse. Il faut impérativement apprendre à communiquer et à ouvrir le dialogue avec franchise et honnêteté. Autrement, la vie vous apportera des sentiments mitigés, et peut-être aussi de l'intérêt pour une autre personne qui sera une oreille attentive. Heureusement, vous ne précipiterez aucune décision. La fin de l'année vous donnera les réponses que vous attendiez avant de faire un choix.

Côté professionnel, ce même élan communicationnel se fera sentir au bureau et votre simple curiosité propulsera votre carrière de manière spectaculaire. S'il y a des négociations ou des conflits quelconques, même si vous n'êtes pas directement impliqué, vous proposerez des solutions qui pousseront à la réflexion. Vos idées auront le mérite de régler les problèmes à long terme. Si vous œuvrez dans un monde qui fait appel à votre créativité, le fait d'échanger et de parler en équipe devrait pousser votre imagination et l'imagination collective à un autre niveau. Une chose est sûre : au bureau, vous serez le rayon de soleil, la personne qui apaise les tensions, celle qui aura le mot pour rire et détendre l'atmosphère en toutes circonstances.

Cette facilité de communiquer vous transportera dans une dynamique où vous commencerez à développer un certain leadership. Notamment, tout au long de l'année, vous pourriez tracer le chemin vers la direction et finir l'année en devenant le bras droit du patron. Et il n'est pas dit que vous prendrez sa place dans les années à venir.

Si vous cherchez de l'emploi, il est fort possible que vous ayez besoin de parfaire vos connaissances avant de décrocher une position intéressante. Sauf si vous regardez du côté de la représentation, vous aurez un instinct naturel qui vous aidera à conclure les ventes efficacement, et vous connaîtrez un succès instantané. Un cours vous aidera à acquérir la confiance nécessaire pour connaître une belle carrière. D'ailleurs, vous décrocherez votre diplôme sans trop d'efforts : vous réaliserez que vous maîtrisiez déjà assez bien la matière et qu'il ne vous fallait qu'un rafraîchissement.

En matière de santé, ce sera principalement sur les plans psychique et émotionnel qu'il pourrait y avoir quelques petits soubresauts mineurs. En effet, vous devriez être solide comme le roc. Votre santé, ou plutôt votre vitalité, ira en fonction de vos émotions, et particulièrement celles qui sont reliées à l'amour et à l'estime de soi. Vos états d'âme pourraient se précipiter dans votre estomac et subir des douleurs plutôt inhabituelles. Rien de concret, et aucun médecin ne pourra en déceler la cause. Vous pourriez avoir l'appétit coupé par moments. Une fois bien dans votre peau, tous ces malaises disparaîtront comme par enchantement.

Vous êtes retraité ? Devant la confusion et la bisbille dans votre résidence ou parmi votre cercle d'amis, vous serez la personne qui prendra en charge les activités et autres éléments à organiser. On se tournera toujours vers vous pour régler les problèmes, et vous réussirez de manière exceptionnelle à rendre les gens satisfaits. Ainsi, on se tournera encore davantage vers vous pour s'occuper des autres problèmes ! Bref, vous deviendrez une personne indispensable, ce qui sera plutôt flatteur, mais est-ce véritablement ce que vous souhaitez ? Il faudra aussi apprendre à vous respecter et à imposer certaines limites.

Vierge et ses ascendants en 2018

 Vierge ascendant Bélier

La Vierge, signe par excellence du travail et de la santé, est associée au Bélier, signe par excellence de l'action : vous êtes une personne très travaillante qui ne se plaint probablement jamais et qui a toujours besoin de bouger, vous ne pouvez pas supporter que vos dix doigts ne soient pas occupés. Mais un jour arrive où vous vous retrouvez au bout du rouleau alors que vous ne vous y attendiez pas. Ce sera une situation pratiquement salutaire, vous vous permettrez de quitter le travail et en quelque sorte de vous réinventer. Vous aurez l'audace de vous transformer comme une chenille devenant un papillon, et vous aurez enfin une vision claire de l'avenir qui vous attend. Vous ne supporterez plus de vivre dans un petit cubicule au bureau. Vous irez bien travailler dans le domaine du voyage, ou vous vous investirez dans un regroupement spirituel et vous offrirez des cours de méditation, par exemple.

  Vierge ascendant Taureau

En raison de votre côté passionné, il est bien normal de commettre quelques excès par moments ainsi que de vous accorder du luxe régulièrement. Vous pouvez devenir la personne que vous reflétez, alors vous vous sentirez nettement mieux en portant des vêtements d'une certaine distinction, par exemple. Au travail, il est possible que vous vous dirigiez vers un boulot à votre compte ou vous pourriez offrir des services de conseiller à vos heures. Vous signerez sûrement un contrat avec un gros client qui garantira pratiquement votre retraite. Il ne serait pas impossible non plus que vous puissiez entreprendre un travail qui vous fera davantage voyager ; vous serez appelé à vous rendre à l'étranger plus régulièrement. En amour, vous aurez droit à une demande en mariage, si ce n'est pas déjà fait. Même célibataire, un étranger ou un voyageur très cultivé fera le tour du monde pour vous séduire.

Vierge ascendant Gémeaux

Vous avez besoin d'un contact direct avec vos proches, vos amis et vos collègues, vous aurez même tendance à les surprotéger, plus particulièrement vos enfants. Vous êtes également une véritable maman pour vos proches. Il ne serait pas étonnant que vous ayez à prendre soin de l'un d'entre eux : il y aura quelques efforts à faire pour rendre la situation plus convenable pour cette personne. Professionnellement, vous aurez beaucoup de boulot cette année, vous ferez de nombreuses heures supplémentaires mais vous recevrez aussi de généreux bonis sur vos paies, ce qui vous permettra de vous accorder un peu plus de luxe. Vous devrez également prendre soin de votre propre santé et probablement corriger certaines mauvaises habitudes, par exemple la cigarette ou la gourmandise. Celles-ci sont certainement provoquées par vos émotions qui ne veulent que s'extérioriser davantage. Une petite thérapie peut-être ?

Vierge ascendant Cancer

Sensible, vous n'avez pas de difficulté à exprimer vos émotions en général. Mais il arrive parfois que vous vous fermiez comme une huître pour une raison ou pour une autre. Vous réussirez à briser une certaine barrière qui vous permettra de renouer avec une bien meilleure assurance en vos moyens. Ce sera quelque chose d'extrêmement bénéfique pour la suite des événements. Sentimentalement, il s'agit d'un symbole de nouveau départ ; du moins, vous ne craindrez plus l'engagement et un de vos prétendants vous prouvera qu'il est digne de votre amour. Si votre couple connaît quelques difficultés, vous trouverez la solution pour que votre cœur se remette à vivre plus passionnément une fois l'été arrivé. Avec un regain de confiance et d'estime personnelle, vous gravirez les échelons au travail. Non seulement vous obtiendrez un meilleur salaire, mais en plus vous aurez droit à un poste de pouvoir.

Vierge ascendant Lion

Cet ascendant vous offre véritablement une force étonnante et une personnalité dominante. Vous êtes très certainement têtu et entêté lorsque vous savez que vous avez raison. À moins d'avoir de nombreux mauvais aspects sur ce qui touche l'argent dans votre carte du ciel, vous êtes fait pour vivre dans l'abondance : vous ne manquerez jamais de rien dans la vie. Professionnellement, il ne serait pas impossible que vous décidiez de claquer la porte si l'on vous manque de respect. Tout changement ne peut que vous être favorable à ce sujet. Évidemment, peut-être qu'il faudra vous serrer légèrement la ceinture, mais sans tarder vous connaîtrez un bon succès financier. Côté cœur, il est possible que vous ayez besoin de faire des pas significatifs ensemble, de vous lancer sérieusement dans un projet en commun, de vous acheter une maison ensemble si ce n'est pas encore le cas.

Vierge ascendant Vierge

Vous détenez sûrement une belle énergie et vous dégagez un grand dynamisme en général. Mais il est possible que votre estime personnelle soit mise à rude épreuve, et ce sera en discutant que vous parviendrez à retrouver la paix intérieure. Vous êtes aussi une personne passionnée, et si votre relation amoureuse est platonique actuellement, plutôt que de vous précipiter vers la séparation, vous chercherez des solutions. Vous prendrez l'initiative de suivre une thérapie de couple, par exemple, ou alors vous entreprendrez des démarches pour raviver la flamme amoureuse entre vous. Au travail, vous vous retrouverez au cœur d'importantes négociations bien malgré vous. Il ne serait pas étonnant que vous soyez désigné comme représentant syndical, par exemple. Cependant, bien que les étapes se déroulent avec quelques heurts, vous réussirez à décrocher une entente qui tiendra pratiquement du miracle.

Vierge ascendant Balance

Le respect est certainement une valeur qui vous est chère, et vous suivez les règles avec assiduité même si parfois, au fond de vous-même, il y a un rebelle qui voudrait s'exprimer haut et fort. Celui-ci pourrait se faire sentir de plus en plus fortement, et vous devrez le faire patienter au moins jusqu'à la fin de l'année avant de pouvoir établir une harmonie plus conforme avec vous-même et vos convictions, aussi bien au travail que dans votre vie personnelle. Si vous avez un projet de déménagement, il est clair que vous le mettrez en marche dès le début de l'année. Vous ressentirez probablement une sensation de deuil. Heureusement, par la suite, ce sera plutôt un sentiment de satisfaction et une forte impression d'avoir pris la bonne décision. En couple, l'affection fera de plus en plus de place à la conversation, ce qui sauvera votre relation ou, au contraire, vous permettra de prendre des chemins différents dans l'harmonie.

Vierge ascendant Scorpion

Depuis quelques mois, il y a sûrement des développements importants dans vos objectifs de vie. Bien que vous soyez une personne relativement discrète, bohème ou alors très indépendante, vous prendrez le contrôle de votre vie avec une grande détermination, vous rechercherez activement le bonheur et la joie de vivre. Vous êtes comme un mur devant l'adversité. Vous êtes une personne pour qui le travail passe avant tout, à moins qu'il ne s'agisse de votre famille. Bref, vous ne laissez pas tellement transparaître vos émotions et votre fragilité. Si vous persévérez à demeurer comme un bloc devant les difficultés, celles-ci risquent de vous ébranler. Soyez plus flexible dans vos propos : vous découvrirez des alliés plutôt que des adversaires. Même chose en amour : votre compagnon n'est pas un concurrent, mais bien votre alter ego qui ne veut que votre bien.

  Vierge ascendant Sagittaire

Vous vous moulez parfaitement à votre entourage, et c'est de cette manière que vous parvenez à être à l'aise en toutes circonstances. Vous serez tout de même très inspiré en ce qui concerne des choix de vie aussi bien professionnels que personnels. L'art en général devrait devenir d'un grand intérêt. Le travail et la santé retiendront votre attention. Notamment, vous pourriez vous retrouver dans un contexte où un de vos collègues quitte ses fonctions subitement pour une raison ou pour une autre. Vous vous retrouverez donc propulsé instantanément dans une position professionnelle des plus enviables. Non seulement votre salaire sera beaucoup plus intéressant, mais votre carrière se développera dans une direction à laquelle vous ne vous y attendiez pas et qui vous convient parfaitement. Vous vivrez sûrement un deuil sentimental qui vous hantait et qui vous empêchait de tomber amoureux.

  Vierge ascendant Capricorne

Vous êtes une personne dynamique et enthousiaste dans la vie en général, mais il est possible que ce positivisme soit assombri par différentes circonstances hors de votre contrôle. Pour accéder au bonheur, il faut d'abord croire profondément qu'il existe ; heureusement, vous avez des amis qui seront là pour vous le rappeler ! Si vous êtes du genre plutôt solitaire, vous vous transformerez complètement pour devenir un grand rassembleur et vous organiserez d'importants événements qui regrouperont des foules records. Si vous êtes une personne hypersensible, vous découvrirez une façon de vous détacher émotivement, ce qui vous permettra de foncer dans la direction de votre choix. Le ridicule ne tue pas ! En amour, vous prendrez possiblement un recul pour mieux voir l'état de votre relation : vous aurez de cette façon une meilleure perspective sur vos émotions.

Vierge ascendant Verseau

Vous êtes un heureux mélange d'émotions et de pragmatisme, votre sensibilité est surprenante mais, du coup, vous êtes capable de faire fi de vos émotions pour faire face à l'adversité comme pas un. Vous êtes en excellente position pour connaître une forte croissance sur le plan professionnel. Vous aurez probablement la tête pleine de projets et vous n'hésiterez pas à les mener de front. Mais il y a de bonnes chances que vous vous embourbiez dans certains, il serait plus sage alors essayer d'être mieux organisé et structuré. La vie placera sur votre route les chemins que vous devez entreprendre, vous n'avez qu'à les suivre, et surtout évitez de ramer à contre-courant. Il est possible que la vie vous apporte un beau cadeau prochainement : peut-être qu'une personne proche de vous, qui souffre depuis trop longtemps, passe à une autre étape et vous libère enfin de toute responsabilité à son endroit.

Vierge ascendant Poissons

Vous êtes la bonté même, la personne la plus dévouée sur le zodiaque, toujours prête à faire les sacrifices et les compromis qui s'imposent en toutes circonstances. Vous développerez un réseau social beaucoup plus vaste, qu'il s'agisse de vos amis ou de gens d'affaires, vous réussirez à bâtir une structure qui vous sera favorable aussi bien pour le travail que dans un but personnel. Si vous avez des visées artistiques, il vous sera facile de réunir passablement de monde pour recevoir des éloges et de merveilleux applaudissements. Vous possédez sûrement un haut niveau de spiritualité, et vous devriez approfondir cette réalité au cours des prochains mois ; vous pourriez même gravir des échelons à travers un mouvement religieux, par exemple. La passion et l'amour prendront une place de choix, et vous aurez envie de faire le tour du monde avec votre amoureux. Vous êtes célibataire ? Vous trouverez votre âme sœur au cours d'un voyage ou d'une méditation.

VIERGE – JANVIER

Les meilleurs jours ce mois-ci pour:

* Jouer à la loterie: 24, 25 et 26
* Le social et les jeux en groupe: 28, 29 et 30
* L'amour: 14, 15 et 16
* La sphère professionnelle: 17, 18 et 19

En général

Le mois est fortement propice à une forme d'apprentissage sur la croissance personnelle. Vous cheminerez clairement vers une bien meilleure estime de vous-même et vous remettrez sûrement quelques personnes à leur place, notamment celles qui vous ont manqué de respect dernièrement. Bref, vous n'aurez pas la langue dans votre poche, surtout auprès des membres de votre famille qui n'ont pas toujours été tendres à votre endroit. Ce sera en toute spontanéité que vous pourriez vous inscrire à un cours, à une formation ou encore vous vous adonnerez à un nouveau sport, le ski par exemple.

Travail – Finances

Vos talents de leader seront requis pour dénouer une situation compliquée, du moins qui s'éternise en longueur. D'ailleurs, si vous êtes à votre compte, il est clair que toutes vos initiatives seront extrêmement profitables très rapidement. Vos efforts seront de l'or en barre presque instantanément. Il faudra probablement que vous vous habilliez beaucoup plus chic que d'habitude pour aller au bureau: vous obtiendrez une promotion ou alors vous aurez à rencontrer des clients très importants.

♥♥ Amour – couple

Vous terminerez les vacances sous le signe de la passion! Et peut-être qu'un voyage ou une escapade romantique se matérialisera en toute spontanéité afin que vous puissiez vivre des moments extraordinaires. Par la suite, pour conserver cette passion, il faudra redoubler d'efforts, et ce seront principalement les petites attentions qui vous procureront le plus de bonheur. Votre amoureux saura certainement vous concocter un merveilleux souper à la chandelle.

♥ Amour – Célibataire

Doté d'un puissant magnétisme au cours des premières semaines de l'année, vous pourriez établir quelques contacts très intéressants. Ce sera probablement dans l'entourage de votre milieu de travail qu'on vous manifestera un intérêt qui ne vous laissera pas insensible. Évidemment, celui qui réussira à vous faire rire remportera tous les honneurs et vous lui accorderez sûrement un rendez-vous galant à un moment ou à un autre.

Santé

Souvent soucieux de votre santé, vous y accorderez une attention particulière dans un but davantage esthétique. Si vous entreprenez un régime, ce sera seulement pour perdre quelques kilos afin de porter vos plus belles robes, par exemple. Vous pourriez commencer à vous informer au sujet d'une chirurgie esthétique. Évidemment, attention de ne pas en prendre une habitude.

VIERGE – FÉVRIER

Les meilleurs jours ce mois-ci pour:

* Jouer à la loterie: 20, 21 et 22
* Le social et les jeux en groupe: 25, 26 et 27
* L'amour: 11, 12 et 13
* La sphère professionnelle: 13, 14 et 15

En général

Vous aurez un immense souci du détail et vous ferez votre ménage de long en large afin que votre environnement soit des plus impeccables. En fait, même si vous vivez seul, il y a de bonnes chances que l'on vienne mettre un peu de désordre chez vous. Il pourrait y avoir des travaux, par exemple, ou alors vous vous occuperez des enfants des autres qui n'ont pas nécessairement les mêmes habitudes que vous. Parfois, il est important d'apprendre à lâcher prise en se disant que la situation n'est que temporaire, ce qui sera tout un défi pour vous.

Travail - Finances

Vous serez particulièrement efficace pour trouver les problèmes et pour vous affairer aux tâches qui demandent de la précision. Il est possible aussi que vous rapportiez du boulot à la maison à quelques reprises devant l'ampleur des dossiers qui vous seront confiés. Un peu de fatigue risque de se mêler à la montagne de travail ; heureusement, ce sera cette même fatigue qui réussira à vous apprendre à déléguer. Ainsi, une forme de leadership commencera à se développer dans votre for intérieur.

♥♥ Amour - couple

Avant la Saint-Valentin, vous vous investirez possiblement dans la préparation d'une belle soirée avec votre amoureux. D'ailleurs, votre santé pourrait ralentir vos ardeurs : vous choisirez des nuits de sommeil plutôt que des activités intimes. Vous aurez tout de même droit à une abondance de petites attentions et vous serez soigné aux petits oignons par votre partenaire. Si votre relation est toute jeune, la Saint-Valentin pourrait être l'occasion d'une demande en mariage passablement romantique.

♥ Amour - Célibataire

Ce sera davantage vers la Saint-Valentin, ou vers la fin du mois, que vous développerez une relation amoureuse. Cette personne vous enverra des petits messages de temps à autre et vous invitera à prendre un café à l'occasion pendant de nombreuses semaines, et vous vous rapprocherez par la suite. Il y aura une certaine méfiance, d'un côté comme de l'autre, ou alors la vie ne vous offrira pas la possibilité de vous voir plus souvent en raison de vos agendas, par exemple.

Santé

Vous êtes un signe associé à la santé ; il va de soi que vous êtes à l'écoute de votre corps afin que celui-ci puisse vous offrir son plein potentiel. Il est possible que vous vous investissiez plus sérieusement dans un régime alimentaire et un programme d'exercice afin d'améliorer vos performances au travail, dans les sports ou simplement pour votre mieux-être. Les résultats seront rapides, mais vous pourriez abandonner rapidement par la suite.

VIERGE – MARS

Les meilleurs jours ce mois-ci pour :

* Jouer à la loterie : 20, 21 et 22
* Le social et les jeux en groupe : 24, 25 et 26
* L'amour : 15, 16 et 17
* La sphère professionnelle : 12, 13 et 14

En général

Vous pourriez vous retrouver devant un choix crucial : le cœur ou la raison. Il faudra se méfier de certaines illusions qui peuvent vous faire faire du surplace. Avoir des idées c'est bien, mais les réaliser c'est mieux ! Si des changements s'imposent autour de vous, il est clair que vous commencerez à mijoter les plans pour les entreprendre. De plus, il ne serait pas étonnant que vous refassiez votre garde-robe au complet en trouvant de bons soldes mais aussi en rafistolant quelques vieux morceaux.

Travail – Finances

Il faudra sûrement négocier serré pour obtenir quoi que ce soit : vos clients sont passablement exigeants, du moins vous devrez expliquer les choses de long en large avant de conclure un contrat. Vous pourriez aussi décider d'attendre d'avoir toutes les informations avant d'aller de l'avant dans un projet, mais vous réaliserez que vous auriez pu faire des pas considérables malgré tout. Trop souvent, on vous connaît comme un excellent second, mais voilà que vous vous démarquerez plus que les autres, et vous serez finalement la personne qui remportera tous les honneurs.

Amour – couple

Il serait important de remettre à l'avant-plan votre relation, autrement vous risquez l'un ou l'autre de vous laisser séduire rapidement par une tierce personne. Heureusement, vous ferez des efforts importants pour retrouver une dynamique active entre vous, ce qui vous permettra de partager affection et sexualité beaucoup plus activement. Vous pourriez exploser de colère et ainsi exprimer l'intensité de vos sentiments afin de provoquer les choses pour que l'être aimé démontre tout son amour à votre endroit.

♥ Amour – Célibataire

Vous pourriez être frappé par une sorte de coup de foudre que vous garderez pour vous-même. Vous ressentirez de puissants sentiments à l'endroit de cette personne et vous ne lui manifesterez absolument rien, à moins qu'elle ne fasse les premiers pas. D'ailleurs, vous passerez par toute la gamme des émotions, et finalement vous remettrez en question cet état d'être en essayant de mieux comprendre ce qui vous a amené aussi loin, bref, vous aurez besoin de revenir les deux pieds sur terre.

Santé

Vos règles menstruelles risquent d'être plus problématiques que d'habitude. Chassez la mélancolie et les états dépressifs pour corriger n'importe quel problème de santé. Une thérapie sera très efficace et rehaussera votre estime personnelle. Pour obtenir des résultats, il est important de procéder à des changements, et il faut avoir une vision à long terme pour vous assurer de ne pas rechuter.

VIERGE – AVRIL

Les meilleurs jours ce mois-ci pour:

* Jouer à la loterie: 16, 17 et 18
* Le social et les jeux en groupe: 20, 21 et 22
* L'amour: 6, 7 et 8
* La sphère professionnelle: 18, 19 et 20

En général

Voilà un mois très chargé en émotions, et elles se feront sentir de manière démesurée. Il ne serait pas impossible que vous deviez prévoir d'importantes dépenses, et vous serez dans l'obligation de les faire. Peut-être que vous songerez à revoir la décoration, à changer de voiture ou même à vous planifier un voyage de nature initiatique, par exemple un pèlerinage. Vous pourriez également faire tout un ménage parmi votre cercle d'amis. Il est préférable d'éviter de mélanger l'argent et l'amitié ce mois-ci.

Travail – Finances

Rien n'est moins facile que d'être responsable d'un important projet ou même de mener sa propre entreprise. D'ailleurs, votre leadership sera mis à rude épreuve, mais ce sera de cette manière que vous parviendrez à forger votre caractère pour arriver à vos fins. Il est possible que vous décidiez de changer d'emploi sans trop crier gare; bien que cette situation puisse vous placer dans une position financière plus complexe, vous en sortirez gagnant.

♥♥ Amour – couple

Vous redécouvrirez votre partenaire avec une approche complètement différente. Vous trouverez possiblement quelques petits trucs à travers une bonne lecture, ou même en suivant une thérapie de couple. Une chose est sûre, c'est en mettant le plaisir en avant-plan que vous vivrez les plus beaux moments avec l'être aimé. Il y aura beaucoup de romance dans l'air, et celui-ci pourrait s'enflammer de bonheur en vous demandant en mariage devant un groupe d'amis.

♥ Amour – Célibataire

Il y aura bien une personne d'une autre nationalité qui s'empressera de vous faire quelques avances des plus agréables. Cependant, il vous faudra beaucoup de patience avant de développer une relation avec cette personne. D'ailleurs, avant d'ouvrir votre cœur, vous prendrez le temps de vous laisser gâter et de vous faire offrir aussi quelques belles promesses d'engagement, et le de désir d'entreprendre une relation sérieuse se manifestera par la suite.

Santé

Que ce soit physiquement ou psychiquement, de vieilles blessures du passé risquent de ressurgir et de vous hanter quelque temps. Il est préférable d'amorcer des activités physiques plus graduellement pour éviter les chocs sur votre système. Quelques excès vous seront bénéfiques, n'ayez pas peur de déroger à votre régime. Votre moral s'en trouvera grandement favorisé.

VIERGE – MAI

Les meilleurs jours ce mois-ci pour:

* Jouer à la loterie: 13, 14 et 15
* Le social et les jeux en groupe: 17, 18 et 19
* L'amour: 4, 5 et 6
* La sphère professionnelle: 6, 7 et 8

En général

Vous envisagerez sérieusement un retour aux études, ou encore une forme d'éveil spirituel élargira considérablement vos horizons. Vous ressentirez qu'il est maintenant temps d'avancer dans la vie, d'accomplir des projets, et vous pourriez trouver que les choses avancent si vite qu'il serait bête de passer à côté de certaines occasions qui vous seront présentées. La chance devrait vous sourire; de plus, il ne serait pas étonnant que vous connaissiez une période d'abondance très intéressante.

Travail – Finances

Que vous soyez dans le domaine de la finance ou non, vous connaîtrez beaucoup de succès en jouant avec les chiffres. Ce sera certainement sur vous que retomberont toutes les urgences, et vous ferez régulièrement des heures supplémentaires. Il y aura peut-être une certaine restructuration dans l'entreprise, et plutôt que de subir une compression de poste, vous pourriez hériter d'une fonction beaucoup plus prestigieuse par intérim. Vous prendrez beaucoup d'initiatives et ferez preuve d'un grand leadership.

Amour – couple

Si votre relation est toute jeune, il est clair que vous songerez de plus en plus sérieusement à vivre ensemble très bientôt, ou même à considérer la possibilité de refaire votre vie avec une personne qui a de jeunes enfants. Bref, vous pourriez fonder une famille reconstituée. Vous devrez aussi respecter votre vie sociale et accepter les invitations à sortir de la part de vos amis afin de prendre un léger recul bénéfique de temps à autre, notamment loin de la pression et des responsabilités familiales.

♥ Amour – Célibataire

Vous accorderez davantage votre attention à la famille si vous êtes séparé depuis peu. Même si vous n'êtes plus avec le père ou la mère de vos enfants depuis longtemps, vous pourriez connaître un rapprochement avec cette personne. Peut-être serez-vous tenté de retrouver une dynamique familiale qui a toutes les chances de fonctionner cette fois-ci. Également, un de vos bons amis pourrait vous faire une grande déclaration d'amour, et ce, à votre plus grande surprise.

Santé

Souvent inquiet, il ne serait pas étonnant que vous décidiez d'aller passer une batterie de tests pour vous assurer que tout va bien. Toutefois, l'attente des résultats risque d'être la source même de toutes vos inquiétudes. Les émotions ont également un rôle important dans les problèmes de santé. Il faut prendre conscience de ce qui vous plaît ou pas, histoire de faire un bon ménage dans votre vie.

VIERGE – JUIN

Les meilleurs jours ce mois-ci pour :

* Jouer à la loterie : 10, 11 et 12
* Le social et les jeux en groupe : 14, 15 et 16
* L'amour : 1 et 2
* La sphère professionnelle : 2, 3 et 4

En général

Vous connaîtrez une belle période d'activités sociales, vous avez certainement besoin de voir des gens. Vous participerez à tous les événements qui rassembleront beaucoup de monde. Si vous avez de jeunes enfants, il est clair que vous vous offrirez pour aider dans les diverses activités que l'école organisera. Il ne serait pas impossible que des amis vous proposent de louer un chalet pour l'été. Vous y trouverez le ressourcement nécessaire pour adopter une nouvelle approche de la vie qui soit beaucoup plus saine et spirituelle.

Travail – Finances

Si vous occupez un nouvel emploi, de nouvelles fonctions, il s'agit d'une situation qui vous impose beaucoup de stress : vous devrez faire des efforts importants pour maintenir la cadence. Vous aurez aussi beaucoup de monde à servir, et vous connaîtrez une très belle popularité ; il faudra donc apprendre à gérer votre succès, même si vous n'aimez pas être sous les projecteurs. Voilà une excellente période pour bâtir une équipe en vue d'un nouveau projet.

♥♥ Amour – couple

Raisonnable, vous n'accorderez pas trop de place à la fantaisie dans votre relation. Il ne serait pas étonnant qu'une personne vous manifeste un certain intérêt, ce qui déboussolera significativement vos sentiments à l'endroit de l'être aimé, surtout si votre relation est le moindrement écorchée. Il est important de vous retrouver ensemble par moments dans un endroit plus isolé pour explorer à nouveau votre intimité, surtout si vous êtes ensemble depuis longtemps.

♥ Amour – Célibataire

Il ne serait pas étonnant qu'une vieille histoire d'amour vienne encore vous hanter, le deuil n'étant peut-être pas tout à fait terminé. Votre charme fera certainement des ravages. Vous serez très populaire, et vous n'êtes pas nécessairement prêt à vous investir sérieusement dans une relation. Ce sera probablement au travail que vous pourriez recevoir des avances : vous les jugerez déplacées.

Santé

Le stress semble être un facteur omniprésent, et il est possible que votre cœur donne quelques petits signaux d'alarme pour vous indiquer qu'il est grand temps d'apprendre à vous calmer. Prévoyez des vacances pour être ainsi en mesure de vous détendre. Pourquoi pas quelques jours dans un centre de santé ? Évitez de vous donner à fond dans les activités physiques, vous pourriez vous blesser inutilement.

VIERGE – JUILLET

Les meilleurs jours ce mois-ci pour:

- Jouer à la loterie: 7, 8 et 9
- Le social et les jeux en groupe: 11, 12 et 13
- L'amour: 24, 25 et 26
- La sphère professionnelle: 9, 10 et 11

En général

C'est le mois des vacances pour plusieurs d'entre vous, et vous tenterez bien de vous reposer. Vous aurez envie de passer un peu de temps seul non seulement pour vous occuper de vos petites affaires personnelles, mais aussi pour vous ressourcer et récupérer un peu. Vous vous impliquerez activement dans des activités de nature communautaire, et vous ferez preuve d'une grande générosité. Vous réussirez à rassembler vos proches et vos amis pour des vacances dans un endroit enchanteur.

Travail – Finances

Probablement en raison des vacances, vous serez la plupart du temps seul au bureau. Vous vous retrouverez avec de nouvelles responsabilités et des fonctions avec lesquelles vous ne serez pas très à l'aise. Vous serez laissé à vous-même, malgré le surplus de travail. Ce sera dans ce genre de situation que vous accomplirez pratiquement l'impossible pour réussir à satisfaire une clientèle nombreuse. Heureusement, la direction remarquera vos exploits: elle vous offrira une promotion par la suite.

Amour – couple

Vous aurez davantage tendance à être raisonnable ou à planifier des projets bien précis pour faire évoluer votre relation amoureuse. Si vous venez tout juste d'emménager ensemble, l'excitation des premiers instants sera très intéressante à vivre, mais il faudra aussi du temps pour vous adapter afin de cesser d'angoisser. Prévoyez des activités sportives à faire ensemble, vous apaiserez ainsi les tensions qui pouvaient exister entre vous.

♥ Amour – Célibataire

Les flammes de la passion s'embraseront comme un feu de la Saint-Jean ! Il s'agit probablement d'une personne que vous ne connaissez pas du tout, qui arrive de nulle part ; vous devinez mal ses intentions, son passé, son présent et ses aspirations futures. Heureusement, vous découvrirez rapidement qu'elle a beaucoup de conversation, une belle maturité et surtout un désir d'engagement sérieux à offrir.

✚ Santé

Vivement les vacances, il est clair que vous avez besoin de repos. Il ne serait pas surprenant que vous changiez radicalement votre régime de vie, aussi bien votre alimentation que votre approche au sujet de la spiritualité. Ce sera aussi de cette manière que vous parviendrez à trouver un mieux-être et une santé beaucoup plus convenables. Vous pourriez vous permettre également des vacances de nature thérapeutique.

VIEGRE – AOÛT

Les meilleurs jours ce mois-ci pour :

* Jouer à la loterie : 3, 4 et 5
* Le social et les jeux en groupe : 8, 9 et 10
* L'amour : 26, 27 et 28
* La sphère professionnelle : 23, 24 et 25

En général

Il serait important de profiter de l'été, surtout si vous avez beaucoup travaillé ces derniers temps. Animé par des goûts de luxe, vous serez tenté de renouveler votre garde-robe et de changer de coiffure. Vous adopterez aussi une forme de cheminement spirituel, ce qui vous apportera des réponses pour mieux vivre votre quotidien par la suite. Vous aurez possiblement les idées un peu confuses, ou vous serez régulièrement dans la lune, votre esprit s'évadera souvent dans ses pensées et vous serez très créatif. Pour vos vacances, évitez les endroits où il y a trop de monde, et surtout ignorez les gens qui ont toujours des propos négatifs, vous n'avez pas besoin de ça.

Travail – Finances

Ne négligez pas vos vacances ; vous reviendrez certainement au bureau ressourcé, avec beaucoup d'énergie et de belles initiatives à proposer à toute l'équipe. Les affaires sont souvent au ralenti en cette période de l'année. Même si vous vous tournez les pouces, vous aurez quelques idées de génie qui vous traverseront l'esprit. Si vous vous trouvez un nouvel emploi, vous aurez besoin de vous accorder un peu de temps avant de vous y adapter et de vous y sentir parfaitement à l'aise. Il vous faudra aussi du temps pour obtenir le salaire auquel vous aspiriez. Vous pourriez également entrer dans une période de réflexion au sujet de l'avenir de votre carrière.

Amour – couple

Pour une raison ou pour une autre, il est possible que vous soyez souvent seul au cours de la première moitié du mois. Votre partenaire travaille trop, il est peut-être parti en vacances de son côté avec ses amis, ou c'est vous qui avez pris la décision de prendre un certain recul. Heureusement, cette situation sera extrêmement positive pour votre couple : vous commencerez à faire l'effort de trouver davantage de temps pour échanger entre vous des moments d'affection.

Amour – Célibataire

Vous pourriez très bien être aveuglé par un bon coup de foudre. En effet, il ne vous sera pas facile de distinguer le véritable amour des sensations particulières associées aux premiers balbutiements d'une relation. Cependant, vous devrez inévitablement vous attendre à ce qu'il y ait une fin à toute bonne chose. Vous vivrez sûrement une certaine romance ce mois-ci avec un individu qui n'était peut-être qu'un amour d'été.

Santé

Vous pourriez avoir l'impression que tout votre système se débalance si vous mangez ou buvez trop un de ces soirs ! Vous serez donc tenté de commettre l'abus dans le sens inverse, et vous imposer un régime très sévère qui pourrait toucher quelque peu votre état émotionnel. L'aspect psychique risque de drainer passablement d'énergie. Bien que l'on soit en plein cœur de l'été, certains soucis ne seront pas toujours faciles à évacuer.

VIERGE – SEPTEMBRE

Les meilleurs jours ce mois-ci pour:

* Jouer à la loterie: 27, 28 et 29
* Le social et les jeux en groupe: 4, 5 et 6
* L'amour: 22, 23 et 24
* La sphère professionnelle: 19, 20 et 21

En général

Vous n'aurez pas la langue dans votre poche, et vous pourriez démontrer une attitude prompte par moments. Vous ne vous gênerez pas pour exprimer tout haut ce que les autres pensent tout bas; vous serez applaudi pour vous être tenu droit en toutes circonstances. À peine les vacances d'été terminées, vous songez très sérieusement à celles de l'hiver prochain, mais il est possible aussi que vous n'ayez pas eu le temps d'en prendre et que vous vous accordiez un ou plusieurs beaux week-ends d'escapade ce mois-ci.

Travail – Finances

Les affaires reprennent certainement; les activités professionnelles devraient rouler à plein régime et vous serez la personne qui devra gérer toutes les urgences. Si vous avez un poste de direction, il est important de prêcher par l'exemple. Inutile de démontrer le côté autoritaire de votre personnalité, vos employés ou collègues auront davantage tendance à se rebeller. Il s'agit également d'une excellente période pour développer votre sens du leadership, ou encore votre propre entreprise.

Amour – couple

En raison d'un rythme de vie plutôt effréné, vous ne vous consacrez peut-être pas suffisamment de temps de qualité ensemble. Vous réaliserez que votre partenaire ne vous donne pas autant d'affection que vous le souhaitez. Il suffit d'une bonne communication pour vous permettre de corriger la situation et ainsi vous offrir quelques moments romantiques. De plus, des petits messages sensibles et passionnés seront bienvenus, d'autant plus que, dit-on, les paroles s'envolent et les écrits restent !

♥ Amour - Célibataire

Mieux vaut être seul que mal accompagné ! Vous serez en mesure de vous faire plaisir entre amis, ou encore vous ferez des activités, par exemple suivre des cours, et aurez donc une vie sociale plus active. Même si vous avez été déçu dernièrement, vous ne pourrez pas empêcher votre cœur de battre à nouveau pour quelqu'un d'autre. Ce sera principalement sous le signe de l'humour que vous vivrez les premiers rendez-vous avec cette personne.

Santé

Vous vous inscrirez possiblement pour la première fois dans un centre de conditionnement physique ou à un cours quelconque pour bouger, et ce sera certainement très agréable pour votre santé. Vous vous sentirez nettement mieux et votre niveau d'énergie sera phénoménal. Tandis que les soirées commencent à se rafraîchir, vous pourriez ressentir un petit mal de gorge.

VIERGE – OCTOBRE

Les meilleurs jours ce mois-ci pour :

* Jouer à la loterie : 24, 25 et 26
* Le social et les jeux en groupe : 1, 2 et 3
* L'amour : 19, 20 et 21
* La sphère professionnelle : 17, 18 et 19

En général

Vous aurez la conversation facile et vous chercherez en premier lieu à faire des compromis pour que tout le monde autour de vous soit heureux. Il y a de bonnes chances que vous soyez aussi le chauffeur de vos enfants qui s'adonneront à de nombreuses activités tout au long du mois. D'ailleurs, l'un d'eux pourrait participer à une compétition, par exemple. Il ne serait pas impossible également que le téléphone ne dérougisse jamais pour une raison ou pour une autre. Par moments, on pourrait avoir l'impression de marcher sur des œufs en ce qui concerne vos humeurs.

Travail – Finances

Il y aura sûrement un peu de confusion loufoque dans l'air. Vous vous retrouverez souvent en position de négociation dans toutes sortes de situations complexes. De plus, il faudra une bonne préparation avant d'aborder un sujet en réunion. Il est possible que vous ayez besoin de suivre une formation ou encore d'aller chercher des informations pour progresser dans votre carrière. Peut-être même devrez-vous vous équiper plus sérieusement en ce qui concerne vos moyens de communication.

♥♥ Amour – couple

Il est fort possible que vous arriviez à convaincre votre amoureux de suivre des cours de danse, ou de participer avec vous à une autre activité de manière régulière pour que vous puissiez vivre des moments plus stimulants à deux. Vous vous donnerez aussi les outils nécessaires pour ouvrir la discussion avec lui, surtout si les choses sont compliquées entre vous ces temps-ci. Peut-être que vous aurez vous-même l'idée d'entreprendre une thérapie ! Il faudra un peu de temps avant que les conflits s'apaisent, mais c'est précisément ceux-ci qui feront évoluer votre relation.

♥ Amour – Célibataire

Il est possible que l'un de vos ex tente de vous relancer alors que vous ne ressentez plus aucun intérêt à son endroit. Vous pourriez même le trouver harcelant. Vous dégagez beaucoup de charme : il y aura sûrement plus d'une personne qui vous fera quelques avances sympathiques. S'il y a quelqu'un dans le lot qui vous plaît tout particulièrement, il lui faudra beaucoup de patience avant d'entreprendre une relation avec vous.

Santé

Avec la fraîcheur qui s'installe, vous ne détesterez pas profiter du grand air pour y faire un peu d'exercice. Vous aurez envie de poursuivre en ce sens lorsque les temps froids arriveront, alors vous vous inscrirez sûrement dans un centre de conditionnement physique. Votre système respiratoire sera attaqué par les nombreux microbes qui profitent du changement de saison pour se multiplier à l'intérieur de vous.

VIERGE – NOVEMBRE

Les meilleurs jours ce mois-ci pour:

- Jouer à la loterie: 20, 21 et 22
- Le social et les jeux en groupe: 25, 26 et 27
- L'amour: 16, 17 et 18
- La sphère professionnelle: 13, 14 et 15

En général

Vous avez l'impression de devoir tout faire sous pression, comme s'il y avait toujours une urgence quelque part. L'aspect familial vous imposera passablement de stress ce mois-ci, et ce sera sans compter aussi que vous devrez gérer un budget plus restreint tout en ayant une disponibilité moins souple. Si vous avez décidé de vous acheter un ordinateur ou un autre appareil de communication, par exemple un téléphone intelligent, l'apprentissage de son fonctionnement pourrait vous causer quelques maux de tête.

Travail – Finances

Il y aura quelques remous et tout un remue-ménage au sein de la direction dans l'entreprise où vous travaillerez, mais vous pourriez certainement en tirer profit. Ce sera très subtilement que vous vous immiscerez dans des conversations avec vos supérieurs et que vous tirerez votre épingle du jeu. Vous pourriez même adopter un rôle de conseiller, et il est possible que vous ayez à élever la voix pour vous faire comprendre. Financièrement, vous réussirez à obtenir les subventions que vous aviez demandées, aussi bien pour démarrer votre propre entreprise que pour effectuer des travaux sur la maison.

Amour – couple

Inquiet de nature, vous aurez droit à un signe d'engagement très clair de la part de votre amoureux: il vous proposera un projet tel que l'achat d'une maison, ou même il parlera de fonder une famille, vous rassurant du même coup quant à ses sentiments à votre endroit. Vous aurez envie d'être ensemble à la maison, à vous dorloter dans le confort de votre foyer, à vous préparer de bons petits plats, à vous faire des soupers à la chandelle et surtout à échanger une abondance d'affection.

♥ Amour – Célibataire

Même si vous rencontrez une personne très sérieuse, vous n'éprouverez pas nécessairement de grandes passions au premier rendez-vous. Si vous la côtoyez dans votre milieu de travail ou le sien, ce n'est qu'une question de temps avant que l'intérêt se mette à grimper en flèche. Le deuxième rendez-vous sera beaucoup plus stimulant : vous entreverrez aisément un bel avenir avec lui.

Santé

Il est possible que vous mangiez quelque chose qui provoque une forte réaction cutanée ou un ballonnement des plus désagréables. C'est avec une saine alimentation que vous éloignerez les microbes. Soyez prudent à la maison, entre autres évitez de marcher sur un plancher mouillé ou encore de grimper sur un escabeau mal fixé. Bref, vous n'êtes pas à l'abri d'un bête accident.

VIERGE – DÉCEMBRE

Les meilleurs jours ce mois-ci pour :

- Jouer à la loterie : 18, 19 et 20
- Le social et les jeux en groupe : 22, 23 et 24
- L'amour : 8, 9 et 10
- La sphère professionnelle : 10, 11 et 12

En général

Le travailleur acharné que vous êtes pourrait bien en faire autant avec les décorations et autres aspects reliés aux festivités entourant la période des fêtes. D'ailleurs, votre maison sera peut-être l'une des plus impressionnantes dans la rue. Votre esprit familial prendra toute la place en cette période de réjouissances. Vous vous porterez sûrement volontaire pour organiser les réceptions, même si elles ne se tiennent pas chez vous. Peut-être envisagerez-vous d'aller rejoindre de la famille éloignée et de passer quelques jours avec elle. Il ne serait pas impossible que vous ayez à déménager, ou encore à aider un membre de la famille à le faire de manière précipitée.

Travail – Finances

Il ne serait pas impossible que vous élaboriez un plan pour démarrer votre propre affaire à partir de la maison. Un ou plusieurs collègues pourraient se déclarer malades, vous obligeant ainsi à faire beaucoup plus de travail et probablement à en rapporter tous les soirs à la maison. Heureusement, plus on approchera de la période des fêtes, plus vous serez dans l'ambiance des vacances, et toute pression sur vos épaules se relâchera comme par enchantement.

Amour – couple

Il faudra certainement miser sur la spontanéité pour vivre des moments plus excitants entre vous. Quelques mots d'amour peuvent suffire pour faire comprendre à votre partenaire que le moment est bien choisi pour connaître un peu de romance. Vous devriez recevoir une belle carte cette année : votre amoureux aura enfin fait l'effort d'exprimer toute son intensité amoureuse à votre endroit. Si votre relation est toute jeune, vous pourriez recevoir la grande demande.

Amour – Célibataire

Même si les occupations familiales sont à l'honneur en décembre, vous pouvez aussi consacrer du temps pour trouver votre âme sœur. C'est en misant sur une vie sociale active que vous pourriez tomber sur la perle rare. Il y aura bien quelqu'un qui s'avérera intéressant pour que vous le présentiez à la famille. De plus, cette personne sera très disponible pour vous aider dans les réceptions, pour préparer la nourriture ou même pour faire de l'ordre après les célébrations.

Santé

Vous êtes généralement attentif à votre alimentation, et c'est ce qui pourrait vous éviter une catastrophe. Votre nature même ne vous permet pas de faire trop d'excès et d'abus durant le temps des fêtes, vous serez donc très raisonnable. Vous ne serez véritablement pas tenté par une consommation abusive d'alcool, ce qui ménagera votre organisme et votre santé en général.

Balance

(du 22 septembre au 22 octobre)

Antoine Chaput, Diane Boyer, Daniel Pelletier,
Lucille Carrière et Caroline Richer

Voici une année exceptionnelle financièrement. Vous devriez obtenir une augmentation ou un boni considérable. Vos actions en Bourse et vos fonds communs de placement connaîtront une croissance phénoménale, ou alors vos décisions dans l'immobilier vous offriront la possibilité de vous gâter considérablement. À ce sujet, vous aurez sûrement l'occasion de vous refaire une beauté, d'une manière ou d'une autre. Notamment, vous pourriez investir dans une nouvelle garde-robe, surtout si vous décrochez de nouvelles fonctions prestigieuses au travail. Vous serez sûrement curieux au sujet d'une chirurgie esthétique, et vous ne lésinerez pas sur les efforts pour retrouver une silhouette des plus séduisantes.

Que vos enfants soient tout jeunes ou non, ils demeurent aussi précieux que la prunelle de vos yeux : vous leur offrirez tout ce dont ils peuvent avoir besoin, peu importe leur âge. Il ne serait pas étonnant que vous deveniez grands-parents, ou si vous êtes tout jeune vous-même, vous serez parent. Même s'il n'y a personne dans votre vie, cet enfant trouvera le chemin pour vous offrir l'occasion de vivre une expérience extraordinaire et révélatrice. Ce pourrait être également un petit voisin, un neveu ou une nièce, un enfant que vous adoptez, ou vous serez le parent biologique. Peu importe, vous trouverez le bonheur et la joie de vivre, même si cela survient dans des circonstances exceptionnelles.

La famille sera, généralement, une source de bonheur, et peu importe ce qui arrivera, vous aurez un rôle important à jouer. Vous apporterez des soins ou une attention spéciale à un membre de la famille, et cette situation se transformera en un événement enrichissant aussi bien spirituellement que matériellement. Par exemple, s'il s'agit d'un vieil oncle mourant, vous deviendrez son unique héritier.

Si vous êtes célibataire, un enfant pourrait faire suite à un accident de parcours ; quelqu'un, de passage dans votre vie, aura laissé une marque indélébile sur vous et votre cheminement. Vous serez surpris de constater que cette personne ne fuira pas et prendra ses responsabilités, même si vous ne donnez pas suite à la relation. D'ailleurs, si vous tentez de former un couple normal pour élever un enfant dans la normalité, les événements se succéderont pour vous séparer. Vous aurez besoin de bâtir votre monde intérieur selon vos convictions et vos goûts ; alors rien de plus difficile que de le faire avec une personne que vous connaissez à peine et qui perturbe votre quiétude.

Signe de la perfection par excellence, vous travaillerez fort sur votre environnement immédiat, et celui-ci se transformera en fonction de vos besoins. Nous avons tous une période « cocon », une transition de la chenille au papillon, et vous commencerez, consciemment ou non, à préparer cet environnement qui vous offrira la possibilité de devenir ce à quoi vous aspirez (consciemment ou non). Bref, le célibataire que vous êtes ne pourra envisager d'entreprendre une relation amoureuse, puisque vous sentirez (consciemment ou non) que la vie vous réserve une profonde transformation. De là aussi l'abondance sur le plan matériel : la vie vous donne la possibilité de faire du stockage en prévision de cette période. Heureusement, s'il y a une personne de passage dans votre vie, elle vous offrira passablement d'affection et sera des plus attentionnées en vous prodiguant de belles caresses, des massages ainsi qu'un confort matériel enviable.

Si vous êtes déjà en couple depuis longtemps, des transformations à la maison auront un bel impact sur les sentiments que vous partagez mutuellement. Notamment, si vous vous offrez un décor différent dans la chambre à coucher, celle-ci vous donnera une nouvelle inspiration pour revivre des moments passionnés. Ce nouvel univers inspirera la romance et vous invitera à renouveler le désir de vieillir ensemble. Vous pourriez aussi vous investir dans un projet professionnel que vous développerez à partir de chez vous, ce qui s'avérera des plus positifs pour votre couple.

Si votre relation est toute jeune, vous vous empresserez de vivre ensemble : vous pourrez alors voir si vous pouvez vous supporter l'un et l'autre au quotidien. Peut-être que cela ne sera pas si facile, surtout si vous viviez tous les deux seuls depuis longtemps. Les habitudes et les façons de faire pourraient ne pas être compatibles, créant ainsi passablement de friction entre vous durant les premiers temps. Heureusement, malgré la pression, vous ne lésinerez pas sur l'échange affectif : ainsi, vous retrouverez instantanément la paix et la sérénité dans votre couple aussitôt que l'autre vous démontrera une attention spéciale.

Sur le plan financier, vous connaîtrez une année exceptionnelle qui vous offrira la possibilité de faire de l'épargne et de placer de l'argent pour vos vieux jours, ou pour une période de transformation qui ne saura tarder à se pointer. Au travail, il est possible que l'on vous fasse faire de nombreuses heures supplémentaires qui vous seront généreusement récompensées, par exemple. Celles-ci ne seront pas épuisantes, au contraire, vous aurez l'impression de ne faire que quelques efforts de plus. Ce n'est donc pas ce qui vous épuisera ou qui empiétera sur d'autres activités prévues à l'agenda.

Il ne s'agit pas de changement professionnel, mais bien de croissance matérielle. Même si vous ne voyez pas comment ce développement s'effectuera en fonction de ce que vous vivez en début d'année, la vie aura davantage d'imagination que vous pour vous placer dans la voie à suivre. Vous n'avez qu'à vous laisser guider et à faire les efforts qui s'imposent lorsque les occasions se présenteront devant vous. Parallèlement, si vous vous intéressez au domaine du mieux-être et de la santé, il est possible que vous commenciez à développer vos talents en ce sens et à les exploiter professionnellement, du moins contre rémunération. Ce seront des heures supplémentaires des plus stimulantes, intéressantes qui seront aussi davantage un plaisir qu'une tâche ingrate. Vous aurez un succès incroyable à prodiguer des soins thérapeutiques, à vendre des produits de santé ou à exposer les vertus d'une bonne alimentation.

Côté santé, une prise de poids soudaine en début d'année sonnera une petite alarme pour que vous preniez conscience de votre état et pour découvrir des solutions simples et efficaces. Si vous êtes le moindrement épicurien, vous pourriez avoir tendance à faire certains abus, mais vous trouverez une méthode pour continuer de profiter de la bonne chère. Vous réussirez à vous autoraisonner facilement, au point de perdre le poids gagné, et vous adopterez une alimentation qui vous fera un grand bien. Notamment, vous ralentirez l'effet du vieillissement et vous gagnerez en quelque sorte de nombreuses années. Votre qualité de vie sera exceptionnelle.

Vous êtes retraité ? Vous serez possiblement tenté de vous trouver un travail à temps partiel afin de vous offrir un peu plus de luxe à l'occasion. Ce sera aussi une excellente manière de vous occuper ; vous y découvrirez des gens très enrichissants et participerez à des événements extraordinaires. Ce nouveau boulot aura pour effet de vous rajeunir de quelques années. D'autant plus que votre expérience sera des plus appréciées. Si vous êtes le moindrement une personne réservée, cet investissement vous ouvrira la porte à des échanges, ainsi qu'à de belles conversations profondes et spirituelles.

Balance et ses ascendants en 2018

Balance ascendant Bélier

Vous êtes une personne extrêmement conciliante en général, mais il y a des moments où vous avez besoin de mettre votre pied à terre et d'exprimer clairement votre désaccord. Vous pourriez entreprendre quelques travaux de décoration à la maison, par exemple, qui occuperont pas mal tous vos week-ends pour l'ensemble de l'année. Peut-être que ces travaux surviendront à la suite d'un bris important sur la maison et qu'une fois les réparations effectuées vous serez motivé par d'autres rénos pour rendre votre milieu de vie plus conforme à vos aspirations. Évidemment, il est possible que vous vous sentiez dépassé par les événements au départ, et que vous soyez passablement fragile émotionnellement. Heureusement, lorsque vous aurez terminé, vous ferez la fête! Parlant d'émotions, au travail vous pourriez vivre beaucoup de changements. La chance vous sourira et, par un grand hasard, vous occuperez un poste de pouvoir ou très haut placé.

Balance ascendant Taureau

Travaillant et reconnu pour votre sens de l'esthétisme raffiné, vous vous accorderez bien davantage de luxe bien mérité cette année. Vous êtes un double signe vénusien, et la beauté est un facteur important pour vous et dans votre environnement. Vous aurez aussi besoin d'être bien perçu par votre entourage, vous obligeant inconsciemment à en faire beaucoup et à offrir votre aide en toutes circonstances. Vous aurez parfois de la difficulté à dire non à certaines personnes: vous devrez peser le pour et le contre dans de nombreuses situations. Un possible retour aux études vous demandera beaucoup de réflexion! Vous calculerez longuement les avantages et les inconvénients d'un tel projet. Heureusement, l'amoureux ne pourra que vous soutenir et vous encourager à vous surpasser. Vous êtes célibataire ou conjoint de fait? Vous recevrez peut-être une demande en mariage en bonne et due forme, et ce, à votre plus grand bonheur.

Balance ascendant Gémeaux

Même si vous rencontrez des obstacles et embûches au travail, vous réussirez à gravir quelques échelons. Vous passerez la plupart de votre temps au travail, ou alors vous vous occuperez de nombreuses petites tâches imposantes qui auront un bel impact dans le développement de votre carrière. Évidemment, vous aurez l'impression d'abandonner famille et amis, mais heureusement, avant la fin de l'année, vous réaliserez que vous aviez négligé votre vie de couple et vous rattraperez le temps perdu. Vous êtes parfois passablement fier et orgueilleux de votre personne en démontrant une petite touche d'arrogance par moments. Par contre, la vie saura vous donner une courte leçon d'humilité que vous vous empresserez d'appliquer, vous permettant ainsi d'être en parfaite harmonie avec vous-même et les gens qui vous entourent.

Balance ascendant Cancer

Maternelle et autoritaire, vous détenez cette combinaison de signe qui vous apporte toutes les propriétés nécessaires pour élever des enfants. Mais bon nombre d'entre vous n'ont peut-être pas eu la chance de fonder une famille; alors vous déploierez probablement ce talent auprès de vos proches ou même de vos collègues. Vous accordez aussi beaucoup d'importance au confort de votre foyer et au bien-être de tous ceux qui vivent sous votre toit, tout particulièrement vos enfants. Qu'ils soient jeunes ou grands, vous aurez toujours un mot à dire au sujet de leur choix de carrière et de leurs fréquentations. Bien que vos intentions ne soient pas méchantes, inconsciemment vous êtes une personne plutôt contrôlante : vous gérez avec une main de fer votre environnement. Vous serez fortement inspiré pour lancer votre propre entreprise, du moins vous développerez votre sens du leadership. Côté cœur, vous aurez besoin de rebâtir votre couple pour une raison ou pour une autre. Si votre relation est toute jeune, c'est lentement mais sûrement que vous approfondirez vos sentiments mutuellement.

Balance ascendant Lion

Fier de vous-même, vous ne vous gênez pas pour porter des vêtements, des accessoires, une coiffure qui vous mettent en valeur ; vous aimez ressortir du lot en général. Mais cette année, vous aurez plutôt tendance à vous faire discret, possiblement en raison de votre santé. Notamment, si vous avez pris du poids au fil des ans, vous devrez relever un grand défi pour retrouver une meilleure estime de soi afin de remonter sur scène en vous présentant à des gens venus vous applaudir. Non seulement vous aurez toute la motivation nécessaire pour retrouver votre poids santé, mais également vous améliorerez considérablement votre qualité de vie, et votre santé ne s'en portera que mieux. Ainsi, vous serez en excellente posture, avant la fin de l'année, pour performer comme jamais au travail et connaître un développement qui en impressionnera plus d'un. Même chose en amour : le fait de regagner confiance en vous-même vous mettra sur la route de célibataires qui cherchent la même chose que vous.

Balance ascendant Vierge

Vous avez une attitude plutôt réservée et vous êtes d'une grande timidité en général. Mais la tendance a sûrement déjà commencé à changer : vous prenez de plus en plus d'assurance et de confiance en vos moyens. Vous vous retrouverez régulièrement en excellente compagnie et vous prendrez la parole souvent, brisant ainsi votre anxiété devant une foule nombreuse. Vous vous démarquez aussi en tant que travailleur acharné, ce qui vous permet de vous offrir un coussin financier intéressant. Si vous travaillez dans le domaine de la vente, vous ferez sûrement des affaires d'or ; vous réussirez à rassembler des clients importants autour de vous qui vous seront fidèles et vous assureront du travail à long terme. En amour, si vous êtes célibataire, vous devrez prendre le temps de guérir et de faire le deuil d'une relation passée avant d'ouvrir votre cœur à une autre personne.

Balance ascendant Balance

Vous êtes une personne qui hésite beaucoup généralement, qui doit peser le pour et le contre continuellement, mais qui peut aussi prendre des décisions trop rapidement et revenir sur ses choix. Mais avec Jupiter en Scorpion et Saturne en Capricorne, vous devrez être plus radical par moments et suivre vos intuitions. D'ailleurs, sur les plans professionnel et financier, votre petit doigt vous conduira vers un immense succès. Vous pourriez vous sentir dans une période de brouillard en n'étant jamais certain des choix que vous prenez, mais les impacts financiers seront plutôt légers. Heureusement, au moment où vous vous y attendrez le moins, vous recevrez un montant d'argent qui couvrira vos besoins. Sentimentalement, outre les responsabilités familiales, il faut impérativement vous accorder du temps en amoureux à la maison. Le chez-soi doit devenir un univers qui vous permettra de vivre pleinement la romance.

Balance ascendant Scorpion

Très sensible, vous tentez continuellement de cacher ce côté de votre personnalité derrière une carapace plutôt rigide, inflexible. Vous avez tendance à prendre la vie très au sérieux par moments, et du même coup vous parvenez à lâcher prise de façon extraordinaire pour vous permettre de voir les choses avec une meilleure perspective. Vous aurez besoin de devenir un « nouveau vous-même » et d'aspirer à vivre pleinement chaque instant : le moment présent sera à l'honneur. De plus, il est possible que vous chassiez des émotions ou que vous refouliez des événements passés, mais ceux-ci vous rattraperont : vous n'aurez d'autre choix que de vous exprimer ouvertement. Il y a de bonnes chances que vous ayez des talents artistiques incroyables. Vous surpassez certainement les attentes pour ce qui est de démontrer votre plein potentiel, et vous connaîtrez un immense succès en présentant vos œuvres publiquement.

Balance ascendant Sagittaire

Vous êtes généralement perçu comme une personne extrêmement dynamique, indépendante, d'une joie de vivre exemplaire, vous êtes un vent de fraîcheur pour vos proches. Le monde est parfait, et vous l'êtes tout autant. Par contre, lorsque vous broyez du noir, tout le monde le sait et vous pouvez transformer le moindre petit drame en une montagne insurmontable. Il est possible que vous connaissiez une période un peu plus sombre qui se poursuit pendant une partie de l'année ; heureusement, vous réaliserez bien assez vite qu'il suffit parfois de changer son propre regard sur la situation pour qu'elle devienne soudainement beaucoup plus simple à résoudre. Vous pourriez vous sentir étouffé par une situation financière complexe : vous devrez apprendre que le temps arrange bien les choses. Du jour au lendemain, l'insécurité matérielle fera place à une forme d'abondance.

Balance ascendant Capricorne

Sérieux et responsable face à toutes vos obligations, vous êtes certainement une personne carriériste qui connaît passablement de succès, du moins vous y aspirez très certainement. Même si vous êtes au foyer, il est clair que vous êtes amplement capable de prendre en charge toute situation et de mener de front n'importe quel projet d'envergure. Mais la vie n'étant pas un perpétuel projet à mettre de l'avant, l'année vous demandera d'explorer davantage votre vie sociale et de développer de nouvelles amitiés sans autre but que celui d'avoir du plaisir. Si vous êtes célibataire ou récemment séparé, vous découvrirez une forme de libération dans la solitude : vous apprécierez fortement cette belle indépendance. Vous vous détacherez émotivement de votre passé qui a pu être lourd à porter. Même chose au travail : votre liberté est importante, et vous calmerez vos angoisses concernant le souci de performance.

Balance ascendant Verseau

Vous êtes une personne très curieuse, sociable et toujours partante pour toute aventure. Sûrement un voyageur dans l'âme, vous avez continuellement besoin de tout explorer et de faire de belles découvertes. Cependant, vous mettrez l'accent sur le travail cette année. Vous pourriez obtenir un emploi qui vous fera voir de très belles perspectives d'avenir, et vous connaîtrez beaucoup d'avancement tout au long de l'année. Par contre, le temps sera une denrée rare : vous vous sentirez bousculé et parfois déçu de ne pouvoir vous amuser entre amis. Heureusement, avant la fin de l'année, vous ferez les efforts qui s'imposent pour retrouver une dynamique sociale plus cohérente avec vos aspirations. Vous pourriez même vous impliquer dans une activité communautaire pour aider votre prochain tout au long de l'année. Côté cœur, vous préférerez la solitude à la confrontation, vous fuirez les conflits.

Balance ascendant Poissons

Vous êtes une personne qui s'affiche comme étant calme et paisible. Mais, par moments, vous êtes d'une nervosité incroyable et vous gardez tout ça en dedans de vous. Seuls vos proches peuvent être témoins de vos débordements émotionnels. Cette année, vous cesserez toute forme d'isolement, sauf si c'est pour étudier, voyager ou méditer. Vous aurez sûrement la chance d'explorer de nouvelles régions et d'élargir vos horizons ; vous voyagerez aussi bien en avion qu'en voiture et vous serez toujours partant pour faire un *nowhere* ainsi que des *road trips*. Si vous êtes de nature spirituelle, vous développerez considérablement non seulement vos connaissances, mais aussi vos dons, et vous vivrez plus d'une expérience extraordinaire, vous mettant pratiquement en contact avec Dieu. Au travail, vous pourriez suivre une formation qui ouvrira la porte à une carrière beaucoup plus intéressante, laquelle vous permettra de bâtir une vaste clientèle.

BALANCE – JANVIER

Les meilleurs jours ce mois-ci pour :

- Jouer à la loterie : 26, 27 et 28
- Le social et les jeux en groupe : 3, 4 et 5
- L'amour : 17, 18 et 19
- La sphère professionnelle : 28, 29 et 30

En général

Ouf ! Après des fêtes éreintantes, vivement un peu de cocooning ! Il faudra une situation de force majeure pour vous faire sortir de la maison ce mois-ci. De plus, vous pourriez entreprendre quelques travaux à la maison, ne serait-ce que changer la couleur sur les murs afin de donner un peu plus de valeur à votre demeure. D'ailleurs, vous pourriez aussi envisager la vente de celle-ci prochainement, et vous entreprendrez un *home staging* qui lui donnera un charme indéniable.

Travail – Finances

La nouvelle année pourrait bien vous inspirer un nouveau départ ! Notamment, vous aurez écho de la possibilité d'entreprendre un projet qui s'amorcera dans le confort de votre foyer. Il est possible aussi qu'il s'agisse d'une affaire à développer avec des membres de la famille. Vous saurez comment rassembler les gens et leur vendre votre idée. Vos arguments seront solides ! Que ce soit pour l'entreprise ou pour une cause, vous serez très efficace dans une collecte de fonds.

♥♥ Amour – couple

Pour passer du rêve à la réalité, il suffit de faire quelques petits efforts, et la chambre à coucher pourrait se transformer en un univers des plus romantiques pour vous permettre de vivre pleinement la passion entre vous. Même si votre couple a de nombreuses années derrière lui, il y aura des efforts de part et d'autre qui s'appliqueront, et votre relation sortira alors de l'ordinaire.

♥ Amour – Célibataire

Le prince charmant se fera sûrement attendre, du moins jusqu'à la fin du mois. Si vous entretenez une fréquentation depuis un certain temps, il est possible que cette personne commence à se surpasser en romance à votre endroit. Vous aurez sûrement droit à quelques bons repas concoctés avec amour et délicatesse. Évidemment, elle s'empressera aussi de vous offrir un bon massage. Sauf qu'il faudra être clair concernant vos sentiments pour éviter les malentendus.

Santé

Vous pourriez être coincé avec un petit rhume ou une bonne grippe au cours des premiers jours de janvier. Ce sera en changeant temporairement, ou de façon permanente, votre alimentation que vous commencerez à vous sentir mieux. Il y a sûrement de vieilles habitudes qui viennent de votre enfance et qui ne demandent qu'à être changées !

BALANCE – FÉVRIER

Les meilleurs jours ce mois-ci pour :

* Jouer à la loterie : 23, 24 et 25
* Le social et les jeux en groupe : 1, 27 et 28
* L'amour : 3, 4 et 5
* La sphère professionnelle : 25, 26 et 27

En général

Vous vous retrouverez au centre de toute l'attention. Les projecteurs se dirigeront dans votre direction, que vous le souhaitiez ou non, et l'on pourrait même vous imposer de monter sur un piédestal. Attendez-vous aussi à de chauds applaudissements, vous mériterez une médaille. Cela signifie qu'il faudra possiblement que vous prononciez un discours. À ce sujet, vous aurez à faire valoir quelques arguments corsés avec certaines personnes, du moins pour vous faire respecter.

Travail – Finances

Très souvent, la Balance est un excellent vendeur : vous êtes le digne représentant de l'équilibre et vous réussissez à satisfaire tout le monde en créant l'harmonie autour de vous. Peu importe votre domaine professionnel, vous exprimerez quelque chose qui ne passera pas dans l'oreille d'un sourd et qui vous placera en excellente position pour obtenir une promotion. Évidemment, si vous n'avez pas tous les diplômes nécessaires, les jaloux se manifesteront : vous devrez apprendre à défendre votre nouvelle position.

Amour – couple

La communication est essentielle dans une relation harmonieuse. Vous devriez avoir une certaine facilité à discuter de ce qui vous passionne et à exprimer vos désirs ainsi que des mots d'amour. Par contre, lorsqu'il vient le temps de parler des tâches et des obligations à la maison, les choses se corsent et l'harmonie devient plus difficile à préserver. De plus, il est possible que vous semiez un peu de confusion autour de vous, ce qui apportera une situation conflictuelle vers la toute fin du mois. L'un avait cru que l'autre avait promis tel ou tel truc, alors que ce n'était pas ça du tout !

Amour – Célibataire

Vous vous ferez sûrement aborder plus d'une fois dans la rue. Les regards se tourneront vers vous à plusieurs reprises, vous dégagez un magnifique magnétisme qui vous rend irrésistible. Intègre et juste de nature, vous ne vous investirez pas dans une histoire où l'autre est déjà engagé, et pas davantage avec une personne qui travaille avec vous, surtout le patron ; pas question, donc, de vivre une histoire qui pourrait montrer des apparences de conflit d'intérêts. Bref, il semble difficile de s'engager dans une histoire d'amour parfaitement propre, en quelque sorte.

Santé

L'apparence, la peau et la vitalité ne sont trop souvent que la pointe de l'iceberg d'un problème caché plus profondément. Heureusement, vous devriez réussir à extérioriser un état d'âme qui commençait à vous faire la vie dure. Par exemple, un problème de mauvaise haleine peut être causé par des troubles digestifs. Vous aurez ainsi beaucoup plus de facilité à déceler la cause d'un problème, et la corriger rapidement.

BALANCE – MARS

Les meilleurs jours ce mois-ci pour :

* Jouer à la loterie : 22, 23 et 24
* Le social et les jeux en groupe : 26, 27 et 28
* L'amour : 17, 18 et 19
* La sphère professionnelle : 15, 16 et 17

En général

Vous aurez une foule de petits détails à régler qui presseront autant les uns que les autres. Il est possible aussi que vous deviez effectuer quelques travaux sur la maison : ce peut être en lien avec la plomberie ou encore avec ce qui touche principalement le sous-sol. Il n'est pas rare de voir des fissures apparaître dans certaines fondations en cette période de l'année où il y a du gel et du dégel. Vous pourriez apprendre que la famille va s'agrandir, vous pourriez tomber enceinte, ou alors ce sera plutôt un de vos enfants qui vous annoncera que vous serez grands-parents bientôt. Bref, en ce moment, la cigogne tourne autour de votre famille.

Travail – Finances

Vous pourriez être mandaté pour entreprendre d'importantes négociations avec un groupe de gens, un syndicat par exemple. Il y a fort à parier que vous devrez également vous adresser devant une foule, bien malgré vous. Vous pourriez aussi régulariser votre situation si vous avez quelques problèmes avec l'impôt, les taxes, des permis et autres. De plus, il ne serait pas étonnant que vous puissiez vous établir un bureau à la maison qui soit très fonctionnel, mais vous aurez besoin d'être patient avant de vous considérer comme opérationnel.

Amour – couple

La liberté est essentielle pour vous ; si vous étouffez depuis plusieurs années dans votre relation, vous pourriez très bien entreprendre certaines initiatives promptement. Vous pourriez aussi choisir la manière douce, ce qui devrait vous ressembler davantage, en transportant votre union à quelques reprises dans un contexte plus social afin d'y débattre de sujets délicats. Vous avez besoin d'être entouré un peu plus souvent d'amis et de participer à des activités ensemble.

♥ Amour – Célibataire

Vous serez des plus populaires, peu importe où vous vous trouvez. Les prétendants à votre cœur se multiplieront à mesure que le mois avancera, et on pourrait même vous mettre un peu de pression pour faire un choix. Cependant, ne laissez pas les autres décider à votre place, seul votre cœur a la bonne réponse : tâchez de l'écouter attentivement. De plus, il n'y a rien qui presse, vous avez amplement le droit de donner une petite chance à chaque prétendant de vous impressionner.

Santé

Un régime amaigrissant pourrait vous demander un petit ajustement, et surtout beaucoup de persévérance pour qu'il soit efficace. Prudence si vous ne portez pas des bottes antidérapantes : il y a certainement une plaque de glace qui n'attend que ça pour vous faire perdre pied. Si vous avez accumulé de la fatigue, votre corps vous imposera de rester cloué au lit au moins une bonne grosse journée ce mois-ci.

BALANCE – AVRIL

Les meilleurs jours ce mois-ci pour :

* Jouer à la loterie : 18, 19 et 20
* Le social et les jeux en groupe : 22, 23 et 24
* L'amour : 14, 15 et 16
* La sphère professionnelle : 20, 21 et 22

En général

On vous demandera de prendre des décisions rapidement, alors que vous auriez bien aimé peser le pour et le contre au préalable. Vous aurez l'impression de devoir dire oui à tout le monde et qu'il vous est totalement impossible de refuser quoi que ce soit, même si cela exige une contorsion extraordinaire dans votre disponibilité.

Ce mois-ci, il sera possible de faire des changements en profondeur en ce qui concerne quelques mauvaises habitudes à la maison. De plus, les membres de la famille seront passablement exigeants à votre endroit.

Travail – Finances

Vous réaliserez des miracles au bureau pour que l'atmosphère de travail soit plus harmonieuse et surtout profitable pour tout le monde. Vous pourriez être sérieusement impliqué dans des négociations syndicales qui pourraient perturber votre vie de famille d'une manière ou d'une autre. D'ailleurs, la conciliation travail-famille, c'est un problème auquel bien des familles doivent faire face. Vous devriez parvenir à établir un compromis qui satisfera tout le monde, d'autant plus que vous pourriez même obtenir une promotion.

Amour – couple

Excellente période pour ajuster vos positions dans la maison et établir un meilleur équilibre dans le partage des tâches, par exemple. Il est possible que la sensibilité fasse un peu défaut : évitez de vous laisser emporter par cette situation pour l'instant, vous n'arrangeriez pas les choses de toute manière en éclatant de colère. Il faut aussi vivre la routine avec un peu de fantaisie pour ne pas laisser endormir la passion entre vous. Vous devriez être en mesure de trouver des pistes de solution pour retrouver le chemin de la satisfaction sur les plans affectif et sexuel.

Amour – Célibataire

Il y aura sûrement une belle rencontre lorsque vous serez à l'heure du lunch dans un resto avec quelques collègues, par exemple. Vous vous ferez discret et vous laisserez cette personne vous séduire un moment, histoire d'apprendre à vous connaître. Mais rapidement, vous pourriez vous présenter respectivement les membres de votre famille. Il est possible aussi que vous puissiez renouer avec un ex, surtout si vous avez eu des enfants ensemble. Peut-être qu'un ami d'enfance vous fera une grande déclaration d'amour.

Santé

Vous aurez envie de vous refaire une beauté ! Peut-être envisagerez-vous très sérieusement un régime amaigrissant pour vous permettre de porter avec fierté votre maillot de bain cet été. Vous pourriez entreprendre des démarches pour avoir recours à une chirurgie esthétique. Quelques troubles digestifs se feront sentir, mais de petits changements dans vos habitudes alimentaires régleront le tout.

BALANCE – MAI

Les meilleurs jours ce mois-ci pour :

* Jouer à la loterie : 15, 16 et 17
* Le social et les jeux en groupe : 19, 20 et 21
* L'amour : 11, 12 et 13
* La sphère professionnelle : 17, 18 et 19

En général

Vous pourriez avoir les émotions à fleur de peau pour toutes sortes de raisons ; vous êtes particulièrement sensible, mais vous pourriez aussi être tenté de camoufler cet état d'âme. Les différents mouvements de nature spirituelle sont en effervescence : vous pourriez très bien vous joindre à un groupe avec qui vous ressentirez une forme de bonheur. Si vous êtes aux études en ce moment, il faudra mettre les efforts nécessaires pour réussir et aspirer à atteindre un niveau de vie conforme à vos objectifs.

Travail – Finances

Lorsque les changements sont inévitables, vous vous sentez bousculé pour les appliquer. Vous devrez possiblement aller suivre une formation pour être à la page. Il y aura un contrat à renégocier, ou vous vous démènerez pour obtenir un horaire de travail plus convenable. Vous cherchez un emploi ? Vous réussirez à ouvrir une porte dans une grande entreprise, dans la fonction publique, du moins là où les salaires et les avantages sociaux sont très intéressants. Toutefois, il faudra passer à travers des examens qui pourraient bien être des plus stressants. Avant d'entreprendre cette brillante carrière, on vous demandera probablement de retourner sur les bancs d'école.

♥♥ Amour – couple

Il y a de bonnes chances que vous vous organisiez un beau voyage en amoureux, histoire de renouer un peu plus avec la passion et le désir. De plus, vous serez en mesure d'envisager un avenir beaucoup plus intéressant entre vous, vous avez besoin de faire des pas importants, que votre relation soit toute jeune ou non. Si vous êtes ensemble depuis longtemps, il arrive parfois de ressentir un peu d'insécurité. Accordez-vous du temps de qualité pour obtenir l'affection dont vous avez besoin.

♥ Amour – Célibataire

Vous attirerez davantage des gens d'une autre nationalité, ou alors vous rencontrerez de grands voyageurs, des gens d'une grande culture que vous trouverez fascinants. D'ailleurs, ce sera peut-être bien en voyage que vous serez frappé par le coup de foudre. Si vous avez de jeunes enfants, ils se mêleront de vos histoires d'amour et ils auront la sagesse de vous guider vers le bon choix. Il ne serait pas étonnant de connaître quelques petites difficultés avec un ex, surtout si vous avez eu une maison ou des enfants ensemble.

⊞ Santé

Il y a des jours où vous débordez d'énergie, alors qu'à d'autres moments vous risquez d'être passablement épuisé : un débalancement hormonal, tel que la glande thyroïde, serait à l'origine du problème. Avec la belle saison qui s'en vient, c'est le temps de vous débarrasser de vos mauvaises habitudes pour retrouver une meilleure santé et une vie plus saine. Vous êtes en excellente position pour réussir à abandonner toute forme d'accoutumance.

BALANCE – JUIN

Les meilleurs jours ce mois-ci pour :

- Jouer à la loterie : 12, 13 et 14
- Le social et les jeux en groupe : 16, 17 et 18
- L'amour : 20, 21 et 22
- La sphère professionnelle : 14, 15 et 16

En général

Même si vous vivez une situation qui demande beaucoup de sérieux, un grand sens des responsabilités ou encore qui n'est pas des plus agréables, malgré tout vous réussirez à trouver le mot pour rire, à faire le bouffon et à amuser toute la galerie. Vous serez toujours partant pour des activités du genre rallye, histoire de vous mettre au défi et de ranimer le sens de la compétition en vous. L'été s'annonce très amusant, mais vous ne le verrez pas passer, le temps sera une denrée rare.

Travail – Finances

Impossible de ralentir : il y aura des travaux et des projets avec des échéances très serrées, et la gestion de votre temps sera complexe. Vous vous retrousserez les manches devant toute situation que vous mènerez avec succès jusqu'au bout. Vers la fin du mois, vous serez enfin en mesure de déléguer une partie de vos tâches. Si vous craignez des compressions de postes dans l'entreprise, non seulement vous ne serez pas touché, mais vous pourriez également vous retrouver dans une position supérieure par intérim. Un retour aux études est possible au cours de l'été. Vous aurez une belle occasion de carrière une fois que vous aurez reçu votre diplôme.

Amour – couple

Il est peu probable que vous soyez en mesure de vous accorder du temps de qualité au cours des premières semaines de juin. Mais ce n'est certainement pas une question de manque d'intérêt. Au contraire, vous êtes peut-être même en cours de réalisation d'un projet que vous aviez planifié ensemble, vous et votre amoureux. La sexualité est un élément essentiel dans une vie de couple, alors il est important de prendre le temps de comprendre cet aspect entre deux personnes et de trouver les solutions qui s'imposent s'il y a le moindre problème.

Amour – Célibataire

Le coup de foudre pourrait se manifester au moment où vous vous y attendiez le moins. Si votre dernière séparation n'est pas encore totalement réglée, vous pourriez avoir besoin de mettre la situation entre les mains d'un avocat. Cela ne vous donne pas le goût d'entreprendre une nouvelle relation. Vers la toute fin du mois, vos amis finiront bien par vous convaincre de les accompagner dans des 5 à 7.

Santé

Vous êtes généralement une personne soucieuse de son apparence, vous pourriez connaître des problèmes avec votre peau. Vous essayerez quelques produits naturels pour remédier à cette situation avant de décider d'aller consulter un médecin. Le stress en est probablement la cause, et peut-être que le fait de vous détendre serait extrêmement bénéfique à long terme.

BALANCE – JUILLET

Les meilleurs jours ce mois-ci pour:

* Jouer à la loterie: 9, 10 et 11
* Le social et les jeux en groupe: 13, 14 et 15
* L'amour: 5, 6 et 7
* La sphère professionnelle: 2, 3 et 4

En général

Vous serez particulièrement actif et même survolté par moments, vous avez besoin de bouger et de faire des activités sportives, de la marche en montagne, par exemple, pour mieux canaliser vos énergies. Un peu de méditation ne vous ferait pas de tort, et cela vous aidera à avoir un contact privilégié avec votre spiritualité. Vous trouverez probablement un groupe qui vous permettra de vivre de belles activités ou même de prendre des vacances avec tous vos proches. Évitez de vous investir trop lourdement dans la décoration ou le paysagement à la maison, essayez plutôt de vous détendre.

Travail – Finances

Vous aurez beaucoup de gens à servir, et il y aura donc inévitablement un stress important à supporter. D'ailleurs, il s'agira possiblement d'une clientèle plutôt multiethnique, et ce sera une bonne expérience. Peut-être faudra-t-il que vous réussissiez à maîtriser une autre langue. Ainsi, les dures journées de travail passeront plus rapidement et seront une importante source de motivation. Vous aurez le sentiment d'être utile, ce qui engendrera aussi un certain désir de développer vos ambitions: vous aurez le goût d'aller plus loin.

♥♥ Amour - couple

Si votre relation est toute récente, chacun de vous deux pourrait commencer à s'installer de plus en plus confortablement chez l'autre. Même si vous êtes un peu angoissé par le fait que votre environnement est envahi par ce nouveau partenaire, vous serez surpris de la facilité que vous aurez à vous adapter à sa présence quotidienne. Ce sera à travers des moments magiques que vous vous échangerez de l'affection en abondance.

♥ Amour - Célibataire

Il est clair que si un de vos collègues vous demande de travailler sur un dossier en dehors des heures de bureau, ce sera principalement pour apprendre à vous connaître autrement et surtout pour vous faire des avances plus ouvertement. Un étranger sur le Net vous fera sûrement une belle déclaration d'amour, mais loin des yeux loin du cœur, dit-on! Cette romance s'estompera au fur et à mesure que le temps avancera si ni l'un ni l'autre ne font de projet pour s'expatrier.

➕ Santé

De deux choses l'une, ou bien vous débordez d'énergie et vous êtes incapable de vous arrêter, ou alors vous cherchez votre souffle continuellement et vous avez besoin de dormir constamment. Si vous faites beaucoup d'exercice, il y a de bonnes chances que vous souffriez de courbatures graves. Toutefois, bouger est bénéfique: vous améliorerez considérablement votre santé.

BALANCE – AOÛT

Les meilleurs jours ce mois-ci pour:

- Jouer à la loterie: 6, 7 et 8
- Le social et les jeux en groupe: 10, 11 et 12
- L'amour: 23, 24 et 25
- La sphère professionnelle: 26, 27 et 28

En général

Vous aurez besoin de vous gâter, de renouveler votre garde-robe pour l'automne, de changer de coiffure et de vous accorder des soins thérapeutiques ou esthétiques. Il est possible que vous éprouviez une petite déception en lien avec un de vos amis, il s'agit sûrement d'une histoire d'argent. Les bons comptes font les bons amis, dit-on! Si vous prenez des vacances en famille, elles ne seront pas de tout repos, vous aurez tendance à vouloir tout voir et à faire tout essayer à vos enfants. N'attendez pas à la dernière minute pour aller acheter les fournitures scolaires pour la rentrée, sinon vous vous retrouverez en pleine cohue, ce qui haussera inutilement votre niveau de stress.

Travail – Finances

Vous êtes en excellente position pour développer une clientèle bien plus vaste, un réseau de contacts plus fiable et un cercle social qui vous apportera des dividendes à plus long terme. Vous connaîtrez une soudaine popularité, mais qui ne rapportera pas dans l'immédiat, ce qui vous causera peut-être quelques soucis financiers. Vos talents seront recherchés aussi bien par des individus que par des groupes et des grandes sociétés. Peut-être serez-vous impliqué dans une histoire politique ou publique très particulière.

♥♥ Amour – couple

Il ne serait pas étonnant que vous profitiez de vos vacances pour peaufiner votre petit nid d'amour, surtout si vous avez emménagé ensemble dernièrement. Heureusement, vous devriez aussi placer à l'agenda quelques moments intimes plus intéressants. Vous aurez également besoin de sortir de la maison et d'entretenir une vie sociale active. Si votre relation est toute jeune, vous aurez besoin de faire un pas vers un engagement plus sérieux, autrement vous pourriez très bien décider d'arrêter maintenant cette histoire.

♥ Amour - Célibataire

Vous pourriez envisager de rester célibataire pendant un certain temps, et c'est toujours dans ces moments-là que Cupidon vient frapper. Vous aurez besoin de quelques rendez-vous avec cette personne avant de bien comprendre ce qui se passe à l'intérieur de vous. Vous ne saurez pas toujours comment interpréter les sentiments que vous ressentez, ne sachant s'ils sont bons ou mauvais. Il y aura, de plus, possiblement une différence d'âge ou une forme de tabou entre vous.

Santé

Le stress et quelques soucis risquent de mettre vos batteries à plat rapidement. Il sera donc important de vous réserver autant que possible des moments où vous pourrez prendre du repos et vous détendre. Il faudra également faire attention à la déshydratation : vous êtes susceptible d'en souffrir si la chaleur ne vous affecte pas trop. De plus, il serait sage de votre part d'éviter l'alcool et le café.

BALANCE – SEPTEMBRE

Les meilleurs jours ce mois-ci pour :

* Jouer à la loterie : 2, 3 et 4
* Le social et les jeux en groupe : 6, 7 et 8
* L'amour : 19, 20 et 21
* La sphère professionnelle : 22, 23 et 24

En général

Vous aurez l'impression, au cours de la première partie de septembre, d'avoir besoin d'un deuxième café le matin pour être fonctionnel. Vous ressentirez une forme de confusion omniprésente qui vous laissera souvent perplexe, songeur et rêveur aussi ! Votre esprit aura tendance à s'égarer régulièrement, mais vous pourriez aussi en bénéficier : votre imagination sera débordante, et vous pourriez vous lancer dans la création d'un grand chef-d'œuvre, notamment. Vous ferez aussi preuve d'une immense compassion devant une situation qui vous touche ou qui vous tient à cœur.

Travail – Finances

Selon votre secteur d'activité, vous pourriez être victime de mises à pied. Si vous êtes à la recherche d'un emploi, vous devrez être patient même si l'entrevue s'est plutôt bien déroulée. On ne vous rappellera pas rapidement. De plus, les conditions risquent de ne pas être celles que l'on vous a fait miroiter au départ. Il est possible que vous investissiez un montant d'argent avant d'entreprendre de nouvelles activités, ne serait-ce que pour de nouveaux vêtements qui vous mettraient en valeur, par exemple.

Amour – couple

N'ayez pas peur de préparer la maison pour accueillir votre amoureux comme un roi, il saura vous préparer une surprise à son tour. Il suffit d'installer une ambiance romantique pour que le désir de vous échanger des caresses se manifeste automatiquement. L'aspect financier a souvent tendance à imposer une forme de stress au cœur d'une relation amoureuse, mais vous prenez conscience que votre amour ne devrait pas être soumis à cette pression.

Amour – Célibataire

Vous aurez tendance à attendre le prince charmant, du moins à établir une liste claire de ce que vous recherchez dans une relation amoureuse. Vous mettrez davantage d'efforts dans la visualisation plutôt que dans l'action pour chercher un partenaire. Vous pourriez succomber aux avances d'un ami avec qui vous échangerez un brin d'affection, mais les sentiments amicaux risquent d'être incompatibles avec la suite des événements.

Santé

Prenez le temps de passer un bilan de santé préventif. Vous y retrouverez un personnel efficace ainsi que beaucoup moins d'attente que dans les années passées. De plus, on mettra facilement le doigt sur le problème si on découvre quelque chose, et les traitements agiront promptement. Vous pourriez également ressentir des troubles de sommeil. Si vous prenez une médication, assurez-vous qu'elle ne provoque pas d'accoutumance.

BALANCE – OCTOBRE

Les meilleurs jours ce mois-ci pour:

* Jouer à la loterie: 26, 27 et 28
* Le social et les jeux en groupe: 3, 4 et 5
* L'amour: 17, 18 et 19
* La sphère professionnelle: 28, 29 et 30

En général

L'idée de vendre ou d'acheter une propriété pourrait vous traverser l'esprit. D'ailleurs, vous pourriez vous lancer dans une recherche importante à ce sujet, au point de préparer un budget très précis, histoire d'évaluer la faisabilité de ce projet. Vous développerez un lien différent concernant les possessions matérielles et l'argent, et il ne serait pas impossible que vous entrepreniez des démarches vers une spiritualité plus importante dans votre vie. Plus simplement, vous vous investirez dans une nouvelle passion qui pourrait certainement être en lien avec l'art culinaire.

Travail - Finances

L'aspect de la finance dominera ce mois-ci. Une situation en lien avec un gain ou une perte sera le défi à relever pour l'entreprise, particulièrement s'il s'agit de votre propre affaire. Un projet pourrait être retardé faute de financement. Ce n'est surtout pas le moment d'abandonner. Au contraire, enfilez vos plus beaux habits, affichez votre charisme et votre entregent, cela devrait vous permettre d'établir de nouvelles relations de travail qui vous seront profitables rapidement. La patience sera le secret de votre succès.

♥♥ Amour - couple

Vous ne parviendrez pas à obtenir entière satisfaction sur le plan affectif si vous n'arrivez pas à vous comprendre clairement. Vous devez parler et échanger avec sincérité. Ensuite, vous serez heureux de profiter des largesses de votre amoureux en ce qui concerne l'affection. Il vous fera sûrement de belles promesses, sans toutefois vous en dévoiler entièrement le contenu. Du moins, vous pourriez comprendre entre les lignes qu'il désire vous emmener en voyage.

♥ Amour - Célibataire

Vous recevrez de nombreuses invitations à sortir, et les prétendants seront tous plus intéressants les uns que les autres. Vous ne parviendrez pas facilement à faire un choix. Il y en aura bien un qui réussira à vous attendrir et à vous faire vivre de belles émotions. Ce ne sera probablement pas le grand amour, mais vous apprécierez sa compagnie durant quelques rendez-vous. En fait, vous pourriez tomber sur une personne qui cherche à se faire materner, et ce n'est pas ce que vous avez besoin de vivre.

Santé

À la suite d'une prise de poids malgré une diète sévère ou beaucoup d'exercice, vous devriez revoir votre alimentation et éliminer certaines toxines qui vous empoisonnent depuis longtemps. Le gras, le sel, certains médicaments et l'alcool pourraient bien disparaître de vos habitudes : faites de la place à une nutrition beaucoup plus élaborée.

BALANCE – NOVEMBRE

Les meilleurs jours ce mois-ci pour :

* Jouer à la loterie : 23, 24 et 25
* Le social et les jeux en groupe : 27, 28 et 29
* L'amour : 18, 19 et 20
* La sphère professionnelle : 25, 26 et 27

En général

Vous commencerez sûrement déjà vos emplettes pour le temps des fêtes, du moins vous établirez votre liste de cadeaux et penserez au budget nécessaire. Vous n'aurez pas la langue dans votre poche : vous direz tout haut ce que pensent les autres tout bas, particulièrement si vous devez faire la discipline parmi un groupe de jeunes. Il ne sera pas toujours facile de s'entendre avec les gens en général, tout le monde semble vouloir vous contredire alors que vous êtes le signe de l'harmonie. Vous devrez aussi débourser une somme importante pour un membre de la famille.

Travail – Finances

On pourrait vous proposer de vous joindre à l'entreprise familiale. Qu'il s'agisse de votre propre famille ou non, vous apprécierez considérablement l'ambiance de travail dynamique. Les négociations seront tendues et il y aura aussi beaucoup d'incompréhension, ou alors il manquera trop de détails pour conclure quoi que ce soit. Attention, vous pourriez démontrer des signes d'impatience auprès de bons clients, et ce n'est pas nécessairement souhaitable.

♥♥ Amour – couple

Si vous êtes en couple depuis de nombreuses années, vous traverserez peut-être une période de profond désintérêt dans votre relation. Heureusement, avant de vous rendre à la séparation, vous aurez l'idée géniale d'entreprendre une thérapie de couple. Du moins, vous réussirez à ouvrir le dialogue pour exprimer ouvertement vos sentiments et vos aspirations. Peut-être qu'un recul sera nécessaire, entre autres le fait de retrouver une vie sociale plus active, et vous réussirez enfin à retrouver la voie du désir et de la passion avec l'être aimé.

♥ Amour – Célibataire

Si vous invitez un soir un de vos prétendants à prendre un dernier petit café, il est possible qu'il ne parte plus de chez vous tant vous en aurez à vous raconter. Il s'agira possiblement d'un ami ou d'une connaissance, et vous découvrirez son charme sous une nouvelle perspective. Étant une personne prudente avec ses sentiments, vous n'accorderez à cette personne que le statut de fréquentation pendant un bon moment. Vous avez encore besoin de votre liberté.

Santé

Il y aura sûrement quelques occasions de faire la fête, notamment les partys de bureau qui s'organisent ; il est possible que vous ne tolériez pas l'alcool, à votre plus grand désarroi. Vous êtes sensible aux virus du rhume et de la grippe, ou encore c'est votre foie qui montrera des signes de fatigue, provoquant ainsi une forme de congestion des sinus. Si vous ne prenez pas le temps de vous reposer suffisamment, il est clair que votre système immunitaire flanchera et le repos deviendra ainsi obligatoire.

BALANCE – DÉCEMBRE

Les meilleurs jours ce mois-ci pour:

* Jouer à la loterie: 20, 21 et 22
* Le social et les jeux en groupe: 24, 25 et 26
* L'amour: 16, 17 et 18
* La sphère professionnelle: 13, 14 et 15

En général

Il y aura beaucoup de déplacements à faire, période oblige. Assurez-vous d'avoir un plan B si vous prenez de l'alcool et que vous devez conduire. L'ambiance sera certainement à la fête, vous vous amuserez pleinement, vous aurez du plaisir comme jamais, mais évitez d'aborder des sujets plus épineux qui ont fait l'objet d'un conflit ou d'une controverse familiale durant l'année. Les tensions peuvent être encore vives, et on risque d'avoir la mèche plutôt courte. Vous serez certainement capable de vous surpasser en cuisine, en décoration et dans les surprises.

Travail – Finances

Si vous jouez le moindrement avec l'immobilier, vous pourriez faire des affaires d'or. Les communications s'annoncent plus compliquées. Il y aura certainement beaucoup de monde en vacances, faisant en sorte que vous ne pourrez pas obtenir certaines réponses à vos questions. Tâchez alors de récupérer le plus d'informations possible avant les fêtes. Des collègues manifesteront certaines incompréhensions au bureau, et vous vous retrouverez avec un surplus de travail. Heureusement, cette situation vous apportera la possibilité de prendre congé dans un moment plus opportun.

♥♥ Amour – couple

Mieux vaut se taire si vous n'avez que des critiques à émettre à l'endroit de votre amoureux. Vous comprendrez beaucoup plus aisément les marques d'affection tout en douceur une fois bien installé sous les couvertures. Si votre couple a pris quelques mauvais plis au fil des années, notamment celui de vous échanger de moins en moins d'affection, vous prendrez le taureau par les cornes en envisageant peut-être même une thérapie de couple.

♥ Amour – Célibataire

Vous pourriez établir des contacts intéressants en naviguant sur votre site de rencontre préféré. Vous réussirez à échanger quelques messages, des courriels et même une conversation téléphonique avec un ou plusieurs prétendants. Si vous avez de jeunes enfants, votre ex pourrait très bien tenter de vous reconquérir. Il aimerait sûrement revivre la magie de Noël en famille, et vous ne serez pas insensible à ses avances. Vous pourriez aussi repartir sur de nouvelles bases.

✚ Santé

Ce sont principalement vos voies respiratoires qui semblent fragiles en ce moment. Essayez d'éviter de vous exposer non seulement aux virus du rhume et de la grippe, mais aussi à une atmosphère néfaste et polluée. Pourquoi ne pas vous accorder quelques jours de congé pour vous ressourcer et récupérer d'un gros rhume ? Votre alimentation est à surveiller, sinon vous vivrez une fatigue supplémentaire en surchargeant votre foie.

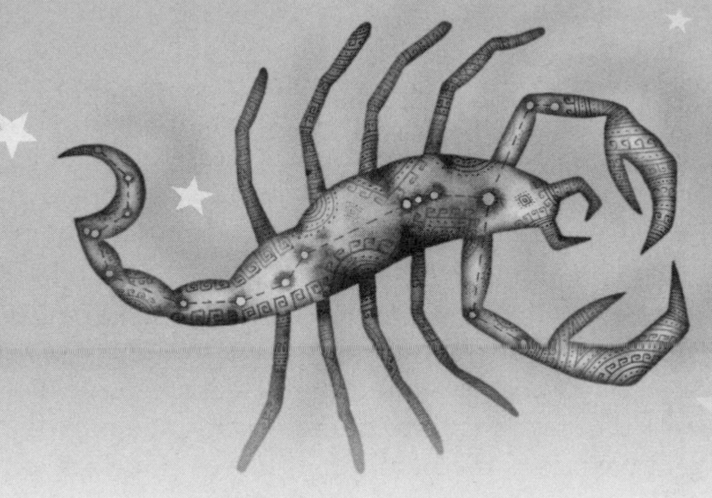

Scorpion

(du 23 octobre au 21 novembre)

Mikaël Aubry, Luc Faubert, Évelyn Girard, Hélène Houle

En tant que bon Scorpion, vous avez certainement connu quelques crises existentielles qui vous ont conduit à tout détruire pour mieux rebâtir. Vous en êtes maintenant au moment où il est temps de reconstruire sur des bases solides, de vous créer un sentiment d'appartenance, d'exprimer vos opinions, de vous offrir un but, d'explorer la vie, etc. Bref, vous avez tout le potentiel pour trouver le bonheur, du moins la joie de vivre. La noirceur ne sera plus omniprésente dans votre vie, vous choisirez la lumière la plus éblouissante que vous n'avez jamais connue. Il y aura toujours des responsabilités dans votre quotidien, mais il est temps de voir au-delà, de constater que le monde est bien plus vaste que le fond de votre cour arrière, et vous réaliserez que vous êtes fortement apprécié partout où vous passez.

L'action sera au rendez-vous : tous vos projets se réaliseront et vous réussirez à bâtir un univers dans lequel vous naviguerez avec confiance et avec plaisir. Au fond, avec Jupiter dans votre signe jusqu'en novembre, vous pouvez tout vous permettre. Il s'agit d'une année exceptionnelle qui vous fera vivre mille et une sensations, une foule d'expériences et surtout des moments extraordinaires. Évidemment, il est possible aussi qu'il y ait des événements que l'on pourrait qualifier de dramatiques de temps à autre, mais ils ne surviennent que pour vous offrir l'occasion de vous replacer dans une voie plus intéressante.

Vous devriez avoir la possibilité de voyager, de vivre une découverte exceptionnelle qui transformera votre vie ; vous explorerez des avenues qui vous avaient échappé dans le passé. Peut-être voyagerez-vous aussi dans une sphère psychique en explorant le subconscient, vos dons médiumniques et vos pouvoirs extrasensoriels. Bref, vous aurez droit à passablement d'action qui vous apportera plaisir, joie de vivre et de belles expériences.

Cette année-ci est synonyme de renouveau en quelque sorte ; ainsi, sur le plan professionnel, vous aspirerez à une croissance considérable pour atteindre le bonheur ou une évolution personnelle à travers votre travail. Notamment, vous pourriez vouloir lancer votre propre affaire, mais ce sera aussi dans la continuité que vous connaîtrez des résultats. En effet, il n'est pas toujours nécessaire de tout bousculer ou de faire table rase pour poursuivre vos aspirations. Ce sera probablement dans le cadre de votre travail actuel que vous connaîtrez un débouché fort intéressant.

Pour connaître cet avancement, vous devrez inévitablement prévoir à votre agenda une formation quelconque. Vous suivrez des cours du soir qui ne seront pas nécessairement un fardeau, mais ce sera tout de même un apprentissage important et il ne faudra négliger aucun effort pour réussir. De plus, en suivant la formation étape par étape, vous réussirez facilement à maîtriser les connaissances que l'on vous enseignera, il ne vous suffira que d'être ponctuel et rigoureux dans votre méthodologie pour atteindre vos objectifs.

Si vous cherchez de l'emploi, peut-être sera-t-il nécessaire de suivre une formation pour décrocher enfin un boulot conforme à vos ambitions. Le Scorpion étant un signe d'eau, il arrive souvent que vous vous laissiez guider par vos émotions et que celles-ci ne vous amènent pas toujours vers les meilleurs choix professionnels. La raison et la lucidité ne sont pas un gage de réussite, mais vous serez capable de peser le pour et le contre entre différentes options professionnelles et faire des choix judicieux qui vous conduiront vers un avenir très intéressant.

Ce sera en développant votre entregent que vous réussirez à décrocher un emploi qui vous apportera une certaine abondance. En premier lieu, vous cernerez plus clairement vos ambitions et vous réaliserez que vous êtes une personne d'action ; il vous faudra un boulot qui ne vous demandera pas d'être assis derrière un bureau de 9h à 5h. Les voyages et l'enseignement pourraient s'avérer intéressants, ainsi que toute forme d'enquête. Peut-être serez-vous appelé par les gouvernements et la fonction publique dans un poste de travail social, du moins vous serez responsable d'un groupe. Une fois installé dans votre nouvel emploi, vous aurez besoin de l'année 2018 dans son ensemble pour y être à l'aise. De plus, vous réussirez aussi à accomplir un exploit quelconque dès les premières semaines, ce qui vous apportera ainsi une notoriété spectaculaire. Il faudra attendre l'année suivante pour récolter les fruits de vos labeurs, mais vous en aurez sûrement une bonne idée lorsque vous toucherez un généreux boni tout juste avant les fêtes.

Sentimentalement, l'année sera remplie d'action. Si vous êtes en couple et que tout va bien entre vous, vous n'avez rien à craindre, au contraire, vous connaîtrez clairement un regain passionnel et romantique. Vous vous proposerez mutuellement des idées de voyages, d'escapades et d'activités plus dynamiques les unes que les autres. Vous deviendrez de plus en plus un couple fusionnel.

Cependant, si votre histoire d'amour est plutôt usée et qu'il n'y a que des tensions entre vous, vous aurez une poussée d'énergie pour donner une dernière chance à votre couple pour qu'il puisse se poursuivre dans l'harmonie. Vous pourriez aussi avoir l'impression d'être arrivé au bout de la route et qu'il est temps que vos chemins se séparent. Vous passerez sûrement les prochains mois à réfléchir à votre situation. Vers la toute fin de l'année, vous pourriez vous rendre à l'évidence suivante : vous n'avez plus les mêmes sentiments l'un pour l'autre. Vous pouvez quand même demeurer les meilleurs amis du monde en prenant des chemins sentimentaux différents.

Vous êtes célibataire ? Vous devriez découvrir des gens avec qui vous aurez beaucoup de plaisir : ils vous amuseront régulièrement et vous organiserez ensemble des sorties et des activités. Vous pourriez même être invité en voyage par l'un de vos prétendants. Curieusement, vos soirées se termineront davantage en bonnes conversations plutôt qu'avec de grands élans romantiques. Un peu de confusion risque d'amener de la déception, et le *timing* pourrait être problématique par moments. Heureusement, vous réussirez à vivre de belles amitiés qui vous offriront une vie sociale plus active.

Côté santé, période de renouveau ; avec quelques efforts, vous réussirez à vous remettre en forme considérablement. Du moins, vous serez plutôt fier de vous-même et vous pourriez atteindre des objectifs que vous vous étiez fixés concernant votre poids, par exemple, ou vos performances sportives. Vous serez également sujet à de bêtes accidents si vous n'êtes pas prudent ou si vous faites les choses avec précipitation. Notamment, vous pourriez glisser sur une plaque de glace un matin où vous êtes pressé, ou vous cogner la tête contre une porte d'armoire restée ouverte, bref, soyez vigilant.

Vous êtes retraité ? Vous serez passablement proactif pour entreprendre toutes sortes d'activités. Vous vous impliquerez également dans l'organisation d'un voyage ou d'événements que vous ferez régulièrement en groupe. Autant vous aurez besoin d'une vie sociale active, autant vous apprécierez les moments de solitude. De plus, vous apprendrez à être bien avec vous-même dans ce genre de circonstance.

Vos enfants seront d'une grande importance pour vous : vous accorderez une place de choix aux rencontres familiales. Cependant, il faudra faire attention à l'argent, un membre de la famille pourrait vous demander une somme importante et vous ne saurez pas comment refuser, même si cela vous place dans une situation plus précaire financièrement. Dès le début de l'année, il serait bon que vous communiquiez vos intentions et vos projets afin de définir vos besoins financiers et avoir l'esprit libre à ce sujet.

Scorpion et ses ascendants en 2018

Scorpion ascendant Bélier

Vous êtes un Scorpion avec beaucoup de mordant, toujours sur la défensive, mais heureusement vous ne ratez jamais une occasion de vivre pleinement votre vie. Un simple regard de votre part, et vous dégagez tout un charme, un charisme et même une forme d'envoûtement. Vous êtes un séducteur de grand talent, on vous a peut-être même qualifié de manipulateur par moments. Vous êtes clairement une personne très persuasive qui réussit toujours à obtenir ce qu'elle désire. Votre citation préférée pourrait même être : « La fin justifie les moyens. » Vous êtes une personne intègre qui ne tolère aucunement les écarts de conduite. Et cette année, vous serez intransigeant à ce sujet. Même si vous êtes submergé d'émotions, vous aurez l'audace de vous défendre avec conviction, et c'est ainsi que vous serez couronné de succès à la suite d'une situation passablement chaotique.

Scorpion ascendant Taureau

Vous êtes une personne qui affiche parfois des moments d'incertitude, d'insécurité et d'indécision. Vous vous inquiétez pour vos proches et vous faites souvent plus attention à ceux-ci qu'à vous-même. Heureusement, la présence de Jupiter en Scorpion favorisera grandement les prises de décision et vous réussirez à trouver un juste équilibre avec vos proches. De plus, la présence d'Uranus en Bélier depuis quelques années peut avoir malmené votre santé ; heureusement, ce transit tire à sa fin : vous reprendrez du poil de la bête à mesure que l'année avancera. L'amour occupera ainsi une partie plus intéressante puisque vous vous sentirez mieux dans votre peau et vous pourriez renouveler vos vœux officiellement avec l'amoureux. Vous êtes célibataire ? Il vous suffit de fréquenter des endroits où vos amis se réunissent pour découvrir votre âme sœur.

Scorpion ascendant Gémeaux

Vous êtes une personne travaillante, pointilleuse sur les détails et qui n'a jamais la langue dans sa poche. Il y a sûrement un flagrant manque de tact et de diplomatie de votre part, mais vous avez le mérite de dire les choses telles qu'elles sont sans y aller par quatre chemins. Rien ne vous échappe, et certaines personnes auront tendance à vous le reprocher. L'aspect professionnel prendra une très belle tangente, tout changement ne peut que vous être favorable. Ce sera une année de croissance phénoménale : vous décrocherez un boulot qui sera beaucoup plus près de vos valeurs ou en lien avec le domaine de la santé. Il ne serait pas étonnant que vous deviez voyager pour le travail régulièrement. Du moins, vous développerez une clientèle à l'étranger ou qui est d'une culture complètement différente. Vous vous sentirez dépaysé lorsque vous rentrerez au bureau.

Scorpion ascendant Cancer

Vous êtes certainement capable de verser une larme de temps en temps lorsque quelque chose vous touche, mais vous détenez aussi une fierté et un orgueil solides. Vous pouvez surmonter de grandes épreuves et vous faites face à toutes les situations qui se présentent devant vous sans broncher. Vous avez assurément une âme de protecteur, particulièrement si vous avez eu des enfants. Une chose est sûre, si un de vos proches demande de l'aide, vous serez le premier sur place. Vous devrez aussi prendre du temps pour vous-même et apprendre à respecter vos limites. Vous êtes célibataire ? Il ne sera pas toujours facile de départager celui qui voudra passer sa vie avec vous de celui qui ne voudra que profiter d'une nuit. Au travail, on réclamera votre leadership pour détecter les impasses et trouver des solutions. Il ne serait pas impossible que vous rapportiez un gros contrat qui vous assurerait une retraite confortable.

 Scorpion ascendant Lion

Vous avez une nature très familiale ou alors très protectrice. Si vous avez choisi davantage la carrière plutôt que la vie de famille, vous considérez sûrement vos collègues comme des gens qui vous sont chers. Il ne serait pas étonnant que vous passiez non seulement toutes vos journées au bureau, mais également vos soirées, et vous pourriez même aller dormir à l'hôtel à proximité pour reprendre du service très tôt le matin. Vous dégagez une force de caractère époustouflante, vous laissez vraiment une trace partout où vous passez. Votre patron remarquera vos prouesses : il ne cessera de vous pousser à vous surpasser pour que vous progressiez considérablement et que vous veniez vous asseoir à ses côtés. Sentimentalement, la routine a tendance à étouffer la passion : faites quelques efforts pour la retrouver, autrement vous ferez chambre à part rapidement.

 Scorpion ascendant Vierge

Votre sensibilité et votre délicatesse vous permettent d'exprimer les pires énormités sans pour autant passer pour une personne grossière. Au travail, il faudra apprendre à jouer avec votre charme pour accroître votre clientèle. Vous réussirez ainsi à méduser les foules et à envoûter les gens en prononçant des discours devant diverses assemblées. Si vous êtes de nature plutôt timide, vous parviendrez à surmonter ce trait de caractère, et vous commencerez même à prendre plaisir à vous exprimer devant les gens. Ce sera une véritable révélation pour vous, ne serait-ce qu'au travail, en prenant de plus en plus les devants pour proposer des initiatives et pour développer une nouvelle clientèle. L'impact sera tout aussi profitable sur le plan affectif. Vous aurez droit à un immense respect de la part de votre amoureux ou de vos prétendants, qui devront multiplier leurs efforts pour vous séduire.

 Scorpion ascendant Balance

Vous dégagez un puissant charisme, vous inspirez la confiance et, dans certains cas, votre beauté ainsi que votre profil sont des plus attachants. Mais il y a toujours au fond de vous-même une personne angoissée et inquiète qui a besoin d'être rassurée et réconfortée. D'ailleurs, avant d'aborder toute forme de spiritualité, vous aurez besoin de vous sécuriser sur le plancher des vaches. Votre principale préoccupation cette année sera de vous assurer un revenu plus stable ; vous y parviendrez : vous négocierez de meilleures conditions de travail. S'il ne s'agit pas de déménagement, vous vous investirez sérieusement dans la transformation de votre environnement quotidien. En amour, il sera question de vivre ensemble si ce n'est pas le cas, ne serait-ce qu'avec l'idée de partager les dépenses et de vous témoigner de l'affection plus régulièrement.

Scorpion ascendant Scorpion

Vous êtes dynamique et vous dégagez un puissant magnétisme. De plus, avec Jupiter dans votre ascendant tout au long de l'année, vous serez en excellente position pour améliorer considérablement votre sort. Vous pouvez très bien mettre en marche un projet qui vous tient à cœur : il vous apportera plaisir et joie de vivre. Peut-être suivrez-vous une formation qui vous permettra de développer votre carrière par la suite. Il ne serait pas étonnant que vous fassiez un virage à 180 degrés en ce qui concerne votre carrière. Vous choisirez de travailler dans un domaine où le plaisir domine, le voyage notamment. Vous quitterez un bureau qui vous isole du reste du monde et qui vous impose un stress insupportable. Si vous vous sentez le moindrement étouffé dans votre couple, il y a de bonnes chances que vous lâchiez prise en entreprenant des démarches de séparation avec beaucoup de sérénité.

Scorpion ascendant Sagittaire

Votre altruisme est probablement légendaire, vous n'avez que du bien et du bon à offrir. Vous serez à l'affût des causes perdues : vous vous y investirez à fond, vous arriverez à voir une lueur d'espoir même quand il n'y en a pas. L'idéaliste en vous croit que chaque geste posé a un impact un jour ou l'autre, et la vie vous prouvera que vous aviez raison. Vous vous impliquerez dans une action bénévole, ou dans un projet en lien avec la communauté, la politique ou un autre mouvement de masse ; vous pourriez commencer à voir des résultats poindre à l'horizon avant la fin de l'année, même s'ils sont très subtils. Vos finances personnelles auront besoin davantage d'attention : vous ne pourrez plus ignorer les factures qui s'accumulent. Un peu de réflexion sur votre carrière, et vous serez illuminé par la solution miracle. Côté cœur, une forme de libération vous permettra enfin de vous ouvrir à l'amour.

Scorpion ascendant Capricorne

Vous êtes une personne non seulement dominante, mais aussi pleine de compassion pour vos proches. Vous prenez instinctivement les commandes de toute forme de projet, de toute action et de toute initiative aussi bien au travail, à la maison que dans vos loisirs. Vous pourriez très bien vous doter d'une vie sociale un peu plus active en vous inscrivant à diverses activités, ou alors vous participerez à des cours de groupe et vous développerez de belles affinités avec certaines personnes. Il est possible aussi que vous établissiez de nouvelles relations avec vos collègues. Ceux-ci vous entraîneront régulièrement dans les 5 à 7, et vous vous impliquerez davantage dans le club social, par exemple. De plus, vous serez hors pair pour organiser des événements qui rassemblent pas mal de monde aussi bien pour le travail que pour une activité entre amis. Vous êtes célibataire ? Ce sera lorsque vous serez à l'aise de sortir de la maison que votre cœur sera disponible à l'amour.

Scorpion ascendant Verseau

Responsable de nature, vous ne vous en laissez pas facilement imposer par les autres. Même si vous avez des allures plutôt excentriques par moments, vous demeurez toujours une personne fiable et dévouée. On vous confiera de nouvelles responsabilités qui feront progresser significativement votre carrière. Si vous avez votre propre entreprise, ou alors si vous avez l'intention d'en fonder une bientôt, vous connaîtrez un retentissant succès. Vous réussirez à vous démarquer et à développer votre leadership de manière exemplaire. Cependant, il ne faut rien tenir pour acquis : tout ce que vous bâtissez peut disparaître du jour au lendemain, seuls l'expérience et ce que vous avez appris resteront gravés dans votre for intérieur. Vous pourriez également redéfinir vos valeurs et aspirer à une plus grande simplicité. De plus, un grand besoin de solitude se manifestera : vous vous isolerez possiblement pour créer un chef-d'œuvre artistique, un livre, une toile, de la musique, etc.

Scorpion ascendant Poissons

Vous possédez sûrement des pouvoirs paranormaux pour entretenir une profonde spiritualité, un contact avec l'invisible et bénéficier de l'inspiration d'un grand visionnaire. Vos intuitions vous guideront loin, et elles vous donneront les réponses à de nombreuses questions que vous vous posez. Vous serez aussi extrêmement curieux : vous fouillerez dans les moindres recoins de votre esprit à la recherche du saint Graal, ou d'une autre quête spirituelle. Vous êtes de l'émotion à l'état pur, et vous ne pouvez vivre sans tenir compte de ce que votre cœur souhaite profondément. Peu importe votre cheminement ou même votre âge, vous pourriez très bien reprendre vos études. Vous vous investirez dans un long programme, au bac ou même à la maîtrise. Vous dégagerez un magnifique optimisme et vous aurez le sourire aux lèvres la plupart du temps. Le plaisir et la joie de vivre vous suivront toute l'année !

SCORPION – JANVIER

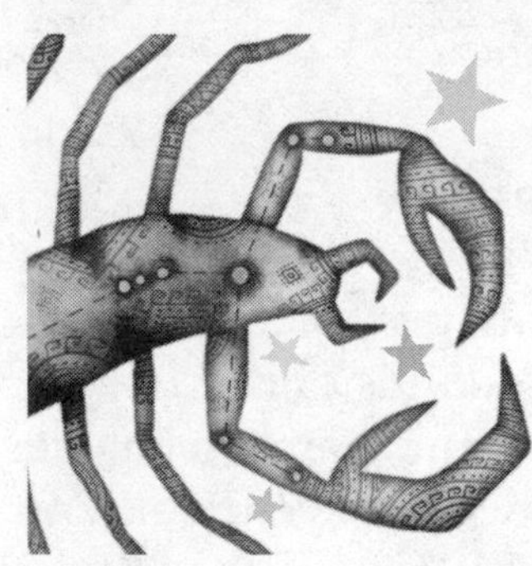

Les meilleurs jours ce mois-ci pour :

* Jouer à la loterie : 1, 2 et 3
* Le social et les jeux en groupe : 5, 6 et 7
* L'amour : 19, 20 et 21
* La sphère professionnelle : 3, 4 et 5

En général

Passablement dynamique, vous n'aurez pas la langue dans votre poche et vous ne mâcherez pas vos mots. Vous avez généralement assez de mordant dans vos propos, et ce mois-ci vous ferez honneur à votre réputation. Vous serez tout aussi habile pour exprimer des compliments que des critiques, et vous devrez probablement apprendre la diplomatie en quelque sorte. Vous aurez certainement l'occasion de pratiquer des sports ou de faire des activités stimulantes, seul ou avec des proches. Vos amis pourraient avoir tendance à vous laisser tomber à la dernière minute.

Travail – Finances

Les déplacements et les rendez-vous risquent d'être difficiles à fixer, parfois en raison de la température, parfois parce que certains collègues devront s'absenter. Il y aura de nombreux dossiers auxquels vous devrez porter une attention particulière, vous devrez même les éplucher en profondeur. N'hésitez pas à investir du temps pour démêler une situation compliquée et stressante. Même si vous n'êtes qu'un simple employé dans une grosse firme, tenez les propos d'un grand leader en toutes circonstances.

Amour – couple

La communication est essentielle dans une relation harmonieuse. Il s'agit d'une excellente période pour aborder des sujets délicats et trouver des solutions qui remettront la passion en avant-plan dans votre vie amoureuse. De plus, l'un ou l'autre pourrait très bien recevoir de très belles avances de la part d'un pur étranger, ce qui entraînera une certaine pression pour faire revivre la flamme entre vous. Vous finirez enfin par transporter vos belles initiatives vers une intimité des plus appropriées.

Amour – Célibataire

Vous serez populaire au cours d'une activité particulière, et on vous abordera en vous parlant de sujets très intéressants. Même si vous avez l'impression que ce prétendant bouscule les étapes et vous demande d'aller trop vite, il sera des plus sérieux dans ses démarches afin d'entreprendre une vie de couple. Dès la fin du mois, vous pourriez, chacun d'entre vous, partager un tiroir chez l'autre. Bref, les moments intimes deviendront fréquents très rapidement.

Santé

L'activité physique améliore sans contredit la santé en général. Mais il est parfois important de la doser adéquatement pour éviter de brûler la chandelle par les deux bouts. Vous aimez les sports d'hiver et les activités à l'extérieur ? Protégez vos poumons de l'air froid.

SCORPION – FÉVRIER

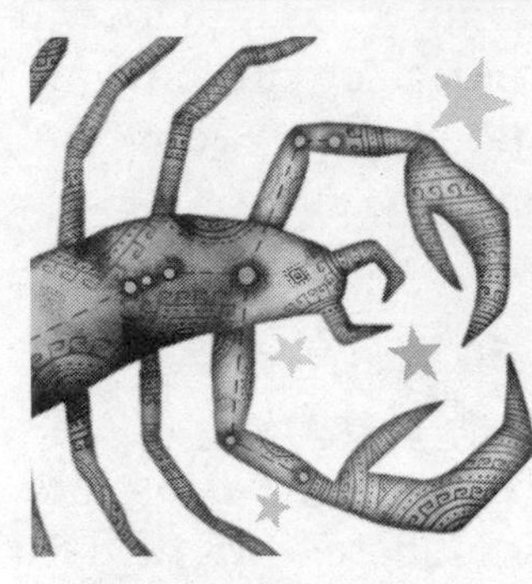

Les meilleurs jours ce mois-ci pour :

* Jouer à la loterie : 25, 26 et 27
* Le social et les jeux en groupe : 1, 2 et 3
* L'amour : 16, 17 et 18
* La sphère professionnelle : 27 et 28

En général

La famille occupera une place importante, et vous lui accorderez toute votre générosité. Si vous avez de jeunes enfants, il faudra faire attention qu'ils ne prennent pas l'habitude de toujours recevoir des cadeaux de votre part, autrement vous vous sentirez obligé de leur en donner pratiquement tous les jours. Ils sauront vous faire sentir coupable. Il sera important d'accorder une attention particulière à la maison : peut-être faudra-t-il investir quelques sous pour changer des électroménagers qui rendront l'âme.

Travail – Finances

Vous ferez sûrement quelques heures supplémentaires à la maison ce mois-ci. Du moins, vous trouverez un supplément de revenu en restant chez vous ou avec un membre de la famille. Vous pourriez très bien démarrer votre propre petite affaire en vous installant un bureau au sous-sol, par exemple. Si vous occupez un poste de pouvoir, il est possible qu'il soit contesté ou que vous ayez maille à partir avec certains employés ou fournisseurs. Vous devrez garder la mainmise sur votre budget, autrement on pourrait abuser de votre générosité.

♥♥ Amour – couple

L'ambiance de la Saint-Valentin se fera sentir dès les premiers jours de février. Votre amoureux et vous-même vous accorderez de belles attentions affectives. Vous n'attendrez sûrement pas le fameux 14 pour vous offrir un repas des plus romantiques. La situation pourrait se compliquer par la suite : vos sentiments passionnés ne seront pas nécessairement sur la même longueur d'onde et vos attentes, non comblées. N'oubliez pas que la magie se vit au moment présent, à partir des marques et des gestes d'affection de la part de l'autre, tout simplement.

♥ Amour – Célibataire

Ce sera certainement dans le confort de votre foyer, sur votre site de rencontre préféré, que vous aurez de merveilleux échanges. Vous aurez droit à des mots d'amour extraordinaires, et il est aussi possible que vous invitiez à souper l'un de vos prétendants pour que vous puissiez mieux vous connaître. Par contre, celui-ci risque de vouloir sauter aux conclusions trop rapidement à votre goût, ou alors il y aura un peu de confusion entre vous au sujet de la sexualité.

Santé

Votre estomac ne supportera pas les abus, mais ce ne sera que plus tard que vous en subirez les conséquences sur votre vitalité. Si vous êtes coincé avec de mauvaises habitudes telles que l'alcool et certaines drogues, vous devriez réussir à faire un certain sevrage qui vous permettra de retrouver un sens à votre vie et à sortir d'un état dépressif : vous commencerez à voir la lumière au bout du tunnel.

SCORPION – MARS

Les meilleurs jours ce mois-ci pour :

* Jouer à la loterie : 24, 25 et 26
* Le social et les jeux en groupe : 1, 2 et 3
* L'amour : 15, 16 et 17
* La sphère professionnelle : 17, 18 et 19

En général

Vous pourriez décider de prendre soin de vous-même, de vous offrir une sorte de transformation extrême, histoire de vous donner à nouveau confiance en vous-même. Une nouvelle coiffure, un régime amaigrissant et un peu d'exercice vous permettront de devenir la personne que vous avez toujours souhaité être. Il ne serait pas étonnant de vous engager avec vos amis dans des activités plus régulières, par exemple vous abonner dans un centre de conditionnement physique. Vous pourriez aussi être responsable d'organiser un événement qui regroupera pas mal de monde, ou encore vous reprendrez un projet à caractère social qu'on avait laissé de côté.

Travail - Finances

Vous déploierez des talents de leader hors pair tout en étant efficace et minutieux dans les tâches que vous avez à accomplir. De plus, vous êtes bien capable de porter tous les rôles à la fois en ce moment, vous ne pourrez pas déléguer. Si vous avez un emploi qui fait appel à votre créativité, vous réussirez à créer un projet extraordinaire qui vous apportera l'abondance. N'hésitez pas à exprimer vos idées haut et fort, l'audace vous sera des plus profitables.

Amour - couple

Si vous connaissez une forme d'ennui dans votre couple, vous pourriez très bien chercher à pimenter votre relation avec de nouvelles expériences sexuelles. Bien que vous soyez un signe fixe qui a habituellement les idées claires en ce qui concerne ses sentiments, vous pourriez, ce mois-ci, avoir tendance à hésiter entre le désir de rester bien sagement à la maison pour vous faire dorloter par votre partenaire et le goût de bouger, de sortir et de réveiller vos passions.

Amour - Célibataire

Le milieu du travail semble l'endroit par excellence pour trouver la perle rare. Vous dégagez beaucoup de charme ce mois-ci en général, et vous ne passez pas inaperçu. Il y aura peut-être même plus d'un prétendant qui vous manifestera de l'intérêt. Heureusement, vous avez une tendance naturelle à vous méfier des grands parleurs. Même si la relation ne se développe que du côté amical en premier lieu, votre persévérance finira par apporter l'amour.

Santé

Il ne serait pas impossible que vous ressentiez le besoin de consulter un psychologue pour aller déterrer des émotions qui semblent se cacher autour de votre cœur et qui minent votre existence. Le stress est présent et risque de vous pousser à aller toujours plus vite, vous exposant ainsi à des risques inutiles. Vous pourriez aussi souffrir d'insomnie à quelques reprises.

SCORPION – AVRIL

Les meilleurs jours ce mois-ci pour :

- Jouer à la loterie : 20, 21 et 22
- Le social et les jeux en groupe : 24, 25 et 26
- L'amour : 11, 12 et 13
- La sphère professionnelle : 14, 15 et 16

En général

Dévoué et serviable, vous vous empresserez de voler au secours de tous ceux qui auraient besoin de vos services. Il serait toutefois important que vous cessiez de vous soucier des autres, ne serait-ce qu'un seul instant, afin de vivre un moment de réel bonheur qui sera gravé à jamais dans votre esprit. Soyez vigilant : on pourrait mal vous conseiller dans une situation particulière, d'où l'importance de demander plusieurs opinions et d'obtenir le plus d'informations possible avant d'entreprendre quoi que ce soit.

Travail – Finances

Vous êtes tout de même reconnu pour ne pas avoir la langue dans votre poche ; vous critiquerez facilement ceux et celles qui se tournent les pouces, même s'ils sont vos supérieurs. Vous pourriez vous retrouver avec un mandat de formation sur les bras alors que le contenu à enseigner n'est pas des plus clairs. Il y aura beaucoup de négociations avant que vous puissiez réussir à établir l'harmonie au travail. Vous devrez faire preuve de patience avec certaines personnes qui se feront attendre. D'ailleurs, il est possible que vous deviez prendre des décisions qui ne sont pas nécessairement de votre ressort.

♥♥ Amour – couple

Vous serez enfin capable de verbaliser vos émotions, ou alors ce sera votre amoureux qui réussira à le faire. Ce sera bénéfique pour le développement de votre relation. Vous devriez aussi obtenir une forme d'engagement très sérieuse, une demande en mariage, ou encore votre amoureux et vous songerez à vivre ensemble. Il ne serait pas impossible que le travail ou encore la santé puissent ralentir vos ardeurs momentanément, mais n'hésitez pas quand même à réserver de doux moments à l'agenda.

♥ Amour - Célibataire

Un coup de foudre pourrait se faire sentir et se transformera rapidement en une belle relation amoureuse avec un grand avenir devant elle. Il s'agira sûrement d'une personne d'une autre nationalité ou qui voyage beaucoup. Elle pourrait également avoir des airs plus matures ou, au contraire, être plus jeune que vous. L'écart d'âge apportera une dimension bien intéressante entre vous. Il se pourrait aussi qu'un ex ressurgisse : vous réussirez enfin à vous pardonner tous deux, du moins vous comprendrez les raisons profondes de votre rupture.

Santé

Votre système immunitaire semble affaibli pour une raison ou pour une autre. Il serait important d'éviter de prendre des substances stimulantes comme le café ; vous risquez de connaître quelques nuits d'insomnie : votre esprit est déjà hyperactif, vous devez plutôt apprendre à vous détendre. Vous pourriez associer trop rapidement des problèmes de nature respiratoire à des allergies saisonnières.

SCORPION – MAI

Les meilleurs jours ce mois-ci pour :

* Jouer à la loterie : 17, 18 et 19
* Le social et les jeux en groupe : 22, 23 et 24
* L'amour : 13, 14 et 15
* La sphère professionnelle : 11, 12 et 13

En général

Vous aimeriez que règne l'harmonie partout autour de vous, et vous vous sentez responsable par moments que l'équilibre ne soit pas parfait parmi les gens qui vous entourent. S'il y a le moindrement des conflits familiaux, vous serez probablement la bonne personne pour régler ce problème : votre grande écoute permettra de faire entendre raison à certaines personnes. Tandis que le beau temps et la chaleur s'amènent, vos émotions auront tendance à vous jouer des tours. Vous apprécierez les moments de détente au soleil, sur une terrasse ou ailleurs. Vous prendrez les grands moyens pour vendre votre maison ou pour vous débarrasser de votre bail.

Travail – Finances

Les premières semaines seront ponctuées d'une foule de petits détails à régler, tous plus urgents les uns que les autres. Intègre et déterminé, vous établirez de nouveaux contacts qui seront très importants à l'avenir. Vous devrez vous adapter à une équipe, à un syndicat ou encore vous devrez appliquer des méthodes de travail complètement différentes des vôtres. Vous serez aussi très habile pour envoûter patrons et clients, histoire d'obtenir un revenu supplémentaire ou un poste plus conforme à vos objectifs.

♥♥ Amour – couple

Si votre couple a de nombreuses années derrière la cravate, vous devrez prendre le temps nécessaire pour régler des conflits, des tensions et certains éléments qui ne vous plaisent pas. Vous pourriez aussi redécouvrir la sexualité ensemble, surtout si vous l'aviez négligée depuis trop longtemps déjà. Vous n'êtes certainement pas fait de bois : vous aurez envie de retrouver un peu plus de passion sur une base plus régulière.

♥ Amour – Célibataire

Il y aura bien quelqu'un qui saura vous séduire tant avec des marques d'affection très délicates qu'avec une approche déterminée et insistante. Mais avant de lui ouvrir votre cœur, vous lui poserez de nombreuses questions, et il y aura plusieurs étapes à franchir avant d'en arriver à un échange plus intime. Il est possible aussi qu'un ex vous demande de lui consacrer du temps afin d'éclaircir les raisons de votre rupture.

Santé

Vous pourriez ressentir de nombreux petits malaises, notamment au sujet de votre digestion, et avoir l'impression qu'ils s'éternisent. Vous n'arriverez pas à vous défaire d'une congestion des sinus, ou encore d'une douleur musculaire ou articulaire. Heureusement, dès que la chaleur s'installera plus sérieusement, vous devriez commencer à mieux vous porter.

SCORPION – JUIN

Les meilleurs jours ce mois-ci pour :

* Jouer à la loterie : 14, 15 et 16
* Le social et les jeux en groupe : 18, 19 et 20
* L'amour : 5, 6 et 7
* La sphère professionnelle : 7, 8 et 9

En général

Vous pourriez avoir les émotions à fleur de peau pour une raison ou pour une autre. Parfois vous êtes dans une période d'euphorie totale, d'autres fois vous vous sentez plus dépressif. Généralement, vous dévoilez peu vos états d'âme. Mais ce mois-ci, vous ne pourrez plus les dissimuler aussi facilement, d'autant plus que vos amis vous pousseront à entreprendre une vie sociale plus active même si vous n'en avez pas nécessairement envie. Vous pourriez également ressentir « l'appel » pour un pèlerinage ou entreprendre des démarches de nature plus spirituelle.

Travail – Finances

Il est possible que vous puissiez avoir l'occasion de suivre une importante formation qui vous offrira de bien meilleures perspectives d'avenir et peut-être aussi la possibilité d'occuper prochainement un poste de chef. Vous pourriez également avoir la chance de voyager pour votre travail, mais il faudra inévitablement que vous fassiez des efforts très importants pour mieux maîtriser une langue qui n'est pas la vôtre. Un simple besoin de changement engendrera une toute nouvelle carrière.

Amour – couple

Vous êtes un jeune couple en plein processus de vivre ensemble bientôt ? Il est normal que vous ressentiez une certaine pression qui mine un peu le désir. Ce ne sera qu'une fois bien installés que vous réussirez à replacer les émotions à la bonne place entre vous.

Un voyage ou une escapade en amoureux serait simple à réaliser et vous permettrait de retrouver une dynamique plus intéressante, surtout si de lourds projets pèsent sur vos épaules.

♥ Amour – Célibataire

Lorsque vous vous investissez en amour, ce n'est pas à moitié, et vous vous attendez à la même chose de la part de l'autre. Pour cette raison, vous n'ouvrez pas votre cœur au premier venu et vous lui laissez faire ses preuves avant de poursuivre dans une relation sérieuse. D'ailleurs, une personne que vous avez fréquentée à quelques reprises reviendra dans le décor. De fil en aiguille, vous pourriez vous impliquer de plus en plus sérieusement dans cette relation.

Santé

Vous pourriez être soumis à un dérèglement de la glande thyroïde. Il faudra inévitablement passer quelques tests pour ajuster la dose avec précision, provoquant ainsi quelques effets secondaires qui peuvent n'être que des troubles de l'humeur. Si vous vous êtes lancé dans un régime draconien dernièrement, vous pourriez l'abandonner et commettre quelques abus ; heureusement, votre moral ne s'en portera que mieux !

SCORPION – JUILLET

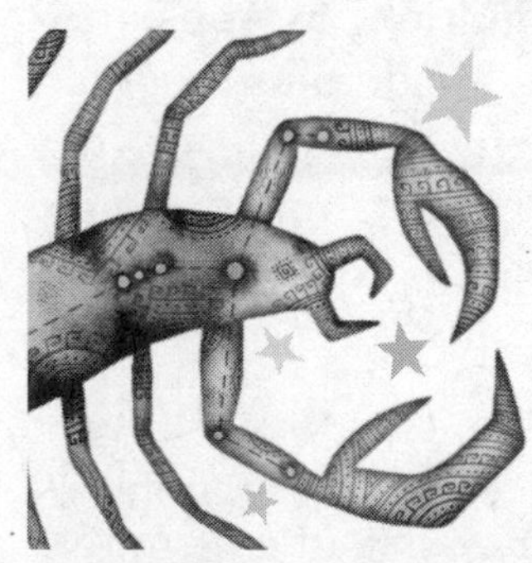

Les meilleurs jours ce mois-ci pour :

* Jouer à la loterie : 11, 12 et 13
* Le social et les jeux en groupe : 15, 16 et 17
* L'amour : 29, 30 et 31
* La sphère professionnelle : 5, 6 et 7

En général

Si vous avez récemment déménagé, il est clair que vous n'avez pas encore eu le temps de toucher à quoi que ce soit et vous comptez bien vous rattraper au cours des prochaines semaines. Même s'il s'agit d'une période de vacances pour vous, vous aurez sûrement sur vos épaules d'imposantes responsabilités. Peut-être déciderez-vous d'entreprendre des travaux importants sur la maison, par exemple. Il ne serait pas impossible que vous défonciez considérablement votre budget pour les vacances.

Travail – Finances

Alors que tout le monde s'accorde des vacances en cette période de l'année, il y a de bonnes chances que vous soyez totalement dévoué à votre emploi. Vous pourriez faire de nombreuses heures supplémentaires qui vous seront, heureusement, généreusement rémunérées. Vos collègues étant partis en vacances, vous vous retrouverez avec du travail en double, et vous devrez probablement reprendre des tâches qui avaient été mal faites par ceux-ci.

♥♥ Amour – couple

Vous aimeriez vivre certaines fantaisies avec votre amoureux : vous organiserez ainsi une belle escapade romantique afin de les vivre pleinement. De plus, des amis vous proposeront de les suivre en vacances ou de participer à des activités de groupe. Si votre relation est mal en point depuis un petit moment, un de vos amis sera sûrement l'entremetteur pour trouver des solutions et remettre la passion ainsi que le plaisir dans votre histoire d'amour.

♥ Amour – Célibataire

Il y a de bonnes chances que vous viviez une relation qui demande beaucoup de discrétion au départ, vous ne voudriez pas trop ébruiter cette histoire très passionnelle qui se dessine de plus en plus à l'horizon. Il s'agit sûrement d'un ami présent dans des activités que vous pratiquez régulièrement, ou encore ce sera une personne que vous croiserez en vacances. Il y aura de la magie dans l'air, même si vous n'y croyez plus depuis longtemps.

Santé

Vous devrez faire preuve de prudence si vous pratiquez un nouveau sport : une blessure pourrait hypothéquer vos vacances et plaisirs de l'été. Ou alors de vieilles blessures pourraient vous faire souffrir démesurément lors des jours plus humides. Vous découvrirez l'importance d'avoir une saine alimentation pour votre peau et vos articulations.

SCORPION – AOÛT

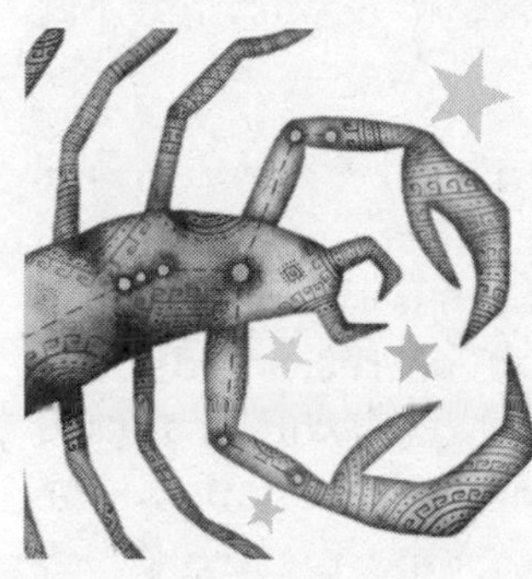

Les meilleurs jours ce mois-ci pour :

- ✶ Jouer à la loterie : 8, 9 et 10
- ✶ Le social et les jeux en groupe : 12, 13 et 14
- ✶ L'amour : 3, 4 et 5
- ✶ La sphère professionnelle : 28, 29 et 30

En général

Vous vous retrouverez avec beaucoup de responsabilités sur les bras ce mois-ci pour une raison ou pour une autre. Par exemple, il ne serait pas étonnant que vous ayez à régler une situation familiale particulière ; si vous avez de jeunes enfants, il est clair que vous vous occuperez aussi de tous leurs petits amis. S'il s'agit de travaux sur la maison, engagez des professionnels pour les exécuter, autrement vous risquez d'éterniser la situation. Quant à la rentrée scolaire, elle vous demandera beaucoup de préparation cette année.

Travail – Finances

Voici une excellente période pour revoir vos aspirations professionnelles et peut-être même commencer à envoyer des CV dans d'autres entreprises si vous n'êtes pas satisfait de votre emploi actuel. Vous serez surpris de réaliser qu'un avenir très intéressant peut se dessiner devant vous si vous lui consacrez des efforts. Vous aurez de nouvelles responsabilités passablement exigeantes, mais elles auront le mérite de faire progresser significativement votre carrière.

♥♥ Amour – couple

La romance sera au rendez-vous lorsque vous établirez l'ambiance adéquate. Avec Vénus qui passera en Balance, vous serez inspiré par un bel isolement avec votre amoureux. Un voyage à deux est certainement une très belle initiative, mais le retour à la réalité sera plutôt rude à surmonter. D'ailleurs, pour éviter de créer un conflit, n'émettez pas trop de critiques à son endroit et appréciez les moments de silence ensemble. Votre relation se dirigera vers un état davantage fusionnel.

♥ Amour – Célibataire

Vous aurez tendance à fuir les foules et à vous isoler avec un bon livre, par exemple. Une rencontre pourrait se faire dans un endroit tranquille : vous vivrez une belle histoire, mais elle devra malheureusement prendre fin pour une raison hors de votre contrôle. S'il s'agit d'un étranger, celui-ci pourrait retourner dans son pays ; vos obligations professionnelles vous éloigneront l'un de l'autre, ou encore vos responsabilités familiales ne vous permettront pas d'entretenir cette relation.

Santé

Il ne serait pas impossible que vous songiez de plus en plus sérieusement à la chirurgie esthétique. Du moins, une petite opération pourrait s'imposer et la cicatrice pourrait être quelque peu apparente, et ce sera davantage cet aspect qui vous causera du désagrément. L'humidité ambiante pourrait provoquer un peu d'inconfort dans vos os et au niveau des articulations.

SCORPION – SEPTEMBRE

Les meilleurs jours ce mois-ci pour :

* Jouer à la loterie : 4, 5 et 6
* Le social et les jeux en groupe : 8, 9 et 10
* L'amour : 22, 23 et 24
* La sphère professionnelle : 6, 7 et 8

En général

Vous excellez pour ce qui est d'organiser des activités et des événements entre amis. Vous aurez sûrement besoin d'équilibrer les différentes sphères de votre vie, notamment si vous avez négligé votre vie sociale dernièrement. Vous vous laisserez bien tenter par un brin de magasinage avec vos amis, et ils vous inciteront sûrement à vous accorder un peu plus de luxe. Il y a de bonnes chances que vous commenciez déjà à préparer un voyage pour vos vacances d'hiver, par exemple. Ce projet vous demandera d'établir un budget précis.

Travail – Finances

Vous êtes mûr pour occuper des fonctions de leader, du moins vous apprendrez à travailler en équipe et à agir comme un bon représentant auprès de celle-ci. Il sera question d'une promotion dont vous aurez besoin de discuter avec votre famille : elle pourrait impliquer un nouvel horaire de travail qui demandera toute une réorganisation. Il y aura peut-être un peu de confusion au bureau, vous ne saurez pas toujours où donner de la tête.

Amour – couple

Si votre relation est toute récente ou qu'elle s'avère un amour d'été, vous serez surpris de voir que celle-ci semble vouloir se poursuivre même si, à première vue, cela vous semblait impossible. D'ailleurs, il s'agit peut-être d'un touriste qui ne veut plus repartir dans sa patrie. Cette personne sera sûrement prête à vous suivre jusqu'à l'autre bout du monde. De plus, elle n'hésitera pas à refaire sa vie avec vous, à s'installer près de vous ou même chez vous, pour que la relation puisse se poursuivre.

Amour – Célibataire

Vous serez très populaire : de nombreux prétendants viendront frapper à votre porte. Même si l'aspect amoureux ne semble pas s'installer, vous pourriez très bien développer une très belle amitié avec l'un d'eux. Vous ne refuserez probablement pas les invitations à sortir ; ce sera davantage lorsque vous serez en action que vous tomberez sur quelqu'un d'intéressant. Ce pourrait être un étranger, un voyageur, ou une personne d'une grande culture.

Santé

Avec la tête qui bouillonne d'idées et de nombreux soucis, ce n'est pas toujours l'idéal pour se détendre, et des bons maux de tête seront persistants par moments. Imposez-vous une routine qui vous permettra de vous ressourcer et de diminuer votre niveau de stress. De plus, vos amis seront d'excellents thérapeutes : ils réussiront à vous faire oublier vos soucis.

SCORPION – OCTOBRE

Les meilleurs jours ce mois-ci pour :

- ✶ Jouer à la loterie : 28, 29 et 30
- ✶ Le social et les jeux en groupe : 5, 6 et 7
- ✶ L'amour : 19, 20 et 21
- ✶ La sphère professionnelle : 3, 4 et 5

En général

Vous aurez envie d'entreprendre plein de projets, mais l'argent pourrait être un obstacle que vous tenterez de surmonter. Quel beau défi à relever ! Ce sera principalement dans l'action que la chance se manifestera pour vous. Si vous participez à une compétition quelconque, vous aurez assurément le vent dans le dos pour remporter tous les honneurs. Un de vos amis vous proposera d'aller en voyage ou de participer avec lui à d'autres activités ; vous prendrez alors une décision un peu trop précipitée, risquant de vous compliquer la tâche en ce qui concerne vos finances. Vous pourriez vous investir dans la création d'une œuvre artistique. Notamment, l'écriture d'un livre ou d'un recueil de nouvelles vous permettra d'extérioriser certaines émotions.

Travail – Finances

Vous êtes dans une excellente période pour faire preuve de créativité. Vous serez également très proactif et toujours au-devant de toute situation, une sorte de pionnier qui connaît beaucoup de succès. Vous placerez les bases d'un grand projet qui prendra forme lentement mais sûrement au fil du temps, lequel transformera votre carrière à plus long terme. Si l'entreprise procède à des mises à pied, vous pourriez craindre pour votre poste ; heureusement, on devrait vous repositionner à un poste supérieur, et ce, à votre plus grand étonnement.

♥♥ Amour – couple

Vie sociale très active avec votre partenaire ! D'ailleurs, vos amis vous inviteront tous les deux dans de nombreuses activités, très stimulantes pour votre relation. Vous envisagerez aussi la possibilité de faire un voyage ou une escapade en amoureux, même si ça ne semble pas très réaliste pour l'instant. Si votre relation connaît une période conflictuelle, l'incompréhension pourrait régner : une certaine distance et une froideur vous empêcheront de vivre pleinement votre amour.

♥ Amour - Célibataire

Même si de nombreux prétendants pouvaient communiquer avec vous, il ne serait pas étonnant que vous ne leur accordiez pas tellement d'attention. On vous fera bien quelques compliments, mais vous y resterez insensible. Mieux vaut être seul que mal accompagné, dit-on ! Vous n'êtes certainement pas quelqu'un qui se lance dans les bras du premier venu. Il y aura possiblement un voisin ou un ex qui aura tendance à vous faire des avances régulièrement, et celles-ci ne seront pas toujours appropriées.

Santé

L'exercice et la pratique d'une forme de détente favoriseront votre santé à long terme. Le yoga et des activités qui vous font sourire seront bénéfiques. Le stress et l'alimentation : deux éléments à surveiller avec beaucoup d'attention. Le premier pourrait vous provoquer des brûlures d'estomac ; et le second irritera votre système nerveux.

SCORPION – NOVEMBRE

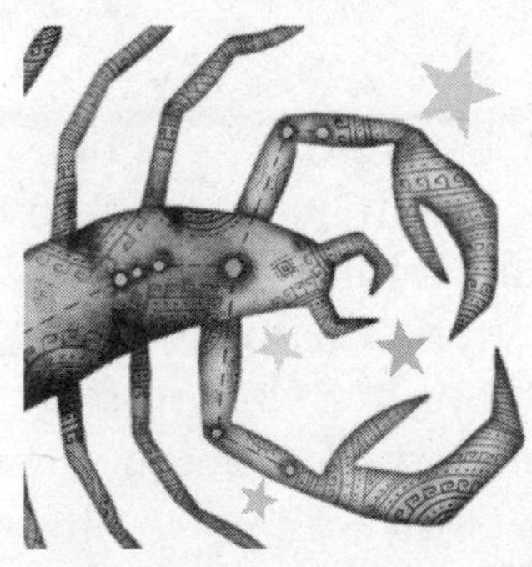

Les meilleurs jours ce mois-ci pour :

* Jouer à la loterie : 25, 26 et 27
* Le social et les jeux en groupe : 2, 3 et 4
* L'amour : 16, 17 et 18
* La sphère professionnelle : 27, 28 et 29

En général

Vous avez déjà fêté, ou vous fêterez votre anniversaire prochainement ; vos amis et vos proches ne vous oublieront certainement pas cette année, le plaisir sera au rendez-vous, même en comité réduit. Vous serez inspiré par l'art en général : vous pourriez courir toutes les nouveautés au cinéma, au théâtre, au musée, etc. Vous ne resterez véritablement pas insensible aux problèmes de pauvreté que l'on retrouve dans votre entourage, et vous vous impliquerez activement comme bénévole, par exemple.

Travail – Finances

Vous pourriez obtenir le poste que vous convoitiez depuis un certain temps, et le salaire est beaucoup plus intéressant. Ce sera sûrement un emploi où vous devrez jouer avec de grosses sommes d'argent, ou encore ce sera dans le domaine de l'esthétisme. On vous demandera de suivre une formation ou d'être enseignant vous-même. Vous pourriez être témoin d'une situation où quelqu'un profite du système, tandis que vous, vous travaillez d'arrache-pied. Vous serez tout de même heureux de la tournure des événements, car vous ferez de bonnes heures supplémentaires généreusement récompensées.

♥♥ Amour – couple

Même si votre partenaire vous offre une splendide bague couronnée d'une demande en mariage des plus spectaculaires, vous pourriez hésiter un peu avant d'accepter. Vous entretiendrez une vie sociale très active sans votre partenaire, ce qu'il pourrait vous reprocher ouvertement. La parole est d'argent, mais le silence est d'or, dit-on ! Alors peut-être serait-il plus sage de votre part d'aborder votre partenaire avec des marques d'affection plutôt qu'avec de vertes critiques.

♥ Amour – Célibataire

Vous aurez davantage tendance à vous isoler ; vous préférerez nettement votre solitude et vous adopterez clairement le dicton qu'il vaut mieux être seul que mal accompagné. Mais comme vous n'êtes pas précisément un ermite, vous croiserez tout de même des gens chaque jour, et il y aura bien une personne pour qui vous ressentirez un petit quelque chose. De plus, ce sera réciproque. Le temps finira bien par vous donner une occasion de bavarder.

Santé

Il est possible que vous jouiez un peu au yoyo avec votre poids en raison d'une abondance de stress qui provient de plusieurs éléments à la fois. Si vous souffrez régulièrement de maux de gorge, de sinusite et que votre système oto-rhino- laryngologique est fragile, vous devriez mettre la main sur un traitement, une médication surprenante, ou vous obtiendrez enfin une date pour subir l'opération qui s'impose.

SCORPION – DÉCEMBRE

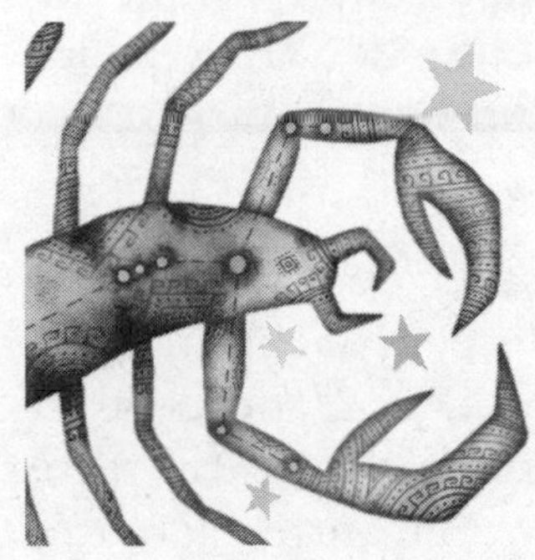

Les meilleurs jours ce mois-ci pour:

* Jouer à la loterie: 22, 23 et 24
* Le social et les jeux en groupe: 26, 27 et 28
* L'amour: 13, 14 et 15
* La sphère professionnelle: 24, 25 et 26

En général

Il est clair que vous ne serez pas en mesure de respecter votre budget pour une raison ou pour une autre. Pour ce qui est des réceptions, vous voudrez épater la galerie; en fait, vous aurez besoin d'exposer votre générosité, de prouver que vous êtes capable de recevoir en grand, et ce sera une réussite qui vous fera un petit velours. Vous pourriez être tenté cette année de vous initier à un nouveau sport d'hiver, histoire d'apprendre à apprécier cette saison. Cependant, vous pourriez aussi y investir une somme considérable, alors que vous n'êtes pas encore sûr de pratiquer cette activité sur une base régulière.

Travail – Finances

Vous serez sûrement appelé à participer à d'importantes négociations où l'argent est le point problématique. À votre compte ou non, vous accroîtrez considérablement votre clientèle: votre chiffre d'affaires sera quand même surprenant. Cependant, cette même clientèle vous poursuivra durant vos réceptions de famille et vous aurez à quitter la fête pour vous occuper d'un client en particulier. Vous devrez aussi prévoir des dépenses importantes pour entretenir votre clientèle ou votre image, par exemple l'achat de vêtements ou d'équipement particulier.

♥♥ Amour – couple

Vous accorderez beaucoup d'importance à la communication, et vous aborderez des sujets plutôt délicats. Vous aurez besoin d'ouvrir le dialogue. Vous retrouverez ainsi le chemin de l'harmonie et du désir entre vous, évitant les lots de problèmes que comporte une séparation. Vous profiterez aussi des fêtes pour entreprendre de nouvelles activités en couple : dans l'action, vous redécouvrirez l'intensité des sentiments que vous ressentez l'un pour l'autre.

♥ Amour – Célibataire

Vous serez certainement très actif pour essayer de rencontrer la perle rare qui saura bien envoûter votre cœur par ses charmes audacieux. Vous ne serez pas la personne la plus facile d'approche, et c'est ce qui vous procurera un certain charme. Vous devriez être passablement actif sur les sites de rencontre et autres activités pour célibataires. Vous ne détesteriez pas trouver un compagnon pour le temps des fêtes, du moins pour combler quelques jours de vacances.

⊞ Santé

Soyez conscient qu'il est possible de « manger ses émotions », ce qui risque de favoriser une prise de poids importante. Il serait bon que vous songiez sérieusement à modérer votre consommation d'alcool, vous éviteriez ainsi une crise de foie tout juste avant les fêtes. Vous pourriez vous investir dans un entraînement physique beaucoup trop intense ; l'épuisement vous guette si vous ne modérez pas la cadence.

Sagittaire

(du 22 novembre au 20 décembre)

Nathaly Lemieux, Évelyne Abitbol

Tout se passe à la maison cette année. En famille aussi. Il y aura certainement une importante réorganisation, il faut agrandir la maison par l'intérieur, maximiser tous les espaces mal exploités. Peut-être aussi parce que vous accueillerez un nouveau membre dans la famille ! Parallèlement, vous apprécierez les moments de détente et de solitude dans votre univers. Vous vous effacerez bien à quelques reprises pour lire une grande collection, ou alors vous vous offrirez un bon nombre de séries télévisées.

Votre chez-vous sera aussi un endroit très inspirant pour vous adonner à l'art et à la création. Vous aménagerez un atelier pour y peindre des toiles spectaculaires, ou un bureau orienté vers le soleil, avec une vue imprenable, où une affiche inspirante vous donnera l'imagination nécessaire à l'écriture d'un livre. Votre art pourrait devenir une source de revenus, mais cette année vous apprendrez plutôt à exploiter vos talents, à les démystifier et surtout à les canaliser. Un immense succès public se trame pour les prochaines années, mais il faut vous y préparer, et ce sera en explorant votre univers intérieur et en élargissant vos horizons dans l'univers de l'intangible.

Vous ferez preuve de compassion et vous prodiguerez des soins à la manière de mère Teresa. Si vous avez de jeunes enfants, il ne serait pas étonnant que vous vous occupiez de l'un de leurs petits amis qui vit de gros problèmes. Ou alors on vous dirigera vers une forme d'entraide communautaire, notamment du bénévolat dans les activités des jeunes de votre secteur. Vous pourriez aussi travailler auprès des aînés si vous êtes davantage proche de ce monde que de celui des enfants.

D'une manière ou d'une autre, vous vivrez selon ce que la vie vous présentera, vous saisirez les occasions de vous impliquer dans un mouvement qui prend son envol, et le lendemain vos yeux pourraient rester accrochés au téléviseur toute la journée. Inutile de prendre une décision, laissez les événements se présenter d'eux-mêmes. Ne ramez pas à contre-courant, vous n'avancerez pas et vous vous épuiserez. Appréciez les jours où il ne se passe rien et profitez de l'inspiration que ces moments vous apportent : prenez le temps de les absorber profondément, surtout sans précipiter quoi que ce soit.

Vous êtes célibataire ? Il est peu probable que vous sentiez le besoin de vous investir dans une vie de couple même si vous êtes une personne passionnée, dynamique, pleine de vitalité et de désir de romance. Votre liberté sera très importante : vous n'aurez pas envie de partager votre quotidien et encore moins votre environnement intime. Par contre, vous ne direz pas non à des liens amicaux, et parfois à une amitié qui pourrait franchir la frontière affective et sexuelle. Vous vous poserez quelques questions à ce sujet. Vous réaliserez rapidement qu'un contact intime finit toujours par apporter son lot de sentiments et d'émotions, et vous ne vous sentez pas prêt à gérer ce genre de situation. En effet, aussitôt que vous accepterez de vivre des rapports intimes sans engagement avec une personne, il y aura une escalade de sentiments amoureux qui se manifestera, mais l'un ou l'autre freinera les ardeurs pour une raison particulière, notamment par crainte de perdre sa liberté.

Vous vivez en couple ? Si vous êtes jeunes tous les deux, vous envisagerez certainement la maternité comme prochaine étape de votre vie amoureuse. Selon le cas, vous chercherez aussi un endroit où vivre pleinement votre amour, un lieu où vous pourrez exprimer votre romance en toute intimité. Vous pourriez vous acheter votre première maison en amoureux, ou alors le chalet de vos rêves pour la retraite. Bref, votre amour est intimement relié aux rêves que vous aurez envie de partager.

Si vous êtes ensemble depuis longtemps, il est possible qu'un éloignement soit l'élément déclencheur d'un rapprochement, d'une prise de conscience de vos besoins affectifs et de démarches claires vers des solutions concrètes. Vous êtes amateur de films et de télévision ? Vous troquerez vos fauteuils individuels pour une causeuse confortable qui vous permettra de vous coller l'un contre l'autre durant de bons films romantiques. La famille vous offrira aussi l'occasion d'avoir des champs d'intérêt communs, de réaliser qu'ensemble vous avez fait un grand bout de chemin et que vous avez encore le potentiel d'en faire beaucoup grâce à la puissance de l'amour qui vous unit.

La vie est relativement fragile ; qu'il s'agisse de votre propre santé ou de celle d'un être cher, vous réaliserez qu'il est important de vivre pleinement ses aspirations et le moment présent. Si vous êtes en pleine forme, vous en profiterez pour vivre une expérience extraordinaire, et vous la partagerez avec ceux que vous aimez. Votre amoureux ou un membre de la famille sera une source d'inspiration pour vous : vous concrétiserez des rêves qui sommeillaient en vous depuis trop longtemps.

Côté santé, il est possible que vous ne soyez pas toujours au meilleur de votre forme et que vous vous sentiez plus souvent fatigué ou attaqué par les virus du rhume et de la grippe cette année. Vous pourriez être poussé à garder le lit à quelques reprises et à prendre vos journées de congé, alors que vous n'en aviez peut-être jamais eu besoin dans les années précédentes. Vous ne serez pas à l'abri d'une erreur médicale, heureusement sans conséquence, mais vous aurez droit à un brin d'inquiétude et d'angoisse. En fait, si votre médecin soupçonne une maladie grave, il n'hésitera pas à vous faire passer une panoplie de tests. Pendant l'attente des résultats, vous serez certainement très angoissé ; une fois que vous aurez reçu les résultats, vous aurez droit à des traitements très efficaces pour régler définitivement le problème, ou alors l'affection ne sera que bénigne. Bref, il y aura plus de peur que de mal.

Au travail, votre état de santé pourrait déranger certaines activités momentanément, mais il est clair que vous en profiterez pour réfléchir à votre avenir professionnel et vous aurez l'illumination nécessaire pour vous conduire dans la bonne direction. Évidemment, si vous êtes bien dans votre emploi, vous n'aurez pas l'intention d'en chercher un autre. Mais que ce soit en raison de votre santé ou de votre famille, vous vous organiserez pour effectuer une partie de vos tâches à la maison.

Vous vous cherchez professionnellement : il est possible que vous essayiez plus d'un boulot dans des domaines plutôt différents les uns des autres. Vous réaliserez bien assez tôt que votre plein potentiel se situe du côté de l'art, de la santé ou du service social. Les Sagittaire sont d'excellents professeurs en général, et s'il y a un grand besoin dans votre région, vous vous investirez corps et âme dans ce type d'emploi en devenant une sorte de héros auprès de toute la communauté. En effet, l'âme du sauveur s'installera en vous : vous réussirez à faire la différence dans la vie de certaines personnes. Le cinéma ou toute autre forme d'art viendront vous offrir l'occasion de démontrer vos talents. Une chose est sûre, vous aurez de l'imagination à revendre et vous en ferez bénéficier grandement votre employeur.

En tant que retraité, l'année pourrait être marquée par un peu d'ennui et de solitude. Vous vivrez cette situation avec une certaine lourdeur et vous serez de plus en plus motivé à trouver des solutions. Comme tout le monde, vous avez des rêves et des objectifs que vous aimeriez atteindre avant qu'il soit trop tard. L'année ne vous permettra peut-être pas de tous les réaliser, mais vous pourrez planifier de plus en plus clairement les étapes pour concrétiser vos aspirations. Notamment, vers la fin de l'année, contre toute attente, vous partirez en voyage pour vivre un rêve que vous aviez possiblement entretenu toute votre vie.

Sagittaire et ses ascendants en 2018

Sagittaire ascendant Bélier

Vous êtes une personne dynamique qui réussit toujours à en faire plus avec moins en général. Vous êtes un fonceur qui cherche toutes les occasions du monde pour s'amuser, pour voyager et pour explorer de nouveaux horizons. Vous êtes passablement essoufflant pour ceux qui vous côtoient quotidiennement, mais lorsque vous voyez que vous déplacez trop d'air, vous avez plus d'un tour dans votre sac pour détendre l'atmosphère. Vous aimez explorer et découvrir, et si vous êtes sédentaire depuis trop longtemps, ce sera sur un coup de tête que vous pourriez décider de tout vendre et d'aller vivre à l'autre bout du monde. Vous serez mûr pour entreprendre de grands changements dans votre vie professionnelle et personnelle : vous vous fixerez de nouveaux projets inspirants ainsi qu'un plan de match pour les matérialiser à court et à moyen termes.

Sagittaire ascendant Taureau

Vous êtes une personne très charmante, ce qui compense votre caractère bouillant à l'occasion. Vous êtes très intègre avec vous-même, vous n'avez pas la langue dans votre poche, et vous n'avez pas tendance à y aller de main morte avec votre amoureux en ce moment. C'est de vacances et d'évasion que vous avez besoin, seul ou en couple. Généralement, vous déplacez de l'air et vous vous imposez partout où vous passez. Vous pouvez manquer de délicatesse auprès de certaines personnes, mais cette année vous devriez apprendre à mieux négocier, ce qui vous offrira une image beaucoup plus agréable. De plus, vous aurez une certaine facilité à vous entendre avec tout le monde pour organiser de grands rassemblements. Au travail, vous serez très habile pour tenir des négociations auprès des clients, du personnel, des syndiqués, etc.

Sagittaire ascendant Gémeaux

On aime votre présence, votre légèreté et aussi votre sens de l'humour. Plutôt excessif de nature, vous profitez amplement des bonnes choses de la vie en tant que profond épicurien. Cependant, votre santé risque de vous signaler de petits soubresauts à l'occasion. Heureusement, vous le réalisez rapidement quand il y a quelque chose qui ne va pas, et vous entreprenez aussi rapidement des changements importants. Vous pourriez envisager un bon régime, par exemple, si vous commenciez à avoir quelques kilos en trop. D'ailleurs, vous ne pouvez supporter longtemps la moindre lourdeur émotionnelle, celle-ci se doit d'être évacuée aussitôt que possible, mais une situation pourrait s'éterniser et avec de bons efforts, vous parviendrez à trouver les solutions. Au travail, votre audace sera extrêmement profitable, même s'il s'agit de partir en claquant la porte, la compétition vous accueillera à bras ouverts.

Sagittaire ascendant Cancer

Vous portez un signe associé à l'excès avec un ascendant des plus sensibles, alors il est clair que vous êtes une personne qui se donne corps et âme pour ses proches. Si vous n'avez pas de famille, vous avez assurément tendance à materner un peu tout le monde, surtout au travail. Vous possédez également une nature travaillante, parfois axée sur la santé et la performance. Mais vous n'êtes pas invulnérable et vous pouvez très bien brûler la chandelle par les deux bouts ; d'ailleurs, votre sens du détail et de la minutie sera poussé à l'extrême, vous accomplirez vos tâches à la perfection. En amour, vous aurez droit à un engagement. Si vous êtes seul depuis longtemps, vous découvrirez une personne qui vous mettra en valeur et qui réussira à faire baisser vos barrières afin de lui ouvrir votre cœur.

Sagittaire ascendant Lion

Vous dégagez une personnalité forte et un charisme déconcertant. Vous êtes une personne qui a réellement besoin de se démarquer ; vous êtes passionné jusqu'au bout des doigts et il est fortement interdit de vous ennuyer. Peut-être aurez-vous besoin d'un peu de repos, du moins d'un domicile fixe pour le grand voyageur que vous êtes. Certains d'entre vous pourraient aussi aspirer à la maternité, et vous aurez grand plaisir à décorer la nouvelle chambre de bébé. Vous êtes retraité ? Vous pourriez envisager un mode de vie moins sédentaire et partir à l'aventure en roulotte pendant plusieurs mois. Si vos enfants ont quitté le nid familial depuis longtemps, vous vous sentirez enfin prêt à vendre la maison qui est beaucoup trop grande et déménager là où vous vivrez une nouvelle aventure.

Sagittaire ascendant Vierge

Vous êtes absolument sensible, sûrement maniéré, mais toujours d'agréable compagnie. Même très passionné, vous êtes passablement réservé. La famille est certainement un élément très important dans votre vie et vous êtes peut-être resté un enfant vous-même. S'agit-il d'un manque de confiance qui provoque cet état d'être ? Vous aurez sûrement droit à votre lot d'épreuves pour vous faire grandir considérablement au cours des prochains mois. Vous devrez affronter verbalement bien des gens, au travail ou ailleurs, pour faire éclore la vérité et exprimer votre opinion. Au travail, vos connaissances et toute forme d'apprentissage devraient vous guider vers un poste de pouvoir. En amour, vous aurez tout autant de mordant pour dire le fond de votre pensée à un partenaire qui ne vous respecte pas suffisamment depuis trop longtemps.

Sagittaire ascendant Balance

Vous êtes une personne qui n'a surtout pas la langue dans sa poche et vous avez un sens aigu de la justice. Alors, il ne vous en faut pas beaucoup pour monter aux barricades et défendre les plus démunis : vous êtes une sorte de superhéros pour bien du monde. Vous dégagez un charisme impressionnant, et c'est ce qui fait en sorte que les gens ont tendance à s'attacher à vous. Vous n'êtes pas un guerrier, mais un sauveur. D'ailleurs, toutes les causes viendront sonner à votre porte : on voudra avoir votre soutien. Vous ne saurez plus qui choisir entre cette générosité et vous-même. L'affection est la démonstration de l'amour, et vous en aurez besoin pour sentir que votre couple est solide. La moindre froideur risque de susciter de grands questionnements sur la pertinence de votre couple.

Sagittaire ascendant Scorpion

Vous possédez une personnalité flamboyante et vous poussez souvent l'audace jusqu'à ses limites. Vous êtes une personne qui a fortement besoin de tout contrôler autour de vous et, par moments, vous avez une légère tendance à ressentir l'insécurité de manière démesurée. Ce sera probablement cette même insécurité qui vous poussera à vous démarquer, à passer à l'action et à entreprendre des démarches vers une vie conforme à vos ambitions. L'art de la parole se maîtrise avec l'expérience : vous n'avez d'autre choix que d'apprendre à vous exprimer en public pour dévoiler votre magnétisme, votre charisme et votre entregent. Au travail, vous apprendrez une foule de choses qui ne seront pas toutes utiles : un tri s'imposera. En amour, certains blocages disparaîtront et vous parviendrez enfin à ouvrir votre cœur à l'amour si vous êtes célibataire, ou à sauver votre couple s'il est au bord du gouffre.

Sagittaire ascendant Sagittaire

Vous êtes toujours partant pour entreprendre n'importe quelle folie, même s'il s'agit de tout abandonner pour faire le tour du monde. Sauf que, depuis un petit moment déjà, vous vous sentez possiblement plus fatigué et vous avez un peu moins d'entrain. Avant de partir à l'aventure pour vivre mille et une péripéties, il serait important d'y rêver et de désirer profondément de passer à l'action. Ou alors vous aurez envie de voir et d'explorer trop de monde et de cultures, vous ne parviendrez pas à choisir. Ou encore, en pigeant une destination au hasard, vous vous sentirez déçu en croyant faire les mauvais choix, la découverte sera beaucoup moins excitante que ce que vous anticipiez. L'heure est davantage à la méditation qu'à l'action : laissez-vous guider et inspirer par la vie, et celle-ci placera pour vous les événements à vivre.

Sagittaire ascendant Capricorne

Réservé de nature, vous possédez une grande créativité et beaucoup d'ambition. Vous êtes bien souvent coincé dans votre bulle et vous n'avez pas toujours le désir d'en sortir. Dévoué et responsable, vous êtes toujours au-devant des autres et vous prenez sur vos épaules les tâches et les obligations de tout le monde autour de vous. Vous êtes serviable et parfois un peu trop bonasse, ce qui fait qu'on peut abuser de vous facilement, surtout ceux et celles qui vivent sous le même toit que vous. Vous camouflez merveilleusement bien votre démesure, mais votre cœur a besoin tôt ou tard d'exprimer sa folie. Vous êtes un artiste dans l'âme, extrêmement original, et vous n'en êtes peut-être même pas conscient. Il ne serait pas surprenant que vos amis vous poussent à déployer votre potentiel : ils sauront vous mettre en valeur pour vous aider à développer une carrière artistique.

Sagittaire ascendant Verseau

Vous incarnez la folie malgré une attitude posée et respectable. Vous êtes tout le contraire d'une personne raisonnable. En public, votre entrée est habituellement très remarquée et vous connaissez sûrement tout le monde que vous vous empressez de saluer les uns après les autres avec un large sourire, sans oublier qui que ce soit. Le passé n'existe plus : vous êtes toujours tourné vers l'avenir, vous êtes un avant-gardiste et votre intelligence est tout aussi remarquable. Vous réussirez à planifier plus d'un projet ; il vous en faudra une multitude au cas où vous deviez en abandonner certains en cours de route. D'ailleurs, la réalité pourrait vous rattraper par moments ; vous devrez mettre de côté les idées qui vous animaient le plus pour répondre à certaines obligations. La procrastination n'est pas nécessairement une perte de temps : non seulement il s'agit d'une forme de repos, mais vous cumulerez des informations et des outils qui seront utiles dans l'avenir.

Sagittaire ascendant Poissons

Malgré votre sensibilité, vous vous affichez comme une personne de carrière, fière d'elle-même et qui n'a besoin de rien ni de personne pour avancer dans la vie. Vous pouvez aussi bien être un artiste très libéral avec des mœurs légères qu'un conformiste totalement ancré dans ses vieilles valeurs; rarement êtes-vous entre les deux. Vous avez tout le potentiel pour devenir un grand musicien, un acteur, un danseur ou pour vous investir dans toute autre forme d'art qui demande une discipline rigide. Étant quelqu'un de très responsable, la vie vous a sûrement apporté une grande famille que vous devez prendre en charge, ou encore vous possédez un emploi où les heures supplémentaires règnent en maître. Vous devez continuellement gérer le temps de manière précise pour éviter d'être en retard. Peut-être aussi avez-vous décidé de suivre des cours cette année? Il est clair que vous améliorerez ainsi votre sort.

SAGITTAIRE – JANVIER

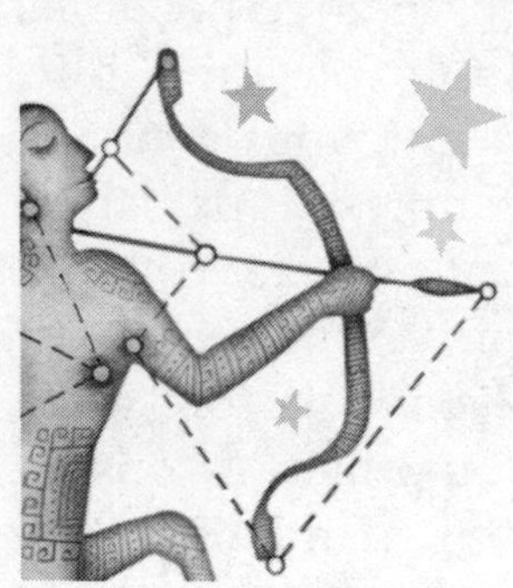

Les meilleurs jours ce mois-ci pour:

* Jouer à la loterie: 3, 4 et 5
* Le social et les jeux en groupe: 7, 8 et 9
* L'amour: 26, 27 et 28
* La sphère professionnelle: 24, 25 et 26

En général

Après une belle période de festivités et d'amusement, il faut inévitablement revenir les deux pieds sur terre et reprendre ses responsabilités. Évidemment, tout Sagittaire que vous êtes doit aussi garder la joie de vivre en avant-plan et toucher le plaisir en toutes occasions. Ce sera avec quelques efforts que vous parviendrez à joindre l'utile à l'agréable. Vous trouverez pourquoi il y a des jours où vous n'avez pas le sourire facile, et ainsi vous serez sur la bonne voie pour qu'il s'inscrive sur votre visage en tout temps.

Travail - Finances

Lorsque les comptes de cartes de crédit arriveront dans la boîte aux lettres, vous ressentirez inévitablement un puissant pincement qui provoquera une profonde angoisse. Vous prendrez le temps de vous éclaircir l'esprit et vous trouverez d'excellentes solutions pour éviter ce genre de malaise à l'avenir. Au bureau, il y a de bonnes chances que l'on vous confie des tâches associées à la comptabilité ; du moins, vous aurez peut-être à gérer un budget où il vous faudra beaucoup d'imagination pour réussir à le respecter.

♥♥ Amour - couple

L'affection et la sexualité sont en quelque sorte la démonstration matérielle de l'amour. Pour aspirer à une longue vie de couple, il est important que l'amour y soit des plus présents, et parallèlement, une activité sexuelle et affective omniprésente. Peut-être que certains changements s'imposent dans votre couple : vous voulez vous doter d'un avenir intéressant et n'hésiterez donc pas à secouer votre relation afin d'avoir une preuve tangible que l'amour est toujours puissant dans votre histoire.

♥ Amour - Célibataire

Que vous fréquentiez quelqu'un ou non, vous devriez connaître une certaine satisfaction sur le plan affectif ce mois-ci. Du moins, vous accepterez d'entretenir une relation discrète pour combler un vide et pour apprivoiser cette personne. En apprenant à la connaître de mieux en mieux, vous vous découvrirez davantage vous-même. Vous êtes un être fondamentalement passionné, mais vous ne gaspillerez pas l'amour que vous avez à offrir pour quelqu'un qui voudrait en abuser.

Santé

Évidemment, si vous avez trop fêté durant les derniers jours, votre vitalité s'en trouvera passablement diminuée et vous n'aurez d'autre choix que de vous reposer. De plus, l'insomnie risque de se mettre de la partie et faire chuter davantage votre vitalité. Certains ajustements concernant votre sommeil pourraient s'imposer ; par exemple, un nouveau matelas ou de meilleurs oreillers favoriseraient sûrement votre sommeil.

SAGITTAIRE – FÉVRIER

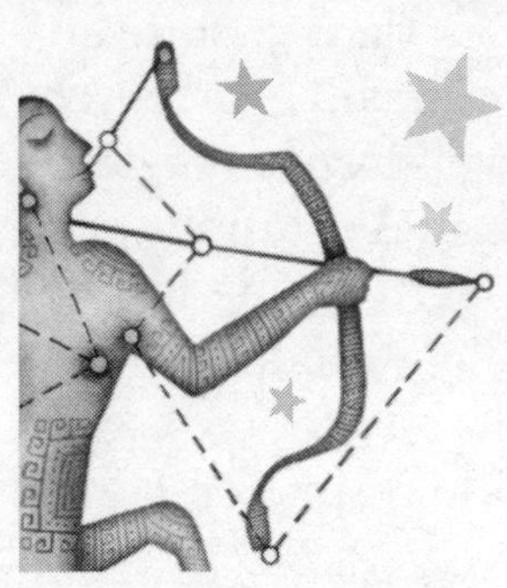

Les meilleurs jours ce mois-ci pour:

- Jouer à la loterie: 1, 27 et 28
- Le social et les jeux en groupe: 3, 4 et 5
- L'amour: 8, 9 et 10
- La sphère professionnelle: 20, 21 et 22

En général

Beaucoup d'action en perspective: il est possible que vous vous sentiez survolté par moments. Vous pourriez vous adonner à des sports, et faire des voyages et d'autres activités très stimulantes en compagnie des gens que vous appréciez. Ce sera aussi l'occasion de parler et d'échanger amplement, parfois pour se critiquer, se complimenter, s'insulter et s'interroger, bref, vous en aurez beaucoup à vous raconter. Mais le principal, pour tout Sagittaire qui se respecte, est de se faire plaisir et de s'amuser pleinement en toutes circonstances.

Travail – Finances

Il y aura de nombreux déplacements à effectuer et des négociations à entretenir. Ce sera sûrement stimulant pour votre carrière, et vous-même serez très fier de vos performances. Avant la fin du mois, un certain ralentissement pourrait se faire sentir: vous devrez faire appel à votre créativité pour sortir de la torpeur. Avec la saison des REER qui bat son plein, vous pourriez développer une très belle stratégie financière en lien avec votre maison pour vous assurer d'une flexibilité intéressante dans votre portefeuille.

Amour – couple

La communication est essentielle dans un couple, et elle sera sûrement des plus intéressantes. Même si vous êtes ensemble depuis de nombreuses années, il est clair que vous retrouverez le plaisir d'échanger comme dans les premiers jours. Vous devriez rire des blagues de votre amoureux et être touché par ses réflexions plus philosophiques. De plus, cet échange cérébral devrait vous amener à approfondir votre amour : vous vous isolerez plus souvent derrière des portes closes !

Amour – Célibataire

Vous recevrez certainement beaucoup de messages et d'invitations à sortir, sauf que vous ne les accepterez pas automatiquement et vous vous laisserez désirer un moment. De plus, vous commencerez de plus en plus à apprécier le confort de votre foyer, ce qui ne vous incitera pas tellement à vous préparer pour un premier rendez-vous. Si vous avez de jeunes enfants, il est possible que l'un d'eux puisse entrevoir un nouveau prétendant, mais il aura de mauvais commentaires à son sujet et vous mettrez un terme immédiatement à cette histoire embryonnaire.

Santé

Vous connaîtrez deux phases très distinctes en février. D'abord, vous déborderez d'énergie et de vitalité, vous irez au gym et entreprendrez toutes les activités qui vous intéressent. Par la suite, peut-être un rhume ou un simple épuisement vous obligera à rentrer à la maison et à vous installer confortablement sous les couvertures. Bref, le repos sera votre mode de vie pendant les deux dernières semaines.

SAGITTAIRE – MARS

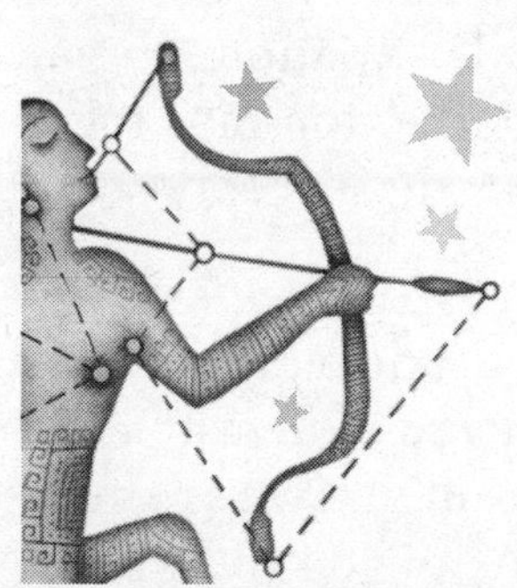

Les meilleurs jours ce mois-ci pour :

- Jouer à la loterie : 26, 27 et 28
- Le social et les jeux en groupe : 30 et 31
- L'amour : 22, 23 et 24
- La sphère professionnelle : 1, 2 et 3

En général

Il est possible que vous soyez tenté de vous lancer dans la décoration à la maison ou même dans des rénovations majeures, surtout si vous réalisez que vous avez les moyens de vous offrir la cuisine de vos rêves, par exemple. Vous vous ferez plaisir ! Il pourrait être question d'un héritage, mais avant d'aborder le sujet de l'argent, il semble qu'il faille établir les bonnes conditions pour que le tout soit fait selon les règles de l'art. Si vous n'êtes plus très jeune et que vos enfants ont quitté le nid familial, vous considérerez sérieusement de vendre la maison pour vous permettre de profiter davantage de la vie.

Travail – Finances

Vous aurez bien l'idée de démarrer votre propre affaire, par exemple, et vous pourriez obtenir du financement en utilisant certains contacts près des gouvernements. Il y a de bonnes chances que vous puissiez obtenir une promotion, un poste de leadership ou vivre une situation qui vous offre un certain pouvoir. Cependant, il est possible que vous ne puissiez pas obtenir le salaire que vous souhaitez, ou alors vous devrez attendre un peu et faire vos preuves. Votre créativité devrait vous permettre de faire les transformations qui s'imposent pour ainsi retrouver rapidement la voie de l'abondance.

♥♥ Amour – couple

Vous serez certainement interpellé par l'idée de faire un voyage ou une escapade romantique au cours des prochaines semaines. Selon votre âge et d'autres facteurs, il est possible que l'appel de la maternité se soit fait sentir et que vous tentiez d'avoir un enfant. Si cela ne fonctionne pas facilement, vous pourriez commencer à éprouver un peu de ressentiment à l'endroit de votre partenaire, même s'il n'est pas responsable de la situation. Prenez du temps pour votre couple et échangez de l'affection plus régulièrement : vous augmenterez ainsi vos chances de succès.

♥ Amour – Célibataire

En prenant davantage conscience de votre solitude, vous la trouverez de plus en plus insoutenable, c'est ce qui vous aidera à ouvrir votre cœur lors de la prochaine rencontre. D'ailleurs, vous entreprendrez une vie sociale beaucoup plus active qui vous permettra de faire plus d'une rencontre. Vous serez surpris de voir autant de prétendants autour de vous. On vous lancera de nombreuses invitations, plus magnifiques les unes que les autres.

Santé

Il vous suffit de faire un peu d'exercice pour apaiser le stress. Une vie sociale plus active peut aussi vous permettre d'évacuer un peu de pression. Si vous avez un problème avec votre poids, vous réussirez à mettre la main sur un régime efficace. N'attendez pas de développer une maladie à cause de mauvaises habitudes, faites les changements qui s'imposent.

SAGITTAIRE – AVRIL

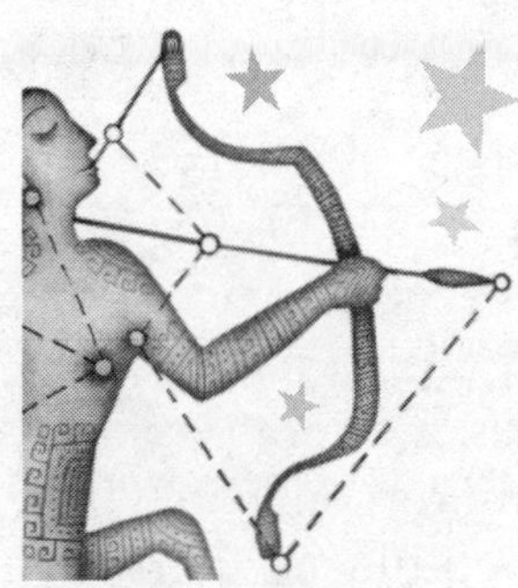

Les meilleurs jours ce mois-ci pour :

* Jouer à la loterie : 22, 23 et 24
* Le social et les jeux en groupe : 27, 28 et 29
* L'amour : 14, 15 et 16
* La sphère professionnelle : 16, 17 et 18

En général

Vous en avez assez de vous faire manger la laine sur le dos. Orgueil et fierté doivent reprendre une place plus importante dans votre quotidien ; pour que vous puissiez avancer dans la vie, l'estime de soi se doit d'être à un niveau plus significatif. D'ailleurs, vous pourriez recevoir un tonnerre d'applaudissements et vous serez plutôt fier de vous-même. Vous entreprendrez un grand ménage : vous vous débarrasserez de certaines vieilles choses qui vous encombraient depuis trop longtemps déjà. En nettoyant et en éliminant le superflu autour de vous, c'est aussi votre esprit que vous éclaircissez.

Travail – Finances

Votre leadership risque d'être mis à rude épreuve ce mois-ci ; d'ailleurs, il ne serait pas étonnant que vous deviez gérer une situation extrêmement compliquée qui vous demandera beaucoup d'initiative, même si vous n'êtes qu'un simple commis. Il est possible que vous ayez besoin de jouer un peu du coude pour accéder à un poste supérieur ; vous verrez qu'il n'y aura pas que des amis autour de vous, heureusement que vous aimez la compétition de temps à autre.

♥♥ Amour - couple

Vous vous accorderez régulièrement des moments intimes particulièrement bien préparés. Inutile d'aller bien loin pour vivre pleinement votre amour, ce sera avant tout à la maison que vous connaîtrez les plus beaux moments. Si votre relation est toute jeune, vous commencerez à songer à vivre ensemble prochainement. De plus, si vous avez des enfants chacun de votre côté, vous pourriez déjà planifier quelques activités familiales avec eux et vivre des moments privilégiés tous ensemble.

♥ Amour - Célibataire

Il ne serait pas étonnant qu'une personne plus âgée ou encore qui détient une forme de pouvoir sur vous, par exemple un de vos supérieurs au travail, vous fasse quelques avances. Ce sera possiblement aussi quelqu'un que vous croisez régulièrement sur votre chemin quotidien. En mettant les choses un peu plus en perspective, vous parviendrez à mieux évaluer s'il s'agit véritablement d'amour qui se développe entre vous.

✚ Santé

Votre cœur et votre foie pourraient bien vous sonner une petite cloche : reprenez de meilleures habitudes, même si c'est tout de même bon pour le moral de s'accorder du plaisir à l'occasion. Comme vous êtes le signe de l'optimisme par excellence, il n'y a rien d'irréversible. Votre joie de vivre vous guidera vers une forme de guérison ou de mieux-être.

SAGITTAIRE – MAI

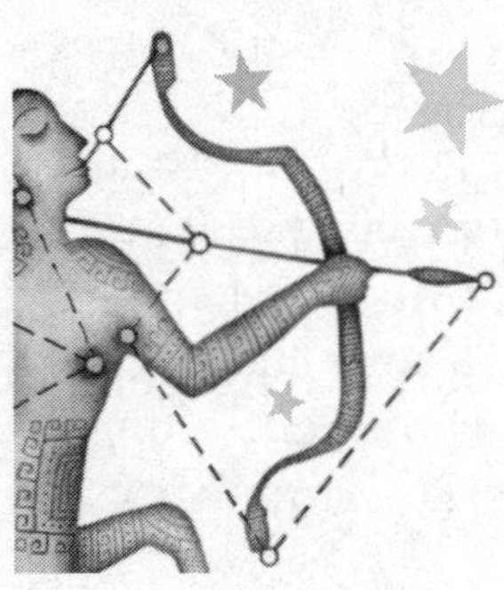

Les meilleurs jours ce mois-ci pour :

* Jouer à la loterie : 19, 20 et 21
* Le social et les jeux en groupe : 24, 25 et 26
* L'amour : 11, 12 et 13
* La sphère professionnelle : 13, 14 et 15

En général

Vous prendrez le temps de faire votre grand ménage du printemps, de nettoyer votre domicile de fond en comble, un peu comme si vous vouliez vous libérer aussi l'esprit. De plus, il ne serait pas étonnant que vous entrepreniez une forme d'art et que vous exploitiez ce nouveau talent avec un grand souci du détail. Vous prendrez le temps de faire de la peinture, des photographies ou même des montages photo et vidéo à l'ordi. Vous serez également un négociateur très habile : ne vous gênez pas pour demander un meilleur prix lorsque vous allez magasiner. Vous pourriez refaire toute votre garde-robe estivale à moindre coût. Vous aurez l'œil aguerri pour les belles choses.

Travail – Finances

Il y a toutes les chances du monde que la montagne de dossiers se retrouve la plupart du temps sur votre bureau ce mois-ci. Peut-être avez-vous entrepris trop de projets en même temps ! C'est bien possible, vous êtes un être excessif de nature ! Cependant, vous ne faillerez pas à vos obligations, et c'est précisément ce qui pourrait vous apporter un revenu supplémentaire ou même une promotion. Attention de ne pas attendre à la dernière minute, autrement vous ressentirez le stress vous envahir rapidement. Mais c'est aussi ce zèle qui vous apportera une bonne note dans votre prochaine évaluation.

♥♥ Amour – couple

Il est possible que l'un de vous deux connaisse une période exigeante au travail, ce qui vous accorde un peu moins de temps pour vous lancer dans de belles nuits romantiques aussi régulièrement que vous l'auriez souhaité. D'ailleurs, pour maintenir une relation amoureuse en santé, le désir et la sexualité doivent être omniprésents et satisfaisants pour l'un et l'autre. De plus, votre partenaire ou vous-même pourriez recevoir de très belles avances qui ne vous laisseront pas indifférent. Même s'il y a des sentiments de jalousie qui se dessinent entre vous, cela vous mènera vers un engagement beaucoup plus sérieux.

♥ Amour – Célibataire

Attendez-vous à recevoir des propositions qui pourraient sembler plutôt déplacées de la part de vos prétendants ; heureusement, ils n'ont au fond que de bonnes intentions. Vous ressentirez certainement des papillons au cours d'un rendez-vous, et vous pourriez même craindre cette sensation. Évidemment, si vous avez connu des échecs dans le passé, il est tout à fait normal d'avoir une certaine peur de l'amour, et il est sain de s'en protéger pendant quelque temps.

Santé

Si vous avez le moindrement un problème de santé, vous trouverez enfin le bon remède ou le bon traitement, du moins votre médecin décèlera la cause de vos problèmes. La persévérance auprès de votre médecin et du système de santé vous sera bénéfique. Sur le plan émotif, vous aurez besoin de faire une petite mise au point. Peut-être faudrait-il consulter votre médecin si vous ressentez un état quelque peu dépressif s'installer.

SAGITTAIRE – JUIN

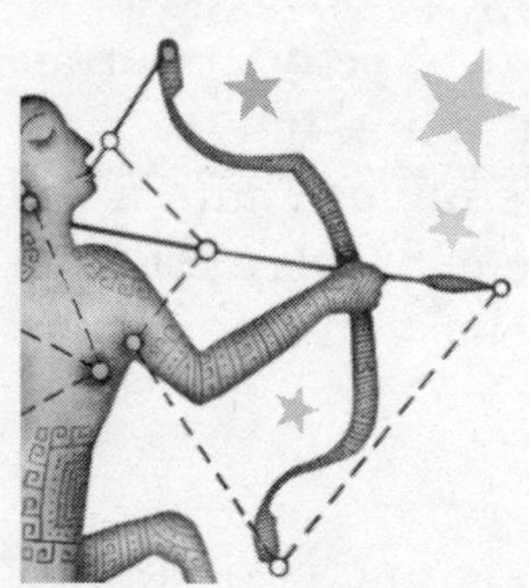

Les meilleurs jours ce mois-ci pour:

* Jouer à la loterie: 16, 17 et 18
* Le social et les jeux en groupe: 20, 21 et 22
* L'amour: 12, 13 et 14
* La sphère professionnelle: 18, 19 et 20

En général

Les Sagittaire n'ont pas tendance à s'ennuyer! Vous avez besoin d'être actif et d'entretenir une vie passablement occupée. Vous ne ferez certainement pas exception à la règle ce mois-ci: vous serez plus efficace avec les affaires des autres qu'avec les vôtres! De plus, vous éviterez pendant un moment de prendre contact avec vos émotions, préférant nettement les fuir. Vous pourriez être aussi soumis à une forme de solitude qui vous dirigera vers une introspection ainsi qu'une grande créativité.

Travail – Finances

Vous vivrez une période d'angoisse importante sur le plan professionnel et vous aurez plutôt hâte que la situation se résorbe. Il ne serait pas étonnant que vous deviez donner votre démission pour corriger les choses, ou encore imposer un ultimatum pour mettre de la pression sur les principales personnes concernées. Votre persévérance vous accordera gain de cause. Vous aurez besoin d'un peu de repos pour réfléchir et trouver une nouvelle direction dans laquelle vous vous sentirez plus heureux au travail.

Amour – couple

Il est important de chercher des moyens d'alléger vos nombreuses responsabilités pour retrouver une meilleure harmonie dans votre couple. Parfois, vous pouvez avoir l'impression que les efforts se font à sens unique, mais votre amoureux saura vous faire plaisir bien assez tôt. Même si vous êtes une personne exaltée qui apprécie grandement la liberté, vous avez aussi besoin que l'amour soit intense, sincère et pour la vie.

Amour – Célibataire

Vous pourriez bien faire une rencontre très intéressante dès le début de juin. Mais vous aurez tendance à croire que cette personne n'est intéressée que par l'aspect sexuel. Au fil des semaines, vous accepterez quelques rendez-vous qui vous permettront de mieux la connaître. Vous réaliserez tranquillement que certains sentiments commencent à naître entre vous deux. Cette personne aura possiblement quelques années de plus que vous, et vous aurez besoin de temps pour développer cette relation.

Santé

L'aspect psychique pourrait retenir votre attention ; si vous vous sentez le moindrement dépressif, prenez les mesures qui s'imposent. Un peu d'exercice et de marche en plein air : voilà deux activités qui pourraient être bénéfiques. Vous aurez à faire quelques ajustements en ce qui a trait à votre glande thyroïde : vous pourriez devoir réajuster la dose.

SAGITTAIRE – JUILLET

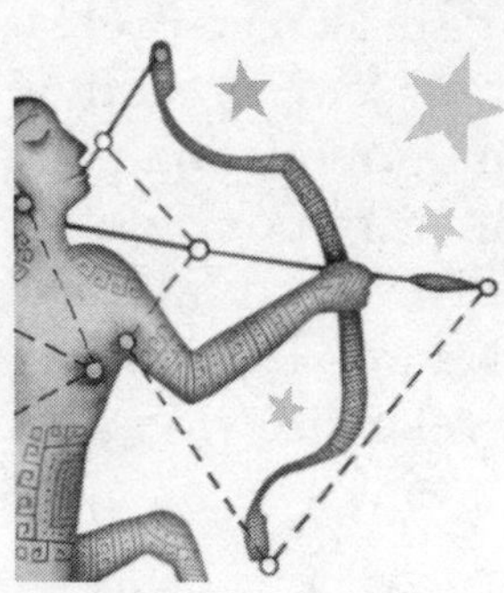

Les meilleurs jours ce mois-ci pour :

* Jouer à la loterie : 13, 14 et 15
* Le social et les jeux en groupe : 17, 18 et 19
* L'amour : 5, 6 et 7
* La sphère professionnelle : 15, 16 et 17

En général

Vous serez submergé par différentes cultures aussi bien en voyage qu'en restant à la maison. Vous aurez envie de goûter à de nouvelles saveurs, ainsi que de découvrir comment vivent et mangent les gens d'un peu partout autour du monde. Si vous êtes en pleine période de déménagement, vous mettrez de côté les boîtes et les travaux pour profiter de l'été. Au fur et à mesure que le mois avancera, vous aurez de plus en plus besoin de solitude et de faire vos petites affaires de votre côté. Vous disposez d'une très grande créativité en ce qui concerne votre maison, et vous serez inspiré pour revoir la décoration prochainement.

Travail – Finances

Il semble que toute activité sera freinée en raison des vacances. Une courte formation vous permettra certainement de vous diriger rapidement vers de nouvelles fonctions qui vous conviendront parfaitement. Si vous songez à démarrer votre propre affaire, vous aurez beaucoup de succès dans un domaine relié à la santé et au mieux-être. Vous n'avez pas encore négocié vos vacances de cette année ? Il est clair que vous ne pourrez pas nécessairement obtenir ce que vous souhaitez.

Amour – couple

Il serait très important de faire un petit, ou même un grand, voyage en amoureux pour vos vacances, ne serait-ce que pour vous accorder du temps ensemble si vous êtes toujours trop occupés tous les deux. Que vous soyez ensemble depuis longtemps ou non, vous aménagerez différemment votre petit nid d'amour pour que l'ambiance y soit plus romantique. À la maison ou à l'hôtel, vous devriez réussir à vous créer un univers qui vous permettra d'explorer de belles fantaisies.

♥ Amour - Célibataire

Même si vous avez une certaine facilité à faire de belles rencontres, il semblerait que vous ne tombiez que sur des gens qui n'ont pas un passé totalement réglé, ou alors qui sont encore en couple. Malgré tout, vous pourriez offrir la chance au coureur de vous impressionner. Cependant, il est possible que la question familiale vienne perturber le premier rendez-vous, freinant ainsi le moindre développement de sentiments.

Santé

Les natifs de votre signe sont souvent réputés comme étant de grands jouisseurs de la vie, très épicuriens, qui se complaisent bien dans toutes formes d'excès. Voici la saison de tous les excès qui est maintenant bien amorcée! Libre à vous de faire ce qui vous plaît, mais il faut nécessairement vous attendre à certaines conséquences, selon votre âge et le type d'abus que vous commettrez, et il ne serait donc pas surprenant de subir d'importantes fluctuations de poids.

SAGITTAIRE – AOÛT

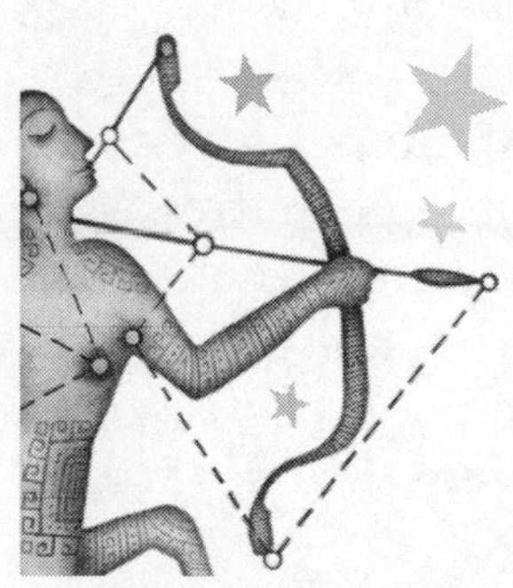

Les meilleurs jours ce mois-ci pour:

* Jouer à la loterie: 10, 11 et 12
* Le social et les jeux en groupe: 14, 15 et 16
* L'amour: 6, 7 et 8
* La sphère professionnelle: 12, 13 et 14

En général

Peut-être serait-il préférable de viser des activités plus passives qu'actives pour vos vacances! Vous devriez aller à la montagne plutôt qu'en ville, par exemple. Recherchez les spas et autres activités de détente, au lieu des parcs d'attraction et des activités urbaines. L'optimisme et la joie de vivre sont assurément vos leitmotivs, mais il faudra inévitablement faire la part des choses entre ce qui est réaliste et ce qui ne l'est pas. Votre budget ne vous permettra pas de faire la fête tous les jours.

Travail - Finances

Vous vous retrouverez en position de formateur, et il y aura beaucoup de monde autour de vous pour vous écouter attentivement. Vous pourriez aussi étudier un projet ou suivre un cours qui favorisera votre avancement. Également, une recherche vous donnera des réponses particulières et peut-être même troublantes, surtout s'il s'agit d'une forme d'enquête. Grand voyageur de nature, vous aurez l'occasion de faire un voyage d'affaires ou même de développer une idée commerciale pendant que vous êtes en vacances à l'étranger.

♥♥ Amour - couple

Vous pourriez élargir considérablement votre cercle d'amis, ce qui ne fera pas nécessairement l'affaire de votre partenaire, et l'inverse est aussi vrai. L'un de vous deux pourrait également recevoir des avances de la part d'un pur étranger, et vous ne resterez pas insensible à celles-ci. Un peu de jalousie régnera, ou alors ce sera un puissant coup de foudre pour cette personne, bref, il y aura passablement d'émotions à gérer. Heureusement, dans un cas comme dans l'autre, vos amis devraient servir de thérapeute pour vous aider tous les deux.

♥ Amour - Célibataire

Vos amis vous lanceront de nombreuses invitations à sortir et à participer à des 5 à 7 où vous ferez d'incroyables rencontres. Mais attention aux illusions ! Vous pourriez ressentir un puissant coup de foudre et vous laisser embobiner par une personne qui ne souhaitait absolument rien de sérieux avec vous. Vous n'avez pas besoin d'un parasite qui grugera vos énergies et que vous devrez entretenir en plus.

Santé

Les abus peuvent être nombreux, mais heureusement sans conséquences fâcheuses. Peut-être qu'il s'agit aussi d'une autre forme d'excès qui perturbe vos nuits de sommeil. Cependant, vous réussirez à doser le tout vers la fin du mois. Attention de ne pas vous surmener lorsque vous faites de l'activité physique. Même chose pour ce qui est de l'alcool et de la nourriture : la modération a bien meilleur goût.

SAGITTAIRE – SEPTEMBRE

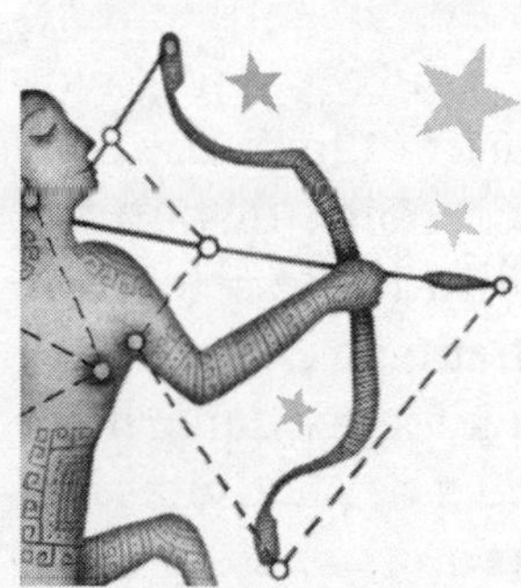

Les meilleurs jours ce mois-ci pour :

- Jouer à la loterie : 6, 7 et 8
- Le social et les jeux en groupe : 10, 11 et 12
- L'amour : 2, 3 et 4
- La sphère professionnelle : 8, 9 et 10

En général

Le temps sera nécessairement une denrée rare ce mois-ci, vous devrez le gérer avec beaucoup de précision pour ne rien négliger. Il ne serait pas impossible non plus que vous vous investissiez dans un important projet qui concerne toute votre communauté, le quartier dans son ensemble ou encore un regroupement pour une cause sociale. Vous serez aussi très friand d'arts en général. Vous visiterez des musées, vous irez voir de bons films et des pièces de théâtre, et vous vous évaderez dans une lecture passionnante.

Travail – Finances

Il est possible qu'on vous confie d'importantes responsabilités, pas toujours en accord avec vos objectifs de carrière. Heureusement, les revenus seront en croissance, mais le travail sera plus exigeant que ce que vous aviez cru. Par moments, vous devrez prendre le temps de revoir votre stratégie et vos méthodes de travail. Pour ce faire, n'hésitez pas à vous isoler : ne vous gênez pas pour fermer la porte de votre bureau, décrocher le téléphone et désactiver vos logiciels de communication, ainsi vous ne serez pas dérangé continuellement.

Amour – couple

Vous tenterez bien d'élargir ensemble vos horizons dans plusieurs domaines, et pourquoi ne commenceriez-vous pas en allant déguster de nouvelles saveurs dans un restaurant exotique, par exemple ?

Un voyage de dernière minute ou une escapade romantique seraient dans vos cordes aussi. Vous aurez également besoin de vous retrouver dans votre bulle à l'occasion et de vous évader dans vos affaires. Parfois, votre meilleure compagnie sera plutôt une bonne lecture.

Amour – Célibataire

Vous ne vous accorderez pas de temps pour sortir et faire des rencontres, du moins vous ne serez pas nécessairement disponible pour qui que ce soit. Vous aurez besoin de solitude, de retrouver un bien-être personnel. D'ailleurs, vous avez peut-être une petite blessure sentimentale qui a besoin de cicatriser. Cependant, il est possible que vous vous inscriviez à des cours ou à des activités qui vous permettront de sociabiliser davantage, ce qui suscitera donc de nouvelles rencontres.

Santé

Beaucoup de fatigue accumulée. Prenez le temps de vous reposer régulièrement, autrement c'est votre moral qui pourrait en prendre pour son rhume. Si vous vous sentez le moindrement dans un état dépressif, n'hésitez pas à en parler à votre médecin ; peut-être vous permettra-t-il un arrêt de travail pour éviter que votre situation s'aggrave.

SAGITTAIRE – OCTOBRE

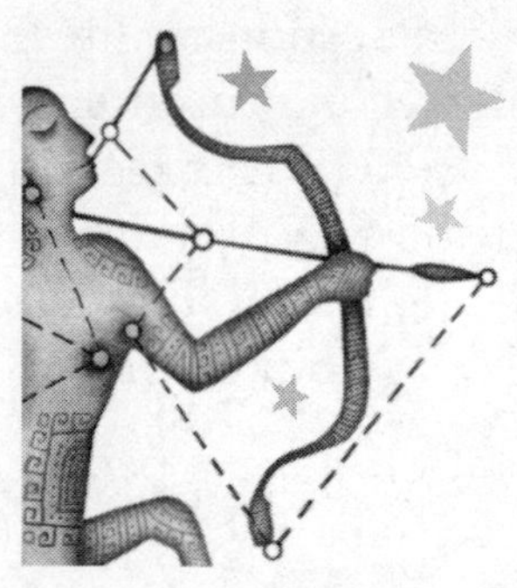

Les meilleurs jours ce mois-ci pour :

- Jouer à la loterie : 3, 4 et 5
- Le social et les jeux en groupe : 8, 9 et 10
- L'amour : 26, 27 et 28
- La sphère professionnelle : 24, 25 et 26

En général

Dévoué à toutes les causes, vous pourriez avoir l'impression de faire du surplace par moments et de ne plus avancer. Il serait important d'y voir et de vous alléger la tâche dès que possible. Prenez soin de vous en courant les spas et massothérapeutes qui s'empresseront d'essayer de vous détendre. Ou alors, consacrez-vous à la lecture, revoyez de vieilles séries télévisées ou même regardez en rafale tous les films que vous avez manqués durant la dernière année. En vous évadant dans vos rêves et dans vos pensées, vous pourriez découvrir une destination voyage extraordinaire, et vous partirez en toute spontanéité.

Travail - Finances

Il y a de bonnes chances que l'on vous confie un projet qui demande d'exploiter votre créativité et peut-être même aussi vos talents artistiques, du moins vos initiatives vous placeront à l'avant-plan. Il faudra toutefois faire attention de ne pas mettre la charrue avant les bœufs. Vous êtes plutôt pressé de savourer la victoire, mais certains éléments demandent beaucoup d'attention, de réflexion, d'imagination et de créativité de votre part pour que vous puissiez sortir d'une impasse.

♥♥ Amour - couple

Une fois le temps plus frais installé, n'hésitez pas à vous isoler avec votre amoureux sous de chaudes couvertures pour y vivre des moments magiques. Selon votre situation professionnelle, il ne serait pas impossible que votre partenaire ou vous-même deviez faire un voyage d'affaires qui pourrait être assez long. La vie pourrait vous séparer ; heureusement, vous tenterez de rester en contact même si, parfois, il semble impossible d'établir la communication.

♥ Amour - Célibataire

Si vous vous êtes séparé récemment ou que vous avez de jeunes enfants avec votre ex, il est clair que cette situation freinera votre désir d'entreprendre une nouvelle relation prochainement. D'autant plus que vous aurez besoin d'un peu de solitude ; vous n'aurez pas véritablement envie de faire des rencontres, mais vous chercherez plutôt à trouver une paix intérieure en tant que célibataire. Si vous entreteniez déjà une fréquentation depuis peu, il est possible que vous y mettiez un terme, et ce, sans aucune raison.

Santé

Par moments vous débordez de vigueur, alors qu'en d'autres temps vous tombez d'épuisement, chaque effort que vous faites vous demandant le double d'énergie. Le stress est véritablement un problème et vous avez peut-être un peu de difficulté à dormir. Évidemment, la fatigue s'accumule et vous pourriez ressentir quelques légers malaises, votre pression pourrait grimper en flèche, notamment. Peut-être serait-il sage de votre part de vous offrir un bon massage.

SAGITTAIRE – NOVEMBRE

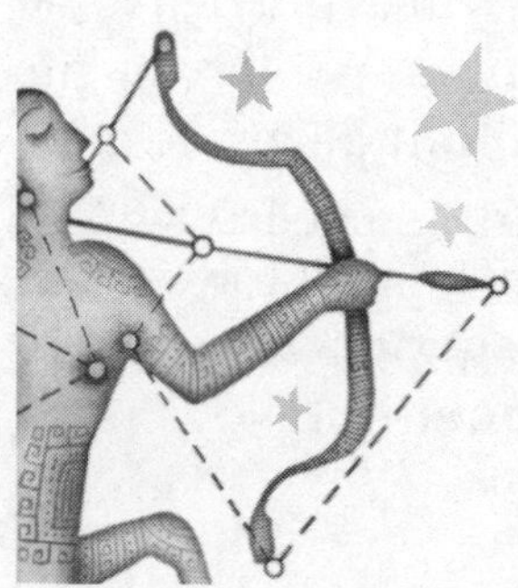

Les meilleurs jours ce mois-ci pour:

* Jouer à la loterie: 27, 28 et 29
* Le social et les jeux en groupe: 4, 5 et 6
* L'amour: 23, 24 et 25
* La sphère professionnelle: 2, 3 et 4

En général

Vous vous retrouverez avec de très nombreuses petites obligations sur les bras que vous verrez comme de grandes montagnes insurmontables à franchir, alors qu'il ne s'agit probablement que de simples petits détails à régler. Heureusement, vous vous organiserez assez bien pour structurer tout ce qu'il y a à faire au cours des prochaines semaines. De plus, l'éternel enfant que vous êtes aura pratiquement hâte de commencer à faire ses achats de Noël! Vous vous laisserez entraîner par la magie de la période des fêtes qui commence à s'installer dans la plupart des commerces.

Travail – Finances

Peu importe votre âge, vous pourriez enfin trouver votre véritable vocation, le métier pour lequel vous étiez destiné, celui qui vous rendra heureux. Il ne serait pas impossible qu'il s'agisse d'un boulot qui doit se coordonner avec l'étranger, et vous devrez vous y rendre régulièrement. Il sera important de prendre un recul pour reconnaître votre niveau de bonheur au travail et déceler plus clairement vos véritables aspirations professionnelles.

Amour – couple

Vous pourriez ressentir une certaine distance de la part de votre amoureux. Peut-être que vous-même êtes dans un état plus ou moins favorable pour vivre des moments passionnés. Les différentes responsabilités, la fatigue ou même la grisaille à l'extérieur pourraient vous rendre morose. Heureusement, vous recevrez de plus en plus d'invitations à faire des activités, ce qui mettra un terme à la période plus sombre. Vos amis apporteront à votre couple une dimension plus passionnante.

♥ Amour – Célibataire

Vous aurez davantage envie de profiter de votre liberté et de vivre pleinement votre vie sociale avec vos bons amis. Cependant, vous attirerez continuellement les regards, et de nombreux candidats vous feront des avances que vous jugerez plutôt déplacées. Malgré tout, quelques étincelles de sentiments pourraient jaillir pour une personne en particulier, sauf que vous réaliserez bien assez vite qu'elle est déjà engagée ailleurs.

Santé

Il y a de bonnes chances que vous débordiez d'énergie. Mais soyez tout de même prudent, votre surexcitation peut vous rendre distrait ou brusque, engendrant une blessure désagréable. Si vous attendez avec angoisse des résultats de tests médicaux, vous serez heureux d'apprendre que vous n'avez rien de grave ou que vous bénéficierez de soins apportant une guérison rapide.

SAGITTAIRE – DÉCEMBRE

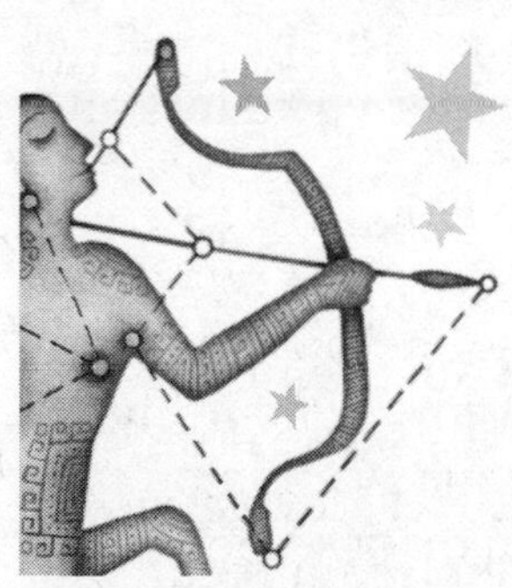

Les meilleurs jours ce mois-ci pour :

* Jouer à la loterie : 24, 25 et 26
* Le social et les jeux en groupe : 28, 29 et 30
* L'amour : 20, 21 et 22
* La sphère professionnelle : 18, 19 et 20

En général

Vous aurez le cœur à la fête pendant une bonne partie du mois. D'ailleurs, vous vous en donnerez à cœur joie en ce qui concerne l'organisation des différentes réceptions pour le temps des fêtes. Vous êtes une personne qui fonctionne assez bien lorsqu'elle est au pied du mur, et ce sera probablement de cette manière que vous ferez vos cadeaux de Noël cette année ! Si vous prévoyez un voyage à l'étranger, n'attendez pas à la dernière minute pour préparer vos valises. Peut-être y a-t-il de la paperasse à régler avant de partir : vérifiez votre passeport !

Travail – Finances

Il ne serait pas étonnant que vous soyez responsable de toutes les urgences au bureau. Vous développerez une clientèle très importante, mais vous n'êtes peut-être pas encore prêt à répondre à toutes les demandes : vous devrez inévitablement apprendre à déléguer ou à rapporter du travail à la maison. Vous cherchez un emploi ? Votre signe représente la chance, et votre audace vous sera des plus profitables. Même si ce n'est pas la meilleure période de l'année pour obtenir un poste, vous décrocherez le gros lot en matière d'emploi.

♥♥ Amour – couple

La période des fêtes annonce toujours quelques semaines où le temps devient une denrée rare et où il n'est pas toujours facile de s'accorder de bons moments en amoureux. Il faut s'attendre aussi à une baisse significative de la libido. En laissant vos enfants aux bons soins d'un autre membre de la famille, vous pourriez enfin vous accorder de beaux moments intimes seuls à la maison. L'affection, la sexualité et l'amour sont des éléments bien différents, mais une fois réunis ils peuvent vous faire vivre des feux d'artifice sur le plan des émotions. N'hésitez pas à vous préparer de petites bouchées à saveur aphrodisiaque pour agrémenter votre intimité.

♥ Amour – Célibataire

Un ami de la famille se présentera peut-être dans une réception, et il attirera toute votre attention. Cette personne pourrait aussi faire partie de votre passé et elle fera ressurgir une belle nostalgie en vous. Si vous cherchez désespérément l'amour avant la période des fêtes, vous vivrez probablement une forme de désespoir ; vous n'êtes peut-être pas guéri de votre dernière séparation. La prudence est de mise si vous cherchez l'âme sœur activement.

Santé

Vous profiterez de vos vacances pour vous remettre en forme. Si vous suivez un régime amaigrissant, les tentations de tricher seront grandes. Et comme vous êtes une personne excessive de nature, vous pourriez reprendre tout le poids que vous aviez perdu. Vous mettrez la main sur des traitements, sur une médication ou sur des produits naturels qui vous feront sentir comme si vous amorciez une nouvelle vie.

Capricorne

(du 21 décembre au 19 janvier)

Ariel Chaput, Paul Chaput

Généralement associé à une certaine rectitude, vous êtes perçu comme étant une personne très responsable et, à la limite, ennuyante dans certains cas. Mais voilà que cette année vous ne voudrez plus de cette étiquette, vous aurez besoin de vivre, de vous extérioriser, d'avoir des activités sociales et de voir plus régulièrement vos amis. Bref, vous tenterez de faire la fiesta toute l'année pour rattraper le temps perdu. Vous reprendrez votre jeunesse là où vous l'aviez laissée et vous vivrez des aventures que vous n'aviez pas osé tenter à l'âge opportun. D'ailleurs, il n'y a pas d'âge pour s'amuser et se faire plaisir. Votre esprit aura besoin de toutes ces activités, sinon il vous sera plus ardu de prendre vos responsabilités, car vous les trouverez étouffantes.

Ce n'est peut-être que le début d'une nouvelle existence, vous réaliserez qu'à tenter de tout prévoir, de tout organiser et de prendre vos responsabilités sans jamais faillir, il y a un prix à payer, et celui-ci est parfois le bonheur lui-même. Vous aurez droit de ne pas être parfait ou de ne pas être solide comme du roc. D'ailleurs, si vous résistez et que vous poursuivez dans une direction où le plaisir est exclu, la vie vous ramènera à l'ordre : vous serez obligé de l'apprécier au jour le jour en ne sachant pas ce que demain vous réserve. Cette vie vous sera douce ou, au contraire, dure : la décision vous revient.

Généralement réservé, vous avez possiblement adopté une existence plus solitaire au fil des années. Mais une vie sociale active vous manque et il n'en faudra pas davantage pour reprendre contact avec vos amis et entreprendre des activités plus régulièrement avec eux. Les natifs de votre signe sont généralement des gens d'« habitudes », et vous planifierez sûrement un rendez-vous hebdomadaire avec vos amis et vos proches afin de garder une proximité intéressante. Il est possible qu'il s'agisse aussi d'un sport dans lequel vous vous investirez sérieusement. Peu importe votre âge, votre esprit compétitif s'imposera : vous aurez un malin plaisir à vous améliorer et à devancer les gens qui étaient meilleurs que vous au départ. De plus, cette activité physique pourrait même devenir un mode de vie et occupera grandement vos temps libres, à votre plus grand bonheur. La terre est remplie de héros qui se mettent à faire du jogging à 80 ans et qui participent à tous les marathons du monde par la suite. Ce ne sera peut-être pas votre histoire, mais elle pourrait y ressembler étrangement.

L'idée de redonner un sens à votre vie pourrait aussi se faire sentir dans votre vie professionnelle. Cependant, étant un dur à cuire, vous ne quitteriez pas votre emploi pour aller tenter votre chance dans un autre univers, vous avez besoin d'assurance pour avancer. Mais la vie étant ainsi faite, qui ne tente rien n'a rien, dit-on ! Elle vous offrira d'excellentes occasions, mais aussi des choix déchirants, et vous devrez vous décider rapidement. Heureusement, vous aurez le droit de revenir en arrière après avoir expérimenté une direction plutôt qu'une autre ; vous aurez ainsi une meilleure idée avant de vous investir dans une direction précise. Vous ne serez probablement pas pressé de tout transformer dans votre carrière : l'année sera sous le thème de l'observation et de l'expérimentation. Vous prendrez deux ou trois ans pour revoir en détail vos ambitions et vos objectifs de carrière.

Si vous êtes dans la vente ou la représentation, vous réussirez à élargir considérablement votre clientèle, vos produits et services seront passablement recherchés et votre cote de popularité montera en flèche. Vous aurez une grande facilité à réunir vos clients afin qu'ils vous achètent des produits ou services en grande quantité, ou alors ils feront des achats de groupe. Il ne serait pas étonnant que vous réussissiez l'exploit de percer le marché à l'étranger, ou alors dans une communauté culturelle que l'on croyait très fermée.

Au bureau, vous vous impliquerez davantage dans les activités du club social, du moins vous serez la personne toute désignée pour organiser les 5 à 7 après le boulot afin de rendre l'atmosphère plus intéressante et pour fraterniser entre collègues.

Si vous cherchez de l'emploi, la fonction publique devrait vous ouvrir toutes grandes ses portes. Ce sera dans un domaine qui vous met en contact direct avec les gens, même si vous n'êtes pas toujours à l'aise avec ceux-ci, et il s'agira d'une sorte de défi que la vie vous propose afin de surmonter vos craintes et d'avoir une expérience supplémentaire à votre actif. Cependant, étant dans une période de vie qui affectionne le concept d'« essais et d'erreurs », vous pourriez occuper plusieurs fonctions et même bifurquer vers un domaine associé à la santé ou à l'entraide communautaire. Avant la fin de l'année, vous devriez recevoir l'illumination nécessaire qui vous fera découvrir le métier dans lequel vous voudrez vous diriger. Vous pourriez également vous y retrouver par accident en quelque sorte, et le temps vous dira que vous êtes à votre place.

Si vous êtes en couple depuis longtemps et que votre relation se porte à merveille, vous n'avez aucun souci à vous faire concernant les émotions qu'aurait pu vous réserver l'année. En effet, ce sera une période calme et vous vivrez plutôt des moments intéressants en groupe ou en compagnie de vos amis. Vous ne passerez pas vos journées de congé à vous soucier des sentiments que vous ressentez l'un pour l'autre ; vous proposerez plutôt de rejoindre des amis ou de vous lancer dans une activité passionnante avec l'être aimé. De plus, rien ne vous empêche de sortir chacun de votre côté de temps à autre.

Si vous vivez des tensions, la situation se complique : vous en aurez assez de la lourdeur émotionnelle. Vous fuirez votre partenaire et vous éviterez les conversations qui ne mènent qu'aux conflits. De plus, l'un ou l'autre pourrait avoir quelqu'un d'autre avec qui vivre une certaine échappatoire, provoquant ainsi des douleurs qui vous pousseront à revoir vos objectifs de vie commune. Vous mettrez l'accent sur votre vie sociale : vous retrouverez des amis plus régulièrement afin de vivre autre chose que vos problèmes de couple. Même si la situation est insupportable, vous n'envisagerez peut-être pas de vous séparer immédiatement, vous chercherez des solutions possibles.

Vous êtes célibataire ? Bien que vous appréciiez fortement la vie de couple, ne serait-ce que pour échanger un brin d'affection régulièrement, vous ressentirez le besoin de vivre pleinement cette indépendance chèrement acquise. En effet, vous vous débarrasserez de toute forme de dépendance affective et vous serez détaché des besoins physiques et psychiques. Même si les prétendants sont nombreux à vous promettre mer et monde, vous ne mordrez pas à l'hameçon si vous ressentez que l'on pourrait vous manifester la moindre jalousie ou possessivité. Mieux vaut être seul que mal accompagné, direz-vous.

Côté santé, vos émotions auront tendance à vous jouer de mauvais tours par moments, et il serait bon de consulter votre médecin au moindre signe de dépression. Le stress peut s'avérer une source d'énergie et de motivation, mais lorsqu'il se vit en continu pendant des années, l'épuisement physique et psychique se pointe au moment inopportun. Ainsi, vous pourriez passer une partie de l'année allongé et soumis à une fatigue chronique. Heureusement, les planètes s'alignent pour que vous évitiez cette situation et que vous trouviez des solutions avant d'en arriver là : vous accéderez à une vie sociale active qui vous permettra d'évacuer vos émotions, ne serait-ce que verbalement.

Vous êtes retraité ? Voici une année pour vous faire de nouveaux amis et entreprendre des activités plus intéressantes les unes que les autres. Vous n'hésiterez pas à proposer des réunions de toutes sortes et vous rassemblerez les gens, même ceux que vous ne connaissez pas. Rien de mieux que d'être dans l'action pour apprendre à connaître les gens. Vous pourriez vous impliquer en politique, ou alors vous irez défendre la cause des aînés auprès des gouvernements. Votre présence dans la société, que ce soit au centre communautaire ou à l'Assemblée nationale, sera très appréciée et vous y découvrirez en quelque sorte une vocation.

Capricorne et ses ascendants en 2018

Capricorne ascendant Bélier

Autoritaire et sévère envers vous-même, il faut de l'efficacité autour de vous et vous détestez tout ce qui stagne. Vous n'êtes pas nécessairement quelqu'un de très enthousiaste et vous n'affichez pas toujours un grand optimisme, mais vous avez le mérite d'accomplir tout ce que vous dites et vous êtes quelqu'un sur qui l'on peut compter en tout temps. Leader naturel, vous prenez toujours les décisions et vous supportez mal l'autorité en général. Vous vous sentirez à la croisée des chemins concernant tant votre vie professionnelle que vos projets personnels. Il y aura passablement d'émotions à gérer dans ce processus : vous apprendrez à mieux vous connaître vous-même. Il ne serait pas impossible que vous songiez à tout vendre et ainsi entreprendre ensuite le tour du monde.

Capricorne ascendant Taureau

Vous êtes une personne qui a le sourire facile malgré une image souvent austère ; vous manifestez un éternel optimisme et votre bonne humeur est toujours contagieuse. Bien que vous soyez une personne passablement entêtée et qui démontre une certaine forme d'insécurité en ce qui concerne l'argent, vous êtes plutôt épicurien et vous ne vous privez pas lorsqu'il s'agit de vous faire plaisir. Vous croiserez sûrement des individus qui vous feront basculer d'un extrême à l'autre. Par moments, vous serez rigide comme un bloc avec vos proches, et en d'autres temps, vous leur accorderez toute votre disponibilité. L'amour prendra une place de choix ; si votre relation est toute jeune, vous envisagerez un engagement très sérieux. Vous êtes célibataire ? Vous rencontrerez quelqu'un qui vous fera découvrir une toute nouvelle culture.

Capricorne ascendant Gémeaux

Vous n'avez pas la langue dans votre poche, à moins que vous ne soyez quelque peu étouffé par la timidité. Vous ne passez jamais par quatre chemins pour exprimer votre pensée et vous faites preuve d'une promptitude déconcertante par moments. Que vous songiez sérieusement à changer d'emploi ou non, la vie vous proposera une occasion professionnelle des plus extraordinaires dans le plus grand des hasards. Vous occuperez des fonctions auxquelles vous n'aviez jamais pensé, et ce sera un travail très enrichissant sur le plan financier ainsi qu'en termes de plaisir et d'expérience. Côté santé, vous vous investirez dans un régime de vie qui vous offrira une meilleure qualité de vie à long terme. Si vous souffrez d'un surpoids important, vous réussirez à en perdre considérablement.

Capricorne ascendant Cancer

Vous êtes très sensible et vous supportez mal l'injustice : il n'est pas rare de vous voir vous emporter lorsque vous êtes témoin d'une situation qui ne vous plaît pas. Vous êtes aussi une personne dévouée à ses proches et toujours disponible si les autres ont besoin de vous. On aura peut-être tendance à abuser de vos bons services au cours de l'année, vous devrez inévitablement apprendre à vous faire respecter et à imposer vos limites. Vous vous retrouverez sous les projecteurs pour une raison ou pour une autre, même si vous êtes timide et réservé ; ainsi, vous sortirez de votre zone de confort et vous ferez des progrès significatifs dans votre développement personnel et professionnel. En amour également, vous serez plus ferme auprès d'un conjoint ou d'un prétendant qui manque de délicatesse à votre endroit.

Capricorne ascendant Lion

Vous êtes fier et orgueilleux en général, et plus particulièrement en ce qui a trait à votre travail et à vos obligations. En effet, vous ressentez de la honte si vous commettez la moindre erreur sur le plan professionnel. Peut-être serait-il bon d'apprendre à lâcher prise à ce sujet. Loin de vous l'idée de blesser qui que ce soit, vous avez davantage besoin d'être admiré que craint. Mais avant de songer à rayonner, vous devez être en harmonie avec vous-même et en accord avec vos propres valeurs. Vous êtes un jeune couple ? L'idée de fonder une famille se manifestera, et vous pourriez commencer ce projet en vous achetant une première maison, du moins en aménageant votre petit nid d'amour pour accueillir le nouveau-né. Professionnellement, vous vous investirez dans l'entreprise familiale ou vous démarrerez votre propre entreprise à partir de la maison.

Capricorne ascendant Vierge

Vous êtes une personne très fière, même si vous devez affronter une grande timidité pour vous démarquer. Vous devez toujours faire des efforts colossaux pour surmonter cette dernière. Vous êtes possiblement en quête de votre personnalité profonde même si vous êtes déjà à un âge avancé. Vous cherchez à découvrir qui vous êtes exactement et quels sont les véritables besoins de votre cœur. Vous aurez droit à bien des réponses lorsque vous vous exprimerez ; d'ailleurs, une thérapie sera un moyen très libérateur. Si vous ressentez des blocages sur les plans sentimental et émotionnel, vous parviendrez à vous libérer. Vous vous sentirez prêt à trouver l'âme sœur si vous êtes célibataire, et il y aura une personne avec qui vous développerez une relation, doucement, afin de ne pas vous brusquer.

Capricorne ascendant Balance

Double signe cardinal, vous pourriez très bien être une personne extrêmement autoritaire pour qui la discipline est un mode de vie à respecter aussi bien pour soi-même que pour l'entourage. On vous a confié de nombreuses responsabilités à la maison alors que vous étiez encore tout jeune. Peut-être avez-vous dû prendre en charge vos frères et sœurs, vos parents malades, ou alors à l'école vous étiez aux commandes de tous les projets. Vous avez le sentiment d'être un être parfait, et c'est ce que vous souhaitez présenter encore tout au long de votre vie. La réussite matérielle viendra confirmer que vous êtes à votre place sur le plan professionnel, et un ou plusieurs éléments se présenteront sur votre route pour que vous empruntiez le chemin du confort. En laissant plus de place à la sensibilité et à l'affection, vous serez choyé par votre amoureux toute l'année.

 Capricorne ascendant Scorpion

Vous êtes à la fois réservé et extraverti, selon les circonstances. Vous pouvez être d'humeur exécrable et faire de l'humour, ou alors émettre continuellement des critiques alors que tout va à merveille dans votre vie. Vous ne laissez personne indifférent. Vous faites certainement mentir l'adage « grand parleur, petit faiseur ». Vous avez toujours le mot pour rire, le mot juste pour régler une situation et les bons arguments pour défendre une cause ou une opinion. Cette année, vous serez de tous les combats, vous monterez aux barricades pour défendre toute victime d'injustice. Vous aurez les capacités d'un superhéros, et vous ne craindrez aucune cause. Si une certaine froideur s'installe dans votre couple, vous n'hésiterez pas à poser les questions qui s'imposent et à trouver des solutions qui sauveront la relation à long terme. L'inverse est aussi vrai : vous n'aurez pas peur de la séparation si c'est la seule solution.

 Capricorne ascendant Sagittaire

Excessif, vous affichez toujours un large sourire, peu importe votre situation, vous êtes un éternel optimiste. L'inverse est aussi vrai : vous pourriez tout autant être un grand pessimiste. À vous de choisir votre attitude. Vous avez la capacité d'accumuler une jolie fortune, de connaître une belle stabilité tant financière qu'affective. Avec la présence de Pluton en Capricorne depuis 2008, il est possible qu'il soit un peu plus difficile de vous assurer un coussin d'argent suffisamment confortable, ou quelqu'un avec qui vivre une relation affective épanouie. Vous serez encore confronté à beaucoup de confusion financièrement, et votre emploi n'est peut-être pas l'unique solution pour rembourser vos dettes. Ce sera en consultant divers spécialistes que vous découvrirez le meilleur moyen pour vous en sortir. En amour, vous préconiserez davantage l'isolement, et vers la fin de l'année seulement, vous entreprendrez une vie sociale plus active.

Capricorne ascendant Capricorne

Dynamique en général, vous passez de la parole aux gestes plus rapidement que quiconque. Avec un brin d'autorité, d'humour sarcastique, vous vous démarquez considérablement. Que ce soit au travail ou parmi votre cercle d'amis, on vous accordera de plus en plus d'importance et vous accroîtrez le nombre de vos amis tout comme votre clientèle. Au travail, il ne serait pas étonnant que vous soyez directement impliqué dans un conflit entre la direction et le syndicat, par exemple. Vous serez aussi responsable de nombreux événements qui rassembleront beaucoup de monde, et vous devrez donc gérer un stress important tout au long de l'année. Heureusement, vous développerez une plus grande confiance en vous-même devant d'importants projets. Côté cœur vous resterez de glace devant les grandes déclarations d'amour que vos prétendants vous adresseront. Tâchez de ne pas trop ignorer votre amoureux si vous êtes en couple.

Capricorne ascendant Verseau

On pourrait avoir l'impression que vous êtes quelqu'un de froid et distant. Mais il n'en est rien ! Vous avez toujours le cœur sur la main, peut-être êtes-vous réservé simplement parce que vous n'aimez pas trop exposer votre vie personnelle. Cette année, vous aurez bien en tête un projet pour le mieux-être de votre communauté, à moins que vous ne vous investissiez professionnellement en politique ou pour une cause publique. Bien que vous soyez passablement rêveur, il n'en demeure pas moins que vous n'avez pas peur de prendre votre marteau et votre pinceau pour refaire la décoration à la maison. Vous pourriez même prendre sur vos épaules un important projet et le mener à terme. Avec une jeune famille ou de lourdes responsabilités sur les bras, il n'est pas facile de s'accorder du temps entre amoureux. Mais il faudra le trouver pour le mieux-être de votre relation.

Capricorne ascendant Poissons

Vous êtes dévoué, parfois lunatique, mais aussi très responsable, raisonnable, prêt à tout sacrifier pour les autres. Vous êtes également très efficace : vous voyez les choses avec une meilleure perspective que les gens en général, ce qui vous permet d'être toujours en avance sur eux. Vous êtes forcément un précurseur dans tout ce que vous entreprenez, un pionnier dans votre domaine professionnel. D'ailleurs, vous pourriez très bien faire une découverte importante cette année et enseigner vos trouvailles. Ou alors, vous décrocherez un boulot en recherche et développement, et vous remettrez les pieds dans les grandes universités pour parfaire vos connaissances. La vie vous guidera aussi vers des lieux de plaisir et des destinations où vous aurez droit de vous amuser. Peut-être sera-t-il également question d'un grand voyage.

CAPRICORNE – JANVIER

Les meilleurs jours ce mois-ci pour :

* Jouer à la loterie : 5, 6 et 7
* Le social et les jeux en groupe : 9, 10 et 11
* L'amour : 1, 2 et 3
* La sphère professionnelle : 7, 8 et 9

En général

Beaucoup d'action et une vie sociale en pleine effervescence : voilà ce qui se dessine pour les prochaines semaines. Vous organiserez un bon nombre d'activités qui feront la joie de vos amis et de vos proches, ce seront des nouveautés ainsi que des surprises qui en impressionneront plus d'un. Peut-être que l'on vous mettra au défi, en premier lieu, de former un groupe qui se surpassera d'une manière ou d'une autre, et votre sens de l'initiative se dévoilera de façon à vous impressionner vous-même.

Travail - Finances

Vous aurez besoin de temps avant de vous réinstaller derrière votre bureau au retour des vacances. Peut-être devrez-vous changer votre ordinateur ou vos méthodes de travail afin de retrouver le chemin de l'efficacité ! De plus, il est possible que vous ne vous sentiez plus à votre place : il n'en faudra pas plus pour envoyer votre CV dans de nouvelles entreprises qui s'empresseront de vous accueillir. Toute forme de changement ne peut que vous être positive au travail.

Amour - couple

Avec la pleine lune durant les premiers jours de l'année, il est possible que certaines tensions se fassent sentir et que l'impulsivité l'emporte sur la diplomatie. Heureusement, vous avez de bons amis autour de vous qui réussiront à apaiser les esprits et à trouver des solutions intéressantes. La jalousie et la possessivité n'ont pas leur place dans un couple sain. Mais si c'est le cas, il est important d'en trouver la cause et d'éliminer ces sentiments malsains le plus rapidement possible pour retrouver l'harmonie entre vous.

Amour - Célibataire

Vous devriez être actif sur votre site de rencontre préféré, ou alors parcourez les événements entre amis afin de sociabiliser et de trouver votre prince charmant. De plus, il ne serait pas étonnant qu'un de vos bons amis vous manifeste son amour alors que vous ne ressentez que de l'amitié à son endroit. Il y aura possiblement un petit malaise à gérer, surtout si vous aviez cru qu'il jouait un jeu et qu'il ne le faisait pas sérieusement.

Santé

Vous devriez être entreprenant et vous inscrire dans un centre de conditionnement physique afin de suivre à la lettre vos résolutions et de cesser la sédentarité. D'ailleurs, la perte de poids ne se fera pas attendre, ainsi que le regain de vitalité, et vous pourriez même instaurer ces nouvelles activités dorénavant comme votre mode de vie.

CAPRICORNE – FÉVRIER

Les meilleurs jours ce mois-ci pour :

- Jouer à la loterie : 1, 2 et 3
- Le social et les jeux en groupe : 6, 7 et 8
- L'amour : 25, 26 et 27
- La sphère professionnelle : 3, 4 et 5

En général

Si vous êtes de nature plutôt intellectuelle, il y a de bonnes chances que vous vous offriez d'excellentes lectures pour traverser le mois le plus dur de l'hiver. Vous serez de plus en plus curieux et vous aurez besoin d'élargir vos connaissances. Votre créativité s'en trouvera aussi très avantagée, et vous pourriez démontrer de grands talents pour l'art en général. Même chose pour la spiritualité : vous pourriez accéder à une compréhension supérieure en suivant un cours de méditation ou même d'astrologie.

Travail – Finances

La gestion de vos finances prendra une place importante dans votre quotidien : vous vous retrouverez passablement confus en raison des différentes options qui vous seront proposées. On pourrait vous faire de grandes promesses concernant vos déclarations de revenus, mais il faudra aller vérifier auprès de spécialistes par la suite. Au travail, vous vous retrouverez avec un heureux problème sur les bras : plusieurs nouveaux clients se pointeront par surprise, ou alors vous aurez droit à une promotion avant même de bien connaître vos nouvelles fonctions.

Amour – couple

Vous serez dans l'ambiance de la Saint-Valentin dès les premiers jours de février, et vous vivrez pleinement toute l'affection que vous offrira votre amoureux. Cet idéal affectif se transformera vers une dimension plus cérébrale par la suite : vous ferez davantage de préparatifs pour vos moments romantiques, ce qui manquera de spontanéité. Votre couple est relativement jeune ? Vous aborderez des sujets plus sérieux, par exemple vivre ensemble et fonder une famille.

Amour – Célibataire

Vous aurez droit à beaucoup d'attention de la part de vos amis. L'un d'entre eux pourrait bien vous offrir un soutien, un réconfort ou même un massage pour vous détendre ; cependant, il aura aussi une certaine déclaration d'amour à vous faire, mais vous n'en ressentirez pas autant pour lui. Heureusement, cette situation n'affectera pas votre amitié, elle pourrait même vous aider à mieux cerner ce que vous recherchez dans une relation amoureuse.

Santé

L'air froid risque d'être brutal sur vos poumons. Alors, si vous faites des sports et autres activités physiques à l'extérieur, habillez-vous chaudement et portez un foulard. Les microbes auront un accès trop facile à votre système si vos bronches sont irritées. Si vous manquez de sommeil, votre humeur sera probablement massacrante pour les autres.

CAPRICORNE – MARS

Les meilleurs jours ce mois-ci pour :

* Jouer à la loterie : 1, 2 et 3
* Le social et les jeux en groupe : 5, 6 et 7
* L'amour : 24, 25 et 26
* La sphère professionnelle : 3, 4 et 5

En général

Il est possible que vous songiez à faire faire certains travaux sur votre maison ; vous serez également de plus en plus inspiré pour revoir la décoration. Peut-être y aura-t-il un appareil électroménager à changer : vous ne résisterez sûrement pas à la tentation d'avoir un truc dernier cri. Vous pourriez même envisager de déménager et être passablement inspiré pour un décor enchanteur. Si vous avez de jeunes enfants, attendez-vous à ce qu'ils invitent régulièrement leurs petits amis: le nombre de décibels risque de s'accroître considérablement dans la maison.

Travail - Finances

Vous êtes une personne d'action et vous ne resterez pas à ne rien faire bien longtemps; alors, si vous cherchez de l'emploi, vous pourriez plutôt démarrer votre propre petite affaire, surtout si c'est du côté de l'alimentation ou encore pour œuvrer auprès des enfants. Même si vous avez un employeur, il y a de bonnes chances qu'on vous donne la possibilité de travailler à partir de la maison, probablement parce que les déplacements pourraient devenir compliqués.

Amour - couple

Les grands projets tels que l'achat d'une maison peuvent imposer un stress important sur votre relation. L'harmonie et la patience ne semblent pas être des plus faciles à obtenir. Un léger recul peut s'avérer favorable: vous verrez les choses avec moins d'émotions et une perspective différente. Ce sera tout de même dans le confort de votre foyer que vous vivrez les plus beaux moments en amoureux. N'hésitez pas à entretenir une vie sociale active: invitez régulièrement vos amis à la maison.

Amour - Célibataire

Il y aura bien quelqu'un dans le voisinage qui vous manifestera un certain intérêt. Il est possible qu'il s'agisse d'une personne que vous croisez régulièrement en vous rendant au travail. Vous êtes récemment séparé? Peut-être que votre ex tentera de reprendre sa place dans votre vie, surtout si vous avez eu des enfants avec lui. Mais il faudra déterminer s'il y a encore suffisamment d'amour entre vous pour envisager un avenir à long terme, ou si ce n'est que pour vivre quelques douceurs pendant un court laps de temps.

Santé

Quelques brûlures d'estomac sont à prévoir si vous ne faites pas attention à votre alimentation et si vous n'arrivez pas à vous détacher du stress que vous subissez au travail ou dans une vie de famille imposante. Peut-être y a-t-il un type d'aliments bien précis qui provoque cet inconfort, par exemple de l'ail, des piments ou encore l'alcool.

CAPRICORNE – AVRIL

Les meilleurs jours ce mois-ci pour:

* Jouer à la loterie: 24, 25 et 26
* Le social et les jeux en groupe: 1, 2 et 3
* L'amour: 20, 21 et 22
* La sphère professionnelle: 18, 19 et 20

En général

Beaucoup d'action et peu de temps devant vous: le ménage et votre alimentation seront possiblement négligés. L'aspect familial retiendra aussi votre attention et vous demandera également temps et disponibilité. Vous vivrez peut-être le retour de l'enfant prodigue, vous devrez donc lui refaire une place à la maison; ou encore, vous songerez de plus en plus à accueillir vos vieux parents chez vous. Vous passerez beaucoup de temps avec vos enfants ou vos parents, selon le cas. De nombreuses activités familiales à prévoir!

Travail – Finances

De nouvelles fonctions pourraient vous obliger à rapporter régulièrement du boulot à la maison. La vie ne nous impose jamais d'épreuves pour rien; si vous êtes mis à pied ce mois-ci, ou c'est récent, c'est tout simplement parce que vous deviez rester à la maison pour une raison ou pour une autre. Cette situation devrait vous inciter sérieusement à créer votre propre entreprise à partir de chez vous: vous serez surpris de voir les profits se réaliser aussi rapidement.

♥♥ Amour – couple

Vous arriverez facilement à communiquer vos émotions et vos sentiments, sans oublier que vous aurez aussi le raffinement nécessaire pour créer une belle ambiance romantique. S'il y a des tensions en raison de projets imposants au travail ou ailleurs, n'hésitez pas à exprimer vos inquiétudes: votre amoureux sera en mesure de comprendre et de vous soutenir. Si toutefois vous gardez le silence, vous n'entretiendrez que de la confusion entre vous.

♥ Amour – Célibataire

N'oubliez pas de vérifier vos messages régulièrement : ce sera possiblement dans un simple courriel banal que vous découvrirez votre âme sœur. Ce pourrait être également dans une salle d'attente. Une chose est sûre, vous aurez une belle conversation avant de commencer à ressentir des sentiments. Si vous entretenez une simple fréquentation, les activités plus intimes risquent d'être plutôt décevantes, ce qui mettra probablement un terme à cette histoire.

✚ Santé

Vous pourriez souffrir fréquemment de problèmes de digestion et de brûlures d'estomac en raison du stress que vous vivez. Si vous avez décidé de vous alimenter différemment dernièrement, par exemple si vous avez adopté un régime aux protéines, vous pourriez ressentir certains malaises. Votre corps a besoin de s'habituer, ou alors des carences se feront sentir.

CAPRICORNE – MAI

Les meilleurs jours ce mois-ci pour :

* Jouer à la loterie : 22, 23 et 24
* Le social et les jeux en groupe : 26, 27 et 28
* L'amour : 17, 18 et 19
* La sphère professionnelle : 15, 16 et 17

En général

Nous n'avons qu'une vie à vivre, et pas question de passer à côté. Vous mettrez la passion et la joie de vivre au premier plan, et vous prendrez soin de profiter de chaque instant de bonheur. Ce sera également dans une joie tout aussi contagieuse que vous réussirez à réunir famille et amis pour vous aider à faire un grand ménage : vous vous débarrasserez de toutes sortes de vieilleries. Si vous avez de jeunes enfants, il ne serait pas étonnant qu'ils invitent régulièrement leurs petits amis à la maison. Vous serez tout de même très heureux de voir leur bonheur dans leurs yeux, même si cela vous demande plus de vigilance et de responsabilités.

Travail - Finances

Vous pourriez très bien accomplir un exploit qui en impressionnera plus d'un, et plus particulièrement votre patron. Certaines urgences à régler vous permettront de vous démarquer et d'aspirer à une meilleure position dans l'entreprise. Vous doublerez d'efficacité. Un projet de travailleur autonome prendra beaucoup plus d'ampleur que prévu ; du moins, vous aurez sûrement l'occasion de vous établir un bureau à la maison, ce qui vous permettra d'être beaucoup plus efficace.

Amour - couple

Vous prendrez sûrement du temps pour réaménager votre petit nid d'amour. Si votre relation est récente, vous envisagerez de vivre ensemble. Du moins, vous tenterez de partager votre quotidien. N'hésitez pas à vous concocter de bons soupers à la chandelle pour prendre le temps de vous regarder dans le blanc des yeux. Vous aurez tout autant de plaisir, sinon plus, à vivre votre relation en toute simplicité. Vous pourriez même recevoir des amis à la maison avec qui vous serez en mesure de parler d'amour, vous permettant d'approfondir votre relation.

Amour - Célibataire

Certains éléments limiteront les possibilités de faire des rencontres ou même de développer une relation avec une personne qui pourrait être très intéressante de prime abord. Même s'il y a de bons prétendants à l'horizon, vos différentes responsabilités et votre agenda serré ne vous permettront pas de vous engager dans une histoire d'amour des plus excitantes. De plus, au travail, il y aura possiblement un collègue qui cherchera souvent à passer son heure de lunch avec vous.

Santé

Vous accorderez beaucoup d'importance à votre alimentation. Justement, n'y a-t-il pas un certain Hippocrate qui disait : « Que ton aliment soit ton meilleur remède ! » Alors, si vous avez le moindre problème de santé, vous réaliserez bien assez vite qu'en modifiant quelque peu votre alimentation vous trouverez la solution, et une seconde jeunesse vous attendra. Peut-être également s'agit-il d'une allergie alimentaire.

CAPRICORNE – JUIN

Les meilleurs jours ce mois-ci pour:

* Jouer à la loterie: 18, 19 et 20
* Le social et les jeux en groupe: 22, 23 et 24
* L'amour: 10, 11 et 12
* La sphère professionnelle: 12, 13 et 14

En général

Vous n'hésiterez pas à offrir vos services pour que certaines personnes aient moins de lourdeur sur leurs épaules. De plus, il ne serait pas étonnant que vous décidiez d'aider quelqu'un de malade, non seulement parce que vous serez la seule personne disponible, mais aussi parce que vous n'êtes pas effrayé par les efforts. Vous serez même de service pour vos amis qui déménagent: vous leur donnerez un coup de main pour faire du ménage ou pour défaire leurs boîtes. Un gros ménage à la maison servira aussi à épurer votre esprit et ainsi à y voir plus clair dans votre vie.

Travail – Finances

Vous êtes responsable des urgences, et ce sera avec une certaine sérénité que vous vous exécuterez, votre humeur devrait être des plus harmonieuses. Vous vous impliquerez davantage du côté du syndicat et des relations de travail en démontrant un grand talent de négociateur. Vous devrez essayer d'établir des ententes claires le plus rapidement possible pour éviter des déceptions de part et d'autre. Un contrat avec un client, ou encore une entente particulière, demandera d'être reconsidéré, ce qui occasionnera ainsi un peu de retard.

Amour – couple

Si votre relation est toute récente, un voyage ou quelques escapades de nature romantique devraient vous donner des indices que tous les deux vous prenez cette histoire d'amour très au sérieux. D'ailleurs, il ne serait pas étonnant que votre amoureux vous demande en mariage. Une chose est sûre, vous aurez besoin de recevoir une abondance de mots d'amour. La romance se doit d'être omniprésente dans le quotidien, ce genre de détail confirme vos sentiments mutuels.

♥ Amour - Célibataire

Vous devriez entretenir une vie sociale passablement active à travers votre milieu professionnel. Quelques-uns de vos collègues pourraient devenir de bons amis avec qui faire la fête par moments. L'un d'eux pourrait très bien vous faire une déclaration d'amour. Vous pourriez aussi recevoir quelques mots d'amour de manière anonyme. Très intrigant! Vous chercherez bien à savoir de qui il s'agit. Vous vous échangerez des messages par courriel ou sur Internet pendant un bon moment avant d'obtenir un premier rendez-vous.

Santé

Vous avez quelques légers problèmes de santé? Vous pourriez alors passer une batterie de tests pour en avoir le cœur net. Avec la belle saison qui s'installe, vous serez plus actif physiquement, ce qui fera disparaître tous vos soucis. Attention à tout ce que vous touchez: les allergies sont omniprésentes en cette saison et vous pourriez faire une réaction importante après avoir manipulé une plante, par exemple.

CAPRICORNE – JUILLET

Les meilleurs jours ce mois-ci pour:

* Jouer à la loterie: 15, 16 et 17
* Le social et les jeux en groupe: 20, 21 et 22
* L'amour: 11, 12 et 13
* La sphère professionnelle: 9, 10 et 11

En général

Vous vivez généralement d'accomplissements personnels, vous aimez bâtir et réaliser des choses, vous avez toujours besoin d'un projet en cours de route pour être heureux. Certaines personnes changeront d'idée à la dernière minute, vous obligeant ainsi à modifier vos plans. Il ne sera pas facile de vous coordonner avec un groupe ou vos amis. Vous avez besoin de transformations, de faire un ménage en profondeur, de vous débarrasser de vos vieilleries, des objets qui vous encombrent et de trier vos vêtements qui ne cessent de s'accumuler à la maison.

Travail – Finances

Vous pourriez amorcer une transition éclair, peut-être même quitter votre emploi pour un autre qui vous conviendra davantage. Vous cherchez un emploi ? Il est clair que vous réussirez à en trouver un rapidement, même s'il s'agit d'une période de vacances. Vous hériterez également des fonctions de vos collègues qui prendront congé au cours des prochaines semaines : vos nombreuses heures supplémentaires seront généreusement rémunérées.

♥♥ Amour – couple

Même si tout va pour le mieux dans votre relation, il faut avoir une certaine audace pour garder votre couple bien en vie et ressentir l'amour avec une ardeur passionnelle des plus stimulantes. Vous pourriez envisager un voyage en amoureux. Vous aurez besoin de vous retrouver seuls tous les deux. Si vous éprouvez quelques difficultés sur le plan sexuel, vous prendrez le temps de vous en parler et, surtout, de corriger la situation en appliquant des mesures radicales qui pourraient aller jusqu'à une thérapie.

♥ Amour – Célibataire

Le coup de foudre arrivera lorsque vous vous prélasserez sur une plage, ou simplement au bistro du coin. Il s'agira possiblement d'une personne d'une autre nationalité. À première vue, cet amour vous semblera impossible, mais votre cœur sera convaincu du contraire, et ce sera précisément celui-ci qu'il faudra écouter. Vous avez peut-être l'âme sœur au bout des doigts, vous ne voudriez pas la laisser filer !

Santé

Évidemment, il est toujours fortement conseillé de se protéger adéquatement lors de relations sexuelles avec des gens dont vous ne connaissez pas bien le passé. Il est possible aussi de ressentir certains malaises du côté des organes génitaux. Assurez-vous également de boire une eau de qualité et de bien faire cuire vos aliments : vous éviterez ainsi toute forme d'empoisonnement.

CAPRICORNE – AOÛT

Les meilleurs jours ce mois-ci pour:

* Jouer à la loterie: 12, 13 et 14
* Le social et les jeux en groupe: 16, 17 et 18
* L'amour: 3, 4 et 5
* La sphère professionnelle: 14, 15 et 16

En général

Tandis que l'été tire à sa fin, pour préserver l'amitié avec certaines personnes, vous organiserez sûrement un événement grandiose en vous réunissant. Vous pourriez aussi entreprendre un ménage parmi votre cercle d'amis. Vous réaliserez qu'il y en a quelques-uns qui ne sont que des parasites et qui profitent de votre générosité. La dernière partie du mois est idéale pour prendre vos vacances si ça vous est possible; inutile d'essayer de réserver trop à l'avance, les plans peuvent changer à la dernière minute mais vous trouverez toujours une activité fascinante à faire. Vous êtes parent? La rentrée scolaire s'annonce une grande source de stress.

Travail – Finances

Vous trouverez sûrement une solution à un problème financier. Peut-être s'agit-il simplement de rencontrer votre banquier personnel pour faire une consolidation de dettes, par exemple. Vous profiterez d'un certain répit pour entreprendre des changements importants, mais vous aurez tout de même besoin de réflexion avant de les appliquer. Vous pourriez adopter de nouveaux procédés de travail, et il vous faudra inévitablement du temps et de la méthode pour atteindre vos objectifs.

Amour – couple

Après de belles vacances hautement romantiques, le retour à la routine et à la réalité peut ne pas être facile. Prenez le temps de vous parler, d'exprimer vos émotions, cela ne tombera pas dans l'oreille d'un sourd. Si votre relation est toute jeune, attendez-vous à une demande en mariage de votre partenaire, mais vous pourriez ressentir une certaine crainte de perdre votre liberté si vous acceptez.

Peut-être même aurez-vous l'impression qu'on vous demande cet engagement pour mieux vous contrôler.

♥ Amour – Célibataire

Si vous avez un voisin qui vous salue tous les jours et qui cherche continuellement une occasion pour vous faire la conversation, c'est parce qu'il ressent quelque chose pour vous. Il devrait réussir à vaincre sa timidité et être plus direct. Mais vous ne pourrez probablement pas vivre cette relation au grand jour : votre ex est encore dans les parages, ou encore vous ne voulez pas que vos enfants soient au courant. Il vous faudra user de beaucoup de patience avant de vous diriger vers une relation plus sérieuse.

Santé

Si vous êtes en âge d'avoir des enfants, la fertilité sera au rendez-vous ! Peut-être pourriez-vous éprouver certaines difficultés avec des moyens de contraception, ou encore avec la ménopause. Si vous avez changé votre régime ou certaines habitudes de vie dernièrement, vous pourriez ressentir des effets secondaires. Par exemple, si vous avez arrêté de fumer récemment, vous aurez peut-être besoin de soutien.

CAPRICORNE – SEPTEMBRE

Les meilleurs jours ce mois-ci pour :

- ✶ Jouer à la loterie : 8, 9 et 10
- ✶ Le social et les jeux en groupe : 12, 13 et 14
- ✶ L'amour : 27, 28 et 29
- ✶ La sphère professionnelle : 2, 3 et 4

En général

Que vous ayez pris ou non des vacances l'été dernier, vous êtes déjà à planifier celles de l'hiver prochain, à moins que vous ne décidiez de partir en voyage dès maintenant. En fait, vous avez besoin de vous détendre, de penser davantage à vous amuser et à découvrir de nouveaux plaisirs aussi. Il ne serait pas étonnant que vous deviez penser à faire un peu de ménage parmi votre cercle d'amis, surtout ceux à qui vous avez prêté de l'argent et qui ne sont pas tellement pressés de vous rembourser.

Travail - Finances

Il y a de bonnes chances que vous entrepreniez les démarches pour suivre une importante formation qui vous conduira rapidement vers une carrière très stimulante. D'ailleurs, il s'agit peut-être même d'un simple petit cours qui vous donnera la possibilité d'accéder à un poste supérieur dans votre entreprise. Attendez-vous aussi à une augmentation considérable de votre charge de travail ; heureusement, vous serez généreusement récompensé pour vos efforts.

♥♥ Amour - couple

Une période de tensions s'imposera, peut-être causée par un peu de jalousie ou de compétition ! Vous êtes une personne persévérante de nature : vous prendrez les moyens nécessaires pour retrouver une forme de quiétude sur le plan sentimental. Une vie sociale ou des activités chacun de votre côté vous aideront à retrouver l'harmonie. Vous serez aussi très inspiré par un voyage en amoureux. Vous avez besoin de vivre pleinement votre amour et d'y ajouter des moments plus romantiques.

♥ Amour - Célibataire

Au cours d'un voyage ou d'une simple excursion, vous pourriez tomber sur la perle rare, quelqu'un d'une autre origine, un grand voyageur ou une personne qui possède une grande culture. Timide de nature, vous n'ouvrirez probablement pas la porte le premier, mais la magie et le coup de foudre réussiront à faire lever vos barrières. Peut-être devrez-vous, en premier lieu, développer cette relation à distance.

Santé

Votre organisme n'est pas conçu pour la malbouffe, et le moindre excès alimentaire risque de vous causer pas mal de soucis. Cependant, même si les abus ne sont pas forcément bons pour le corps, ils peuvent faire du bien au moral et vous apporter une belle joie de vivre. Vous pourriez vous retrouver avec une extinction de voix, mais les tracas seront sans conséquence.

CAPRICORNE – OCTOBRE

Les meilleurs jours ce mois-ci pour:

- Jouer à la loterie: 5, 6 et 7
- Le social et les jeux en groupe: 10, 11 et 12
- L'amour: 1, 2 et 3
- La sphère professionnelle: 8, 9 et 10

En général

La fête de l'Halloween sera populaire autour de vous, vous y contribuerez plus activement cette année. Ce sera peut-être même tout le quartier qui vous demandera vos services pour en faire un événement social, une fête publique en quelque sorte, où bien des gens se réuniront. Que ce soit dans un cadre familial ou communautaire, votre implication sera remarquée et vous recevrez beaucoup d'éloges pour vos efforts, ce qui sera très agréable pour l'estime de soi. Vous vous accorderez bien quelques gâteries, mais en d'autres circonstances vous aurez tendance à être plutôt radin et même à angoisser au sujet d'une dépense des plus banales.

Travail – Finances

Vous devriez vous retrouver souvent au cœur d'une foule imposante. Si vous travaillez dans le commerce au détail, il est clair que vous aurez beaucoup plus de monde à servir que d'habitude. De plus, il ne serait pas étonnant que vous soyez responsable d'un événement qui rassemblera un nombre record de gens. Vous devrez aussi apprendre à vous dépasser, à réaliser que vous êtes fait pour relever des défis et surtout à accomplir des tâches que peu de gens réussissent à faire.

Amour – couple

Vous pourriez ressentir un peu de froideur de la part de votre partenaire, à moins que ce ne soit vous-même qui éprouviez le besoin de prendre une pause. Votre couple ne sera pas nécessairement en danger, mais il aura fortement besoin de prendre un recul, ou alors de mener une vie sociale beaucoup plus dynamique. Des amis pourraient vous suggérer un voyage avec eux sans votre amoureux, ce qui serait probablement bénéfique pour votre couple.

♥ Amour – Célibataire

Vous devriez connaître toute une popularité : les candidats à votre cœur se précipiteront pour vous donner des rendez-vous. Mais vous n'êtes probablement pas encore prêt à entreprendre une relation sérieuse avec qui que ce soit. D'ailleurs, il n'est pas fréquent de tomber sur des gens pour qui l'on ressent une forme de chimie, et encore moins dont la passion nous transporte instantanément. Un coup de foudre serait un simple feu de paille.

Santé

Le stress est l'un des plus grands fléaux de ce siècle : vous ne pouvez pas nécessairement l'éviter ou l'ignorer. D'autant plus que vous n'aurez pas tendance à modérer vos élans, et vous vous surpasserez. N'hésitez pas à avoir recours aux tisanes, par exemple à la camomille, aux soins thérapeutiques ou même à la médication pour vous détendre. Si vous faites de l'exercice, n'oubliez pas les étirements avant tout, surtout si vos muscles et ligaments sont sensibles.

CAPRICORNE – NOVEMBRE

Les meilleurs jours ce mois-ci pour :

* Jouer à la loterie : 2, 3 et 4
* Le social et les jeux en groupe : 6, 7 et 8
* L'amour : 25, 26 et 27
* La sphère professionnelle : 4, 5 et 6

En général

Peut-être en raison du froid qui s'installe, votre rythme commence à ralentir, un peu comme si vous aviez envie d'hiberner. Vous ferez probablement des activités beaucoup plus tranquilles, et plutôt seul. De plus, vous serez investi par une créativité extraordinaire : vous pourriez amorcer une forme d'art qui vous passionne et vous y consacrerez beaucoup de votre temps. Ce sera aussi sous une forme passive que vous prendrez le temps de décompresser en admirant les talents artistiques des autres. Notamment, vous pourriez vous retrouver souvent au cinéma ou tout simplement devant la télé ce mois-ci.

Travail – Finances

Vous pourriez être accablé par un bon gros rhume et ainsi prendre quelques jours de repos. D'une manière ou d'une autre, vous serez beaucoup moins efficace ce mois-ci en général. Si vous travaillez dans le commerce au détail, vous aurez une clientèle nombreuse à servir et celle-ci pourrait avoir des demandes plutôt confuses à vous adresser. Vous cherchez un emploi ? Vous serez tenté de vous diriger vers un boulot moins stressant, où vous aurez moins de responsabilités et un horaire moins chargé.

♥♥ Amour – couple

Il est important de s'échanger des mots d'amour de temps à autre pour sentir que vous ne vous éloignez pas sentimentalement. Autrement, l'un de vous deux sera tenté de sauter la clôture. Vous pourriez voir d'un mauvais œil un projet que votre partenaire aurait envie d'entreprendre. Vous n'aurez surtout pas envie de vous imposer un stress supplémentaire en ce moment. Cette idée fera son bout de chemin entre vous et finira par mener votre couple vers une perspective d'avenir bien meilleure.

♥ Amour – Célibataire

Le travail et les obligations familiales risquent de ralentir vos démarches et même votre intérêt pour vous mettre à la recherche de l'âme sœur. La priorité est accordée à vos proches, et surtout à vos enfants si vous en avez. Même si vous tentez de planifier un premier rendez-vous avec un de vos prétendants, il risque d'être annulé à la dernière minute pour une histoire de famille ou pour le travail. Un peu de solitude sera aussi bénéfique : vous ressentirez le besoin de faire le point sur vos sentiments, surtout si vous avez vécu une rupture dernièrement.

Santé

Si vous avez quelques malaises, ils disparaîtront comme par enchantement. Vous n'avez qu'à vous concentrer ailleurs que sur vos problèmes de santé mineurs pour qu'ils s'estompent et se guérissent par eux-mêmes. Le repos s'imposera : vous éviterez ainsi d'accueillir les virus du rhume et de la grippe à bras ouverts. De plus, un épuisement professionnel peut conduire à une dépression.

CAPRICORNE – DÉCEMBRE

Les meilleurs jours ce mois-ci pour:

* Jouer à la loterie: 26, 27 et 28
* Le social et les jeux en groupe: 3, 4 et 5
* L'amour: 22, 23 et 24
* La sphère professionnelle: 20, 21 et 22

En général

Vous serez certainement charmé par la magie de Noël! Vous adopterez sûrement une attitude admirative devant la splendeur des différentes décorations. S'il y a certaines complications dans la famille, il est clair que vous n'aurez pas envie de préparer quoi que ce soit pour le temps des fêtes, et vous anticiperez plutôt négativement cette période. Heureusement, à l'approche de Noël, vous réussirez à crever l'abcès à la dernière minute pour que tout le monde puisse vivre une joyeuse période de réjouissances.

Travail – Finances

Vous cherchez un emploi? N'hésitez pas à prendre le temps de peaufiner votre CV, votre présentation et à adopter une attitude de gagnant. Ce sera fructueux dès le début janvier. Vos collègues pourraient commencer à s'absenter et à prendre leurs vacances; vous vous retrouverez donc de plus en plus seul à tout faire. Curieusement, vous réaliserez que vous êtes plus efficace lorsqu'il y a moins de monde qui bourdonne autour de vous. Si vous travaillez dans le commerce au détail, vous serez submergé de boulot devant une clientèle nombreuse qui fait ses emplettes de Noël. Vous aurez même l'impression d'être la seule personne à travailler dans tout le magasin.

Amour – couple

La spontanéité sera au rendez-vous et les mots d'amour omniprésents, même si vous n'êtes poète ni l'un ni l'autre. Votre partenaire et vous serez peut-être invités à de nombreuses réceptions au cours des prochaines semaines. Vous participerez à un nombre record d'activités, ce qui favorisera nettement la communication entre vous. De plus, vous aurez droit à quelques secrets et à des confessions qui resserreront vos liens à plus long terme.

♥ Amour – Célibataire

Qui ne souhaite pas trouver l'âme sœur avant Noël? Et ce sera assurément en le demandant sérieusement à l'univers que cette personne arrivera juste à temps pour participer avec vous aux différentes réceptions que vous avez prévues, du moins comme une amie. Un ami de la famille vous fera peut-être une grande déclaration d'amour, alors que vous n'éprouvez que des sentiments amicaux à son endroit.

✚ Santé

La baisse de luminosité se fera sentir sur votre vitalité. L'alcool sera responsable de vos fréquents maux de tête. Ne négligez pas vos heures de sommeil et prenez tout le repos dont vous avez besoin. Autrement, vous risquez d'affaiblir votre système immunitaire, vous rendant ainsi très sensible aux différents microbes que l'on s'échange durant la période des réjouissances.

Verseau

(du 20 janvier au 18 février)

Mario Pepin et Marie-Jeanne Chaput, Luc Myre

Le temps ! Vous trouverez que le temps est une denrée rare, tandis qu'à d'autres moments vous le trouverez long et vous aurez tendance à vous ennuyer. Vous n'accordez que très peu de place à une vie sociale active, et ce, bien que vous en fassiez un certain idéal. Ce sera une année de grandes réussites, mais l'amitié n'en fera pas toujours partie. Évidemment, il y aura beaucoup de pain sur la planche sur les plans professionnel et familial. Qui donc aurait le temps de s'accorder une pause pour faire la jasette avec son meilleur ami dans ce genre de condition ? Il faut savoir où sont les priorités et éviter toute forme de procrastination. La vie vous donnera un coup de vieux avec cette attitude plutôt sérieuse que vous adoptez souvent : heureusement, c'est ce qui vous guidera lentement mais sûrement vers la sagesse.

Il ne serait pas impossible que vous ayez à prendre soin d'un membre de la famille ; peut-être que vos vieux parents viendront s'installer avec vous et vous leur accorderez votre temps et vos bons soins. Heureusement, vous vivrez cette étape de la vie comme une bénédiction ; quel bonheur de réunir la famille ainsi et d'envisager des projets ensemble ! Cette situation entraînera sûrement une plus grande souplesse financière et éliminera vos inquiétudes à ce sujet. Il est possible aussi que vous bénéficiiez d'un héritage considérable. Mais l'argent ne sera pas nécessairement disponible rapidement, ou alors il s'agira plutôt d'une propriété que vous devrez vendre, à moins que vous ne décidiez de vous y installer.

Vos enfants ont peut-être atteint l'âge où ils volent de leurs propres ailes, et ils n'ont véritablement plus besoin de vous pour s'émanciper. Vous serez particulièrement heureux de les voir s'épanouir et d'assister à leur début de carrière, à leur mariage, de voir grandir leurs enfants, etc. Mais intérieurement, ce vide sera une pression qui vous obligera à vous donner de nouvelles perspectives pour l'avenir, et vous vous demandez ce que vous allez faire maintenant. Peut-être avez-vous déjà de nombreuses idées, mais il faudra commencer à les structurer et à les placer en ordre de priorité. Vous n'êtes peut-être pas encore prêt émotionnellement à vous investir dans ce type de changement, ni à planifier vos projets de retraite, par exemple. Bref, vous pourriez vous sentir comme dans un entre-deux en ce qui concerne vos objectifs personnels. Peut-être serait-il plus sage de patienter en compagnie des gens que vous aimez afin que la vie vous offre les occasions qui vous plairont en temps et lieu plutôt que de les chercher ardemment.

Professionnellement, une sorte d'entre-deux peut se faire sentir, mais vous vous sentirez à votre place rapidement. De plus, si vous avez connu des changements dernièrement ou s'ils se présentent en début d'année, vous occuperez sûrement ces fonctions jusqu'à votre retraite. Bref, vous pourrez compter sur cet emploi pour vous rendre à destination. Cette année-ci vous mènera vers un poste de direction, du moins vous vous y collerez et vous goûterez aux responsabilités de ce genre de fonction. Par contre, vous n'aspirerez pas à devenir un patron : vous serez très heureux de le seconder, mais pas de prendre sa place. Votre liberté est trop importante, vous ne voudrez pas être soumis aux actionnaires et à leurs objectifs de rentabilité. Vous voulez être maître de votre destinée et si, du jour au lendemain, vous décidez de tout quitter, vous n'aurez pas à vous départir d'une lourde structure. Bref, vous avez besoin d'avoir la liberté de pouvoir dire « bye bye, boss » quand bon vous semble, et ce, même si vous demeurez à votre emploi pendant de nombreuses années. L'idée de la liberté est parfois aussi importante que la liberté elle-même. L'année sera sûrement régulièrement parsemée de ce genre de réflexion philosophique.

Si vous êtes déjà patron, aussi bien depuis peu que depuis longtemps, vous chercherez activement une relève pour vous remplacer de plus en plus fréquemment. D'ailleurs, si vous pouvez vous le permettre, vous envisagerez sérieusement de prendre votre retraite, même si vous êtes tout jeune. Ce sera une année de couronnement : vous bouclerez la boucle professionnelle et vous aurez le sentiment du devoir accompli.

Si vous cherchez de l'emploi, la question de l'entre-deux refait surface : vous ne dénicherez un boulot que pour combler vos besoins matériels. Celui-ci sera perçu comme une possibilité d'économiser tout en poursuivant vos rêves, ne serait-ce que pour suivre vos amis dans leur cheminement. Heureusement, cet emploi sera aussi très intéressant pour vous : vous l'accomplirez sans pression et avec la conviction que c'est pour améliorer le sort de la société. Mais pour rien au monde vous n'en ferez une affaire personnelle, et vous ne seriez pas malheureux s'il fallait trouver un autre travail. Bref, ce sera avec détachement que vous accomplirez votre travail, sans pour autant être négligent.

En amour, le concept de liberté prend également tout son sens, mais vous ne vivrez pas nécessairement une séparation. Au contraire, l'engagement est un symbole que vous respectez, et vous n'hésiterez pas à proposer des visions d'avenir pour votre couple, lesquelles seront des plus originales et confirmeront que vous avez envie de passer encore de nombreuses années avec la même personne. Notamment, vous pourriez même organiser un événement qui réunira famille et amis pour souligner votre amour, par exemple un renouvellement de vœux si vous et votre partenaire êtes mariés depuis longtemps.

Si votre couple est tout jeune, vous pourriez ressentir une légère pression concernant l'engagement. Heureusement, vous n'aurez pas envie de vous défiler, et encore moins votre partenaire. Par contre, il est normal d'avoir peur de partager sa vie avec quelqu'un de relativement nouveau dans sa vie. Avec de la patience, une bonne communication et de la bonne volonté, vous pouvez largement accéder au bonheur d'une vie à deux et même envisager de fonder une famille. Vous vous sentirez à l'aise de vous lancer dans cette expérience de vie, vous saurez intuitivement que c'est le bon moment de mettre toutes les chances de votre côté pour que ce nouveau couple ait le meilleur devant lui.

Vous êtes célibataire? Vous vivrez une curieuse année. Si vous êtes seul depuis longtemps, vous prendrez la majeure partie de l'année pour revoir vos priorités; vous éviterez les lieux de rencontre pour vous assurer de rester célibataire tant que vous ne vous sentez pas prêt à vivre une relation amoureuse. Si vous vous êtes séparé récemment, il est possible que vous trouviez passablement compliqué le processus même si la justice n'est pas impliquée et que c'est l'harmonie parfaite avec votre ex. Les événements et certaines émotions vous empêcheront de cheminer. Par exemple, il est possible qu'une vente de maison soit prévue, et vous trouverez le temps long avant de conclure la transaction. Si vous avez de jeunes enfants, le partage de la garde pourrait être difficile, vous obligeant à rester toujours disponible pour eux. Bref, la patience est de rigueur dans le processus qui se voudra heureusement harmonieux.

La santé sera une préoccupation, du moins vous pourriez avoir des symptômes qui ne vous permettront pas de déceler une maladie en particulier, ou alors vous ressentirez souvent une fatigue assommante, même si vous avez bien dormi la nuit précédente. Évidemment, votre médecin pourrait avoir la fâcheuse manie de vous inquiéter outre mesure en vous faisant passer des tests de dépistage du cancer ou d'une autre maladie plutôt grave. Heureusement, tous les tests s'avéreront négatifs. Peut-être que finalement de simples suppléments vitaminiques seront la solution à tous vos problèmes.

Vous êtes retraité depuis peu? Vous voudrez concrétiser dès maintenant toutes vos idées. Vous mettrez de l'avant le projet d'achat de chalet ou de déménagement dans une résidence, vous vous offrirez le voyage de vos rêves, ou alors vous réunirez les groupes nécessaires pour participer à d'innombrables activités avec d'autres personnes retraitées. Vous réaliserez rapidement qu'il est préférable d'entreprendre les choses une étape à la fois. Si vous êtes à la retraite depuis longtemps, vous franchirez une étape importante : vous vous donnerez un but précis. À moins que vous ne soyez trop diminué physiquement, vous aurez besoin de vous impliquer dans la société ou dans votre famille.

Verseau et ses ascendants en 2018

Verseau ascendant Bélier

La patience n'est certainement pas votre principale vertu, surtout depuis qu'Uranus se trouve en Bélier. Indépendant, vous pouvez être dur et exigeant tant envers vous-même qu'envers les autres. D'ailleurs, il ne serait pas étonnant que l'on vous trouve autoritaire en général, vos enfants sont certainement les premiers à s'en plaindre. Même si vous avez un caractère dominant, il n'en demeure pas moins que vous avez toujours assez d'énergie pour aider votre prochain et assurer une forme de sécurité à vos petits protégés. Vous tentez tant bien que mal d'enfouir vos émotions, mais celles-ci ne pourront faire autrement que de déborder. Certaines situations pourraient sembler insurmontables et vous frapper là où ça fait mal. Cependant, ces expériences enrichissantes vous mèneront à votre destinée.

Verseau ascendant Taureau

Vous êtes une personne ordonnée et structurée, mais il n'en demeure pas moins que vous pouvez faire preuve d'une originalité exemplaire. De nature très sérieuse, vous savez aussi vous faire plaisir et jouir de la vie lorsqu'elle respecte un certain cadre. Vous détestez profondément dépenser votre argent inutilement. Vous réfléchirez à ce que vous pouvez vous permettre comme plaisirs. Vous tenterez d'économiser sur le prochain voyage et les différentes sorties. Mais vous réaliserez rapidement que votre joie de vivre s'estompe tout aussi rapidement. Peut-être qu'une partie du problème se trouve dans votre vie de couple : vous n'hésiterez pas à entreprendre des démarches afin de trouver les solutions qui s'imposent. Une personne que vous considériez comme un bon ami vous déclarera son amour, vous laissant ainsi perplexe, surtout si vous êtes en couple.

Verseau ascendant Gémeaux

Vous êtes sérieux, entreprenant, motivant, pince-sans-rire et surtout dévoué pour vos collègues que vous considérez comme vos grands amis. Vous bénéficiez d'une vivacité d'esprit qui vous rend dynamique et perspicace. Vous êtes toujours à l'affût des différentes activités autour de vous, et vous êtes partant pour voyager avec vos amis presque en tout temps. Vous devriez aussi joindre l'utile à l'agréable en organisant un voyage d'affaires ou en créant des activités professionnelles qui vous permettront de découvrir de nouveaux horizons. Vous aurez sûrement droit à un financement intéressant pour vos affaires ; le lancement de vos projets pourrait se faire au ralenti, mais vous finirez par connaître le succès bien assez tôt. Il est possible aussi que votre santé freine certaines ardeurs : il ne vous en faudra pas plus pour prendre la situation au sérieux et corriger le problème définitivement.

Verseau ascendant Cancer

Bien que vous affichiez une grande sensibilité, vous demeurez un Verseau, un signe pragmatique qui ne se laisse pas ralentir par ses états d'âme. Vous avez une grande facilité à naviguer dans le chaos. Vous vous dévouez corps et âme dans toutes les causes qui vous tiennent à cœur. Vous êtes un humaniste des plus purs, et votre objectif est le mieux-être de toute la population. Année très importante pour vous démarquer dans toutes sortes de projets et des activités plus personnelles. Vous vous retrouverez souvent sous les projecteurs, et vous ne détesterez pas cette attention. Ce sera justement en ayant les regards braqués sur vous que l'âme sœur pourrait se présenter à vos yeux si vous êtes célibataire. En couple, vous mettrez l'accent sur la recherche d'événements passionnants à vivre ensemble : pas question de perdre l'intérêt l'un pour l'autre.

Verseau ascendant Lion

Vous dégagez un charisme remarquable et vous pouvez vous considérer comme un grand leader, même si vous ne régnez que sur votre famille ou vos petits animaux. Vous faites figure d'autorité en général. Une chose est sûre, vous possédez une prestance qui vous démarque des autres. Vous pouvez aussi être une personne réservée, timide et qui ne pose aucun geste déplacé de peur d'être jugée si vous manquez de confiance en vous-même. Professionnellement, on vous proposera sûrement un projet de travailleur autonome, ou on vous demandera d'effectuer une bonne partie de vos tâches à la maison. Vous vous offrirez un second boulot avec du télétravail ou dans un concept de marketing relationnel où vous proposerez des produits qui vous apprendront à prendre confiance en vous-même. Les émotions et la santé étant généralement interreliées, vous n'hésiterez pas à entreprendre une forme de thérapie pour évacuer un trop-plein.

Verseau ascendant Vierge

Vous êtes la combinaison la plus travaillante sur le zodiaque ! Du moins, vous êtes minutieux et aucun détail ne vous échappe. Vous êtes également pragmatique et vos soubresauts émotionnels sont davantage associés à une forme d'insécurité matérielle ou affective. Vous ne vous sentirez pas toujours à la hauteur des tâches que l'on vous demande au travail, ce qui aura un impact catastrophique sur votre estime personnelle. Heureusement, vous prendrez conscience de la situation et vous trouverez les moyens pour retrouver la confiance en vous-même. Vous commencerez sûrement par apprendre à mieux vous exprimer en public, et ainsi à dégager un plus grand charisme. Cet apprentissage aura un bel impact sur votre vie amoureuse : vous réussirez à mieux nommer vos attentes dans votre relation ou parmi vos prétendants.

Verseau ascendant Balance

Vous êtes la grâce en personne et certainement très fier de vous-même. Plutôt charismatique, vous faites preuve d'un grand raffinement qui peut en impressionner plus d'un. L'orgueil pourrait avoir tendance à vous dominer dans certaines occasions. Vous devriez connaître une année intéressante sur le plan financier, du moins vous aurez des goûts raffinés pour vos vêtements ou pour la décoration à la maison. Si vous êtes à la recherche d'une maison, prenez le temps de consulter les différents experts et votre banque, autrement vous vous retrouverez à payer trop cher. Au travail, vous obtiendrez une promotion alors que vous ne l'aviez pas demandée. Sentimentalement, l'affection est au cœur d'une relation amoureuse saine. S'il y a carence à ce sujet, la fidélité sera sûrement remise en question de part et d'autre.

Verseau ascendant Scorpion

Vous possédez une personnalité très maternelle. Même si vous n'avez pas d'enfant, vous avez une nature extrêmement protectrice auprès de vos proches et ceux-ci peuvent avoir tendance à abuser de vos bons services. Heureusement, vous aurez droit cette année à une forme de reconnaissance : vous serez célébré pour vos exploits et vous recevrez une médaille. Vous reprendrez une position de choix parmi les vôtres ainsi qu'au travail. Si vous êtes le moindrement insatisfait au boulot, vous aurez l'audace de partir et d'aller vous installer chez un compétiteur. Votre clientèle sera derrière vous. En couple, il est important de se parler et d'exprimer ses sentiments pour éviter un éloignement. C'est aussi dans l'action, en faisant des activités et des voyages en amoureux, que vous réussirez à créer passion et romance entre vous.

Verseau ascendant Sagittaire

Vous diffusez continuellement un large sourire et vous avez toujours le mot pour rire. Vous aimez sûrement faire la fête, rassembler les gens et organiser de belles activités. Bref, vous savez vous amuser et vous avez besoin de partager ces moments. Vous êtes une personne passionnée de nature, et vous avez peine à croire que vous pouvez vivre sans partenaire, même si votre relation amoureuse bat de l'aile. Vous songerez de plus en plus à explorer la solitude, ne serait-ce que par principe de liberté. Vous apprécierez également vos soirées à la maison et les soupers en famille. Votre budget pourrait être légèrement plus serré ; pour cette raison, vous n'accepterez pas toutes les invitations à sortir de la part de vos amis. Heureusement, vos finances se replaceront bien assez vite pour que vous retrouviez votre joie de vivre avant la fin de l'année.

Verseau ascendant Capricorne

Vous êtes une personne très sérieuse, mais qui peut faire preuve d'une belle folie à l'occasion. Vous avez un grand besoin de sécurité matérielle et affective, ainsi que d'un confort acceptable, et vous pouvez vous permettre ensuite toutes les excentricités possibles et inimaginables. Cependant, depuis quelques années, Pluton est en Capricorne à votre ascendant : il vous entraîne vers de profonds changements en ce qui concerne votre personnalité et votre vision de la vie. Vous commencerez à prendre le dessus au sujet de vos doutes, de vos inquiétudes, de vos angoisses et de votre insécurité. Une vie sociale plus active dominera et vous développerez de nouvelles amitiés qui sauront vous faire vivre de belles aventures. Vous êtes célibataire ? Vous réaliserez que la vie de couple n'est pas nécessairement un concept qui vous convient : vous apprivoiserez la liberté et vous l'apprécierez grandement.

Verseau ascendant Verseau

Cérébral, charismatique, pragmatique et dynamique, vous possédez un mélange des plus fascinants qui vous ouvre les portes du succès dans tout ce que vous entreprenez. Vous aurez la tête pleine de projets : vous en amorcerez toutefois quelques-uns que vous pourriez ne pas mener à terme. De plus, vous vous investirez à terminer tout ce que vous ne cessiez de remettre à plus tard. Vous ferez preuve d'une détermination sans précédent pour décrocher un boulot ou un poste supérieur. Une fois cet objectif atteint, vous pourriez vous désintéresser rapidement de cette nouvelle fonction et repartir en quête de l'emploi rêvé. La vie est une série d'expériences qui doivent se succéder, à nous ensuite d'en tirer des leçons, des avantages et des outils. Pour vivre ces expériences, il suffit de s'entourer de gens qui ont le potentiel de vous faire évoluer.

Verseau ascendant Poissons

Humaniste dans l'âme, dévoué à votre prochain, et il ne serait pas impossible que vous possédiez des dons de médiumnité. Vous aimez propager du bonheur et vous avez sûrement une vision idéaliste du monde et de la vie. Certains d'entre vous peuvent avoir des idées plus noires, mais vous connaissez la voie à suivre pour vivre en harmonie avec le monde qui vous entoure, aussi imparfait soit-il. Vous pourriez décider de réaliser le rêve de partir en pèlerinage, surtout si vous y songiez depuis de nombreuses années, les circonstances se mettront en place pour que votre projet se concrétise. Peut-être aurez-vous la chance de faire de nombreux voyages cette année, et ce, à votre plus grand bonheur. Que vous soyez en couple ou non, que vous ayez beaucoup d'amis ou non, vous serez animé par une grande joie de vivre.

VERSEAU – JANVIER

Les meilleurs jours ce mois-ci pour :

- Jouer à la loterie : 7, 8 et 9
- Le social et les jeux en groupe : 12, 13 et 14
- L'amour : 26, 27 et 28
- La sphère professionnelle : 28, 29 et 30

En général

Peut-être que le froid aura tendance à vous figer : vous ne serez pas très proactif et vous préférerez la plupart du temps rentrer tôt à la maison, vous préparer une bonne soupe et vous installer devant le téléviseur. Il est possible qu'éclate un conflit avec un bon ami, vous laissant ainsi perplexe par rapport à la nature de votre amitié. Heureusement, tout cela sera relativement léger : vous pourrez reprendre vos activités rapidement. Naturellement altruiste, vous offrirez vos services à des gens dans le besoin.

Travail - Finances

La confusion pourrait régner au bureau tout au long de janvier. Un dossier ne cessera de cumuler du retard, vous apportant ainsi un peu d'anxiété, et vous aurez beaucoup de difficulté à trouver une solution. Un lâcher-prise s'imposera pour vous permettre de donner l'attention nécessaire aux autres clients. Peut-être aurez-vous besoin de fermer la porte de votre bureau et de décrocher le téléphone à quelques reprises pour faire le point. Un deuxième café sera aussi nécessaire par moments : il vous aidera à garder votre concentration sur vos activités.

♥♥ Amour - couple

Pour une raison ou pour une autre, vous vous sentirez plutôt seul pendant la première moitié de janvier, ce qui apportera des doutes et des inquiétudes au sujet de votre relation. Cette solitude devrait vous aider à prendre le recul nécessaire pour mieux comprendre et ressentir l'intensité de vos sentiments afin d'évaluer plus clairement la suite de votre histoire d'amour. Si vous êtes un jeune couple, l'idée de fonder une famille et de vous investir ensemble dans l'achat d'une maison s'inscrira concrètement à votre agenda pour 2018.

♥ Amour - Célibataire

Signe de liberté, il est possible que vous ne soyez pas pressé ni même intéressé par une vie de couple. Étant tout de même humain, vous ne refusez pas de vivre des sentiments affectifs. La solitude elle-même sera une source de motivation vers un cheminement plus sérieux, et vous pourriez entreprendre une vie de couple. Avant la fin du mois, vous devriez participer à une activité sociale, et une personne très intéressante devrait vous manifester un certain intérêt.

✚ Santé

Un rhume, une grippe ou un autre microbe pourrait vous ralentir considérablement tout au long de janvier. Soyez également prudent pour éviter les accidents, autrement ce sera ce genre d'événement qui serait la source de ralentissement ce mois-ci. Du moins, ne brûlez pas la chandelle par les deux bouts et tâchez de canaliser vos énergies. Spa et massage seraient bénéfiques pour l'ensemble de votre santé.

VERSEAU – FÉVRIER

Les meilleurs jours ce mois-ci pour:

* Jouer à la loterie: 3, 4 et 5
* Le social et les jeux en groupe: 8, 9 et 10
* L'amour: 23, 24 et 25
* La sphère professionnelle: 25, 26 et 27

En général

L'action ne fera pas défaut, et vous profiterez pleinement d'une vie sociale très active. De plus, cette période anniversaire pour vous sera soulignée par plus d'un: vous réaliserez alors que vous avez un grand nombre d'amis qui vous sont fidèles. Attention à certains qui pourraient profiter d'une célébration pour vous demander de l'argent. Vous pourriez aussi déployer un élan de générosité sans précédent auprès d'un membre de la famille ou de quelqu'un d'important dans votre entourage.

Travail – Finances

La clientèle sera au rendez-vous: vous connaîtrez une croissance très importante de vos ventes, ou vos services seront davantage demandés. Attention, car l'argent pourrait vous brûler entre les doigts si vous ne prenez pas le temps de budgéter vos affaires. Vous serez bien capable de dépenser plus que ce que vous gagnez. En affaires, votre générosité vous reviendra au centuple, c'est-à-dire qu'en offrant une partie de vos bénéfices à une œuvre de charité vous gagneriez une abondance de nouveaux clients, par exemple.

Amour – couple

Peut-être que le plus simple pour la Saint-Valentin serait de vivre le moment présent et de proposer de belles initiatives spontanément sans la moindre pression. Évitez de trop faire de préparatifs, les plans pourraient changer pour le mieux à la dernière minute. L'aspect affectif sera un sujet important à aborder; et peut-être que le fait de s'offrir une certaine régularité dans les activités romantiques serait un point à mettre à l'agenda toutes les semaines, par exemple. Ainsi, votre couple se sentira beaucoup plus confiant en son avenir.

♥ Amour – Célibataire

Vous serez passablement actif pour tenter de repérer l'âme sœur au cours de ce mois de la Saint-Valentin. En participant à toutes les activités que vous proposeront vos amis, vous réussirez certainement à trouver une personne fort intéressante et avec qui vous aurez de très belles affinités. Chose certaine, vous découvrirez quelqu'un avec qui partager de belles douceurs très chaleureuses, et vous terminerez l'hiver en beauté.

Santé

Le respect de vos nouvelles habitudes porte des fruits : vous connaissez des résultats épatants sur votre mieux-être, du moins votre vitalité s'accroît rapidement. Toute activité de nature physique sera extrêmement bénéfique, et si vous tentiez de perdre du poids, vous en constaterez les résultats presque quotidiennement. Vous serez ainsi de plus en plus motivé à atteindre vos objectifs.

VERSEAU – MARS

Les meilleurs jours ce mois-ci pour :

* Jouer à la loterie : 3, 4 et 5
* Le social et les jeux en groupe : 7, 8 et 9
* L'amour : 22, 23 et 24
* La sphère professionnelle : 5, 6 et 7

En général

Il ne serait pas impossible que l'hiver ait passablement abîmé votre voiture et, dès les premiers rayons du soleil, vous irez magasiner pour une voiture neuve. Vous aurez besoin de vous déplacer plus facilement, plus librement et de compter sur un véhicule fiable et dont l'esthétique vous plaît bien. Si vous aviez des inquiétudes concernant la santé d'un membre de votre famille, vous aurez enfin d'excellentes nouvelles ; vous garderez dorénavant une grande proximité avec cette personne, même si elle va beaucoup mieux.

Travail – Finances

Il y a une forme de croissance dans l'air, et il faudra nécessairement maîtriser l'art de la négociation, voire de la manipulation. On pourrait vous offrir des ouvertures et des perspectives de carrière intéressantes du côté de l'enseignement. Vous aurez possiblement besoin de vous acheter de nouveaux vêtements pour occuper de nouvelles fonctions, par exemple. Vous pourriez également, durant cette période, remplacer un collègue en arrêt de travail et bénéficier d'un salaire supérieur.

♥♥ Amour – couple

Vous prendrez le temps nécessaire pour essayer de dialoguer, mais pour une raison ou pour une autre, l'aspect de l'affection et de la sexualité risque d'être moins présent, voire absent. Heureusement, vos amis réussiront à trouver les bons arguments qui permettront d'ouvrir le dialogue avec votre amoureux et ainsi sauver votre relation. D'ailleurs, peut-être serait-il plus sage de votre part de vous réserver au moins un week-end en amoureux à l'hôtel.

♥ Amour – Célibataire

Les prétendants se bousculeront à votre porte, et vous vous baserez sur leur intelligence pour sélectionner les plus intéressants. Vous avez besoin d'une flamme passionnante, mais aussi d'une personne qui a quelque chose à dire et, surtout, une tête sur les épaules. Si vous avez connu une rupture dernièrement, le deuil n'est peut-être pas encore terminé. Vous ne rejetterez pas les avances que certains prétendants pourraient vous faire, mais ce sera à travers une belle amitié et un peu de douceur que vous développerez un lien.

Santé

Il ne serait pas étonnant que vous connaissiez une importante congestion des sinus et des voies respiratoires ce mois-ci en raison, entre autres, de la fatigue accumulée ou de certaines émotions refoulées. D'ailleurs, une thérapie ou un nouveau régime vous sera extrêmement bénéfique et vous permettra d'atteindre vos objectifs et de retrouver un mieux-être.

VERSEAU – AVRIL

Les meilleurs jours ce mois-ci pour:

- ✶ Jouer à la loterie: 27, 28 et 29
- ✶ Le social et les jeux en groupe: 4, 5 et 6
- ✶ L'amour: 18, 19 et 20
- ✶ La sphère professionnelle: 29 et 30

En général

Vous devriez être prudent pour ne pas trop froisser de tôle avec la voiture. Il se pourrait bien que vous soyez en retard fréquemment, risquant ainsi de vous donner envie d'accélérer dangereusement. Du moins, ne négligez pas les entretiens recommandés sur votre voiture pour éviter les mauvaises surprises. Vous n'aimeriez pas vous retrouver en panne dans un endroit non recommandable. Également, vous serez en mesure de vous exprimer beaucoup plus facilement, ce qui fera fuir certains parasites qui vous grugeaient pas mal d'énergie.

Travail – Finances

Ce sera principalement l'aspect de la communication qui retiendra votre attention ce mois-ci. Il pourrait s'agir d'une histoire de mauvaise traduction ou de consignes mal expliquées qui engendreront des erreurs importantes que vous devrez corriger vous-même. Vous pourriez être impliqué dans des revendications syndicales, et il faudra mettre votre pied à terre pour vous faire comprendre. Vous pourriez également vous installer un bureau à la maison pour mieux concilier la vie de famille et le travail.

♥♥ Amour – couple

Vous aurez tendance à préférer le confort de votre foyer pour vivre pleinement votre amour. Cependant, en restant à la maison, vous vous investirez aussi un peu plus dans vos différentes responsabilités, ne serait-ce que faire un ménage en profondeur, et vous vous accorderez alors moins de temps de qualité. Ainsi, faites les efforts qui s'imposent pour entretenir votre relation avec une dynamique beaucoup plus affectueuse.

♥ Amour – Célibataire

Les histoires de séparations demandent souvent beaucoup de patience, surtout s'il y a des enfants d'impliqués; évidemment, la question financière peut rendre la situation encore plus difficile à gérer. Un bel étranger pourrait vous faire des avances surprenantes sur Internet. D'ailleurs, vous aurez sûrement un succès fort intéressant sur votre site de rencontre préféré. Vous prendrez le temps de connaître les gens, à partir de votre ordinateur et du téléphone, avant d'accorder un premier rendez-vous.

Santé

Alors que le soleil et la belle saison commencent à se pointer, vous pourriez vous retrouver cloué au lit à cause d'un rhume qui s'éternise. Vos voies respiratoires seront facilement irritables: attention, lorsque vous faites de l'activité physique, de ne pas trop vous essouffler. Faites quand même un peu d'exercice pour épurer votre corps.

VERSEAU – MAI

Les meilleurs jours ce mois-ci pour:

* Jouer à la loterie: 24, 25 et 26
* Le social et les jeux en groupe: 1, 2 et 3
* L'amour: 15, 16 et 17
* La sphère professionnelle: 17, 18 et 19

En général

Vous aurez à vous déplacer régulièrement pour une raison ou pour une autre, et vous ne pourrez plus remettre le tout à plus tard. Par la suite, vous opterez davantage pour le cocooning. Vous serez en mesure de rester à la maison, et cette situation vous plaira particulièrement: vous prendrez le temps de faire un grand ménage qui, par le fait même, éclaircira votre esprit. Un membre de votre famille vous demandera beaucoup d'attention.

Travail – Finances

La question linguistique prendra une place de premier plan dans votre milieu de travail au cours de la première moitié du mois. Vous devrez possiblement œuvrer sur une forme de traduction, ou alors servir une clientèle qui pourrait avoir de la difficulté à s'exprimer en français. Par la suite, il sera plutôt question de travailler à partir de la maison, de vous y installer un bureau très fonctionnel ou carrément d'y démarrer votre propre entreprise, probablement pour vous rapprocher de la famille durant la saison estivale.

Amour – couple

Les responsabilités familiales imposent trop souvent un frein à la relation amoureuse, les passions s'estompent, car l'énergie baisse, et le bon temps à deux devient plus rare. Vous procéderez à quelques changements subtils qui apporteront une dynamique beaucoup plus intéressante, et vous vivrez avec plus d'intensité les sentiments entre vous. Prévoyez à votre agenda des moments en amoureux : réservez-vous une plage horaire précise au moins une fois par semaine.

Amour – Célibataire

Vous aurez sûrement la parole facile, ce qui vous permettra d'établir rapidement un premier contact avec des gens qui peuvent vous plaire. Mais soyez vigilant : il pourrait s'agir d'une histoire d'un soir uniquement, et ce n'est pas nécessairement ce genre de relation que vous cherchez. Ou encore ce sera difficile de planifier un premier rendez-vous, probablement pour une question de disponibilité et d'horaire trop chargé de part et d'autre.

Santé

Chaque malaise se fera sentir avec une ampleur démesurée ; d'ailleurs, on pourrait vous croire hypocondriaque. Cependant, cette situation aura le mérite de vous conduire chez le médecin, lequel vous fera passer une batterie de tests. Peut-être qu'il trouvera de petites anomalies, qui seront immédiatement traitées. De plus, faites de l'exercice avec parcimonie pour garder la forme. Inutile d'essayer de vous surpasser, vous vous épuiseriez !

VERSEAU – JUIN

Les meilleurs jours ce mois-ci pour:

* Jouer à la loterie: 20, 21 et 22
* Le social et les jeux en groupe: 25, 26 et 27
* L'amour: 16, 17 et 18
* La sphère professionnelle: 14, 15 et 16

En général

Le temps sera peut-être une denrée rare, mais cette période vous permettra de faire tout ce que vous aviez prévu et de terminer ce que vous ne cessez de remettre à plus tard. De plus, vous pourriez faire un grand ménage. S'il y a un déménagement dans l'air pour vous ou pour des proches, il est clair que vous serez disponible, notamment pour détendre l'atmosphère et faire rire les gens. L'un des changements à la maison ou dans votre quotidien serait peut-être de vous adapter au départ d'un de vos enfants qui volera maintenant de ses propres ailes.

Travail – Finances

Si vous êtes sans emploi, vous en trouverez un qui vous plaira et qui vous conviendra longtemps, même si les premières semaines risquent d'être épuisantes. Attendez-vous à ce que l'on vous confie d'importantes responsabilités, peut-être même que votre patron voudra déléguer un peu de travail pour l'été, histoire de se la couler douce. Cette situation vous permettra de vous familiariser avec des tâches beaucoup plus stimulantes et qui vous mèneront à plus long terme vers une brillante carrière.

Amour – couple

Si votre histoire d'amour est toute jeune, il vous faudra un signe d'engagement clair. L'inverse est possible aussi: peut-être ne souhaitiez-vous qu'un compagnon occasionnel, mais celui-ci commence à s'amouracher de vous. Si votre couple est mal en point, vous pourriez brandir le spectre de la séparation, et ce sera ainsi que vous réaliserez tout l'amour qu'il y a entre vous pour repartir sur de meilleures bases.

♥ Amour - Célibataire

Si vous vivez une séparation déchirante avec des enfants, il est clair que vous avez un grand ménage à faire dans votre cœur avant d'avoir envie de vous retrouver dans les bras de quelqu'un d'autre. Mais comme tout le monde, vous avez besoin d'affection, vous pourriez aussi être tenté de pardonner rapidement à cette personne que vous quittez. Il y a peut-être bien un collègue qui gravite autour de votre milieu de travail : il s'arrangera pour vous croiser un peu plus régulièrement et il s'imposera pour travailler dans votre équipe.

Santé

Soyez prudent si vous déménagez : maux de dos et claquage musculaire peuvent vous forcer à prendre quelques jours de congé, qui s'avéreront au moins passablement agréables. Si vous comptez voyager, vérifiez si certains vaccins sont obligatoires.

VERSEAU – JUILLET

Les meilleurs jours ce mois-ci pour :

* Jouer à la loterie : 17, 18 et 19
* Le social et les jeux en groupe : 22, 23 et 24
* L'amour : 1 et 2
* La sphère professionnelle : 11, 12 et 13

En général

Si vous traversez une importante période de transformations, par exemple un déménagement, vous pourriez avoir tendance à tourner en rond et à chercher comment vous réorganiser. Il y a sûrement beaucoup de confusion dans l'air, et votre gestion du temps laisse clairement à désirer. Un lâcher-prise s'impose, ainsi que des vacances. En effet, essayez de décrocher un peu en allant à la campagne pendant quelques jours, par exemple. Vous pourriez avoir besoin d'un peu de silence pour réussir à vous concentrer, ne serait-ce que pour faire un peu de ménage.

Travail – Finances

Si vous travaillez dans le domaine de la vente, vous devriez être en mesure de conclure une transaction très importante qui pourrait impliquer de grands changements, et peut-être devrez-vous voyager par affaires beaucoup plus souvent par la suite. Il est possible aussi que vous vous engagiez dans une formation pour obtenir un diplôme, ou simplement pour apprendre une nouvelle langue. Vous serez en excellente position également pour entamer des négociations, notamment si vous travaillez du côté des syndicats ou encore des ressources humaines dans une entreprise.

♥♥ Amour – couple

Extrêmement passionné de nature, vous pourriez enfermer profondément cette passion par moments. Il y a de bonnes chances que votre partenaire réussisse à la faire ressurgir. Du moins, vous aurez sûrement envie de vivre une activité surprenante pour vos prochaines vacances en amoureux. Le travail ou la santé ne sont pas des excuses valables pour ne pas s'aimer avec plus de fougue.

♥ Amour – Célibataire

Votre charme devrait bousculer plus d'une personne, et vous serez probablement très séduit par l'une d'entre elles. Il s'agira sûrement d'un étranger qui vous relancera jusqu'au bureau par moments ; il y aura aussi une forme d'urgence de vivre pleinement l'instant présent entre vous. Certains détails concernant la santé ou la sexualité devront être mis au clair entre vous avant que vous puissiez développer cette belle histoire d'amour.

Santé

Psychiquement, vous pourriez ressentir une angoisse qui n'a peut-être pas lieu d'être. Un événement du passé pourrait venir vous hanter : prenez le temps de régler cette histoire. N'hésitez pas à consulter un spécialiste pour vous aider à extérioriser cette situation qui semble vous ralentir considérablement. L'impact pourrait se faire sentir avec un vieillissement prématuré de vos os, de vos articulations et de votre peau.

VERSEAU – AOÛT

Les meilleurs jours ce mois-ci pour:

- Jouer à la loterie: 14, 15 et 16
- Le social et les jeux en groupe: 18, 19 et 20
- L'amour: 6, 7 et 8
- La sphère professionnelle: 8, 9 et 10

En général

Le temps sera une denrée très rare alors que vous participez activement à toutes sortes d'activités. Aussi bien au travail, dans la famille que dans votre communauté, vous mènerez de front plusieurs projets qui vous tiennent à cœur. Votre détermination sera même touchante à voir. Notamment, vous pourriez vous impliquer dans un projet communautaire concernant la rentrée scolaire pour contrer le décrochage et aider les familles démunies, par exemple.

Travail – Finances

Si vous cherchez de l'emploi ou encore un nouveau défi professionnel à relever, il suffit simplement d'en parler dans votre entourage, et quelqu'un vous proposera quelque chose de passionnant. Lorsque vous n'êtes plus satisfait de vos conditions de travail, vous ne vous gênez pas pour explorer de nouvelles possibilités. Mais avant de prendre la moindre décision, vous pèserez longuement le pour et le contre; de toute manière, la période estivale n'étant pas terminée, il vaut mieux en profiter pour prendre des vacances.

Amour – couple

C'est avec des rêves que l'on accomplit de grandes choses! Surtout si votre couple a de nombreuses années derrière la cravate, vous ressentirez un puissant besoin de retrouver des sentiments passionnés entre vous et vous vous accorderez un voyage des plus romantiques. D'ailleurs, ce serait aussi avec grand plaisir que vous pourriez planifier votre voyage de noces. Alors que vous vous retrouverez en plein cœur de vos vacances ou dans une escapade romantique, vous recevrez la grande demande de la part de votre amoureux.

♥ Amour – Célibataire

Au cours d'une activité sportive, vous serez irrésistiblement attiré par une personne d'une autre nationalité. Vous aimez l'audace et les gens qui n'ont pas froid aux yeux. Devant un geste et une façon inédite de vous aborder, vous devenez attentif pour mieux connaître cette personne qui vous fait des avances originales. Bien que vous puissiez avoir beaucoup de plaisir pendant quelques semaines, vous réaliserez que cette personne est comme les autres.

Santé

La baignade peut occasionner certains inconvénients si l'eau est trop froide ou malpropre. Votre peau pourrait se couvrir de rougeurs, et il y a un risque d'infection urinaire également. Peut-être serait-il plus sage d'éviter les spas publics, par exemple. Vous prendrez des informations au sujet d'une chirurgie esthétique. L'opération pourrait même avoir lieu dès la seconde partie d'août.

VERSEAU – SEPTEMBRE

Les meilleurs jours ce mois-ci pour:

* Jouer à la loterie: 10, 11 et 12
* Le social et les jeux en groupe: 15, 16 et 17
* L'amour: 2, 3 et 4
* La sphère professionnelle: 12, 13 et 14

En général

Si vous avez de jeunes enfants, la question de la discipline prendra beaucoup de place. Vous avez parfois tendance à être trop autoritaire ou trop souple, il n'est pas toujours facile de trouver le juste milieu quand il s'agit de nos propres enfants. On viendra toucher à quelques cordes sensibles et vous pourriez avoir droit à quelques crises venant de diverses personnes. Vers la fin du mois, vous aurez envie de découvrir et d'explorer différentes cultures, ne serait-ce qu'en allant au resto, par exemple. Peut-être aussi qu'un retour aux études marquera les prochaines étapes de votre vie.

Travail – Finances

Il semble y avoir une foule d'urgences à régler, le tout entremêlé de confusion et de cacophonie. Heureusement, ce sera le calme après la tempête. Vous aurez le sentiment du devoir accompli. Il ne serait pas impossible que vous changiez d'emploi, particulièrement si la situation au travail ne vous convient plus et que vous devez sans cesse gérer des émotions plutôt que vos tâches. Vos connaissances concernant d'autres cultures vous seront extrêmement profitables : vous profiterez de belles occasions d'affaires.

Amour – couple

Peut-être avez-vous participé à un ou à plusieurs mariages cet été, et cette situation vous inspirera, votre partenaire et vous-même ; vous aurez envie de souligner votre propre engagement, du moins de célébrer les belles années à venir. Ce sera aussi en mettant ensemble un projet sur pied que vous retrouverez de belles émotions entre vous. Ce pourrait être un voyage, un projet professionnel, un retour aux études, ou vous projetterez de vous acheter une propriété ensemble.

Amour – Célibataire

Si vous êtes seul depuis longtemps, il est possible que vous ayez fait un trait sur l'amour il y a des lunes. Contre toute attente, vous rencontrerez quelqu'un. Mais il est possible qu'il ne soit pas facile de trouver le temps nécessaire pour développer cette relation. Vos deux agendas ne semblent pas faciles à concorder. Vous pourriez très bien lui suggérer une solution inusitée et surtout très audacieuse : partir en voyage ensemble pour apprendre à vous connaître.

Santé

Vous réussirez certainement à vous débarrasser de vos mauvaises habitudes de manière draconienne. S'il s'agit de la cigarette, ça ne peut qu'être positif, mais il faudra cependant compenser autrement, vous aurez besoin de soutien. Vous pourriez être fragile et attraper facilement rhume et grippe, possiblement en raison d'un débalancement hormonal qui se replacera de lui-même.

VERSEAU – OCTOBRE

Les meilleurs jours ce mois-ci pour:

- Jouer à la loterie: 8, 9 et 10
- Le social et les jeux en groupe: 12, 13 et 14
- L'amour: 3, 4 et 5
- La sphère professionnelle: 10, 11 et 12

En général

Vous êtes une personne qui ne peut pas supporter la routine tellement longtemps. Vous avez toujours besoin d'un nouveau défi à relever et d'un projet qui vous donne l'impression d'être vivant. Et c'est précisément ce que vous devriez entreprendre. Vous proposerez de belles initiatives, et vous saurez prendre les rênes de toute situation. D'ailleurs, il est possible que les membres de votre famille vous confient des responsabilités imposantes qui seront en lien avec la fête de l'Halloween afin que vous puissiez créer un univers fantastique.

Travail – Finances

Vous songerez sérieusement à retourner sur les bancs d'école pour vous bâtir une carrière plus sérieuse. Vous devriez être en mesure de trouver facilement le financement nécessaire à ce nouvel objectif. Un projet devra patienter: il faudra accumuler davantage d'informations avant de l'entreprendre. Si vous touchez à l'international, vous devrez avoir les conseils d'un bon avocat, du moins suivre les recommandations d'un professionnel ou d'une personne de confiance. Une histoire de paperasse, de permis ou d'autorisation quelconque retardera le développement de vos affaires.

Amour – couple

Vos nombreuses responsabilités risquent d'accaparer votre esprit, et vous pourriez oublier d'être sensible auprès de votre partenaire de vie. Peut-être aurez-vous l'impression de tenir à bout de bras votre relation, ce qui n'est certainement pas souhaitable pour un Verseau. Vous pourriez même être tenté de donner un ultimatum à votre partenaire pour qu'il se reprenne en main et qu'il vous aide davantage dans ce qu'il y a à faire à la maison, par exemple.

♥ Amour – Célibataire

Vous êtes célibataire depuis peu ? Vous aurez besoin d'une pause, de vous retrouver seul et de faire le deuil de votre dernière relation. Votre signe est particulier en ce qui concerne les sentiments : vous êtes capable d'un détachement, en apparence, mais comme tout le monde vous vivez d'émotions et vous êtes un passionné dans l'âme. Il est possible que vous mettiez fin à une « relationnette » sans donner d'explications, et cette personne pourrait critiquer vertement votre décision.

➕ Santé

Vos articulations pourraient commencer à se plaindre ; vous aurez besoin de médication ou de suppléments alimentaires pour vous soulager. Soyez prudent en toutes circonstances, même en faisant des sports plutôt légers, vos os semblent plus fragiles et un simple petit choc pourrait engendrer une fracture. Si vous planifiez un voyage prochainement, n'oubliez pas d'aller vous faire vacciner.

VERSEAU – NOVEMBRE

Les meilleurs jours ce mois-ci pour :

* Jouer à la loterie : 4, 5 et 6
* Le social et les jeux en groupe : 8, 9 et 10
* L'amour : 23, 24 et 25
* La sphère professionnelle : 6, 7 et 8

En général

Il y a de bonnes chances que des amis vous proposent une belle aventure, un voyage important et surtout hors du commun que vous ne pouvez absolument pas refuser. Mais la confusion pourrait régner, peut-être même au point que vous voudrez tout annuler. Vous pourriez avoir l'esprit qui déborde d'idées et de projets, vous êtes très intuitif et votre créativité dépassera l'entendement. Notamment, vous vous investirez possiblement dans une forme de collecte de fonds et vous connaîtrez beaucoup de succès : on parlera de vous dans les médias, entre autres.

Travail – Finances

Le stress sera certainement omniprésent ce mois-ci ; vous aurez une clientèle très abondante, particulièrement si vous travaillez dans le commerce au détail. Toutefois, vous n'aurez pas envie d'être soumis continuellement à cette pression. Il y a de bonnes chances que vous reconsidériez sérieusement votre emploi. Vous avez besoin d'un contact avec les gens aussi bien dans le domaine des arts et de la communication que dans celui de la santé.

♥♥ Amour – couple

Vous ne tiendrez absolument pas en place, vous avez fortement besoin de bouger, de vous amuser et de vous faire plaisir, votre amoureux et vous. Même si votre relation a plusieurs années derrière elle, vous serez à l'affût de toutes les festivités où vous pourriez participer activement à deux. Peut-être qu'un abonnement dans un centre de conditionnement physique serait une excellente idée pour vous rapprocher, ou encore vous pourriez suivre des cours de danse.

♥ Amour – Célibataire

Vous êtes bien l'un des rares signes pour qui le célibat n'est pas dramatique. Vous appréciez fortement votre liberté, et vous ne la sacrifierez pas avant d'avoir trouvé votre âme sœur. Vous serez attiré par des gens d'une autre nationalité, ne serait-ce que pour découvrir leur culture. Au cours de la première moitié de novembre, vous pourriez devoir annuler un rendez-vous avec un prétendant.

Santé

Nombreux sont les Verseau avant-gardistes au sujet de leur alimentation. Vous restez à l'affût de toutes les découvertes récentes, et vous êtes le premier à essayer un nouvel aliment pour ses propriétés contre le cancer, par exemple. De plus, il ne serait pas impossible que vous vous lanciez dans un nouveau régime révolutionnaire pour vous permettre de rentrer dans des vêtements qui ne vous font plus depuis un certain temps déjà.

VERSEAU – DÉCEMBRE

Les meilleurs jours ce mois-ci pour:

- Jouer à la loterie: 28, 29 et 30
- Le social et les jeux en groupe: 6, 7 et 8
- L'amour: 20, 21 et 22
- La sphère professionnelle: 3, 4 et 5

En général

Qu'il s'agisse de bénévolat ou de réceptions pour le temps des fêtes, vous pourriez vous porter volontaire pour organiser différents événements. Vous devrez également courir de nombreux partys avant le temps des fêtes. Il y aura notamment le fameux party de bureau, celui du club social, de vos amis, les fêtes d'école de vos enfants ainsi que celles associées à leurs activités sportives et culturelles. Bref, vous n'arrêterez pas deux minutes, vous n'aurez certainement pas le temps de vous ennuyer.

Travail - Finances

Vous serez efficace pour vous adresser à des foules importantes, mais pour ce qui est d'avoir des contacts individuels, ça se corse un peu. C'est comme si vous tombiez sur des gens beaucoup trop craintifs concernant leur argent, et ce n'est jamais ce qu'il y a de plus facile pour établir de bonnes relations professionnelles. Bien des entreprises ont la fâcheuse habitude d'avoir recours à des compressions de personnel en cette période de l'année pour équilibrer leurs chiffres, disent-elles! Essayez de voir cette situation comme des vacances: dès le mois prochain, vous retrouverez votre emploi.

Amour - couple

Le temps sera véritablement une denrée très rare, et le stress qui sévit durant cette période presque frénétique pour bien du monde n'encourage généralement pas la libido ou même un échange affectif régulier avec votre partenaire. Comme, en général, vous faites toujours le contraire des autres, vous vous organiserez pour passer beaucoup de temps avec votre amoureux et vous serez inséparables. Vous vous accorderez de précieux moments intimes.

❤ Amour – Célibataire

Le temps des fêtes n'est pas le meilleur moment pour faire des rencontres. Les gens sont davantage dans leur famille, et vous ne ferez pas exception à la règle cette année. Si vous avez vécu une séparation ou éprouvé une bonne déception dernièrement, il est clair que vous préférerez prendre un peu de recul par rapport à l'amour, histoire de mieux comprendre vos émotions.

Santé

Grand nerveux, vous pensez trop souvent que cette énergie provenant du stress pourra vous soutenir éternellement. Rien n'est plus faux, et un mal de gorge vous rappellera de prendre du repos. Vous devriez vous accorder de petites vacances pour vous permettre de récupérer. Vous avez besoin de vous détendre : essayez de trouver une sorte d'échappatoire en plein air, de respirer l'air pur et de méditer dans la nature.

Poissons

(du 19 février au 20 mars)

MariSoleil Aubry, Marilyne Levesque,
Nathalie Fiset, Christiane Chaillé

Et voilà l'année chanceuse des Poissons, il était temps, me direz-vous ! Jupiter, la planète de la chance, se trouve dans le neuvième signe du vôtre, symbole de chance. Autrement dit, cette planète est à sa place et ne peut donc que vous faire du bien. Prenez des billets de loterie à l'occasion tout au long de l'année. Cette position planétaire est aussi un symbole de voyage, d'exploration et d'acquisition de connaissances. Bref, la vie vous sourit cette année, à vous de lui sourire en retour et d'apprécier l'abondance qu'elle vous offrira.

Le plaisir dominera en grande partie tout au long de l'année, et vous pourrez vivre ce bonheur qui vous sera transmis par les gens qui vous entourent en toutes circonstances. Ce sera en toute simplicité que vous prendrez le temps de vous amuser en réunissant famille et amis pour célébrer. Vous inviterez ces gens chez vous, au resto ou pour une activité particulière, et vous serez surpris que l'on accepte en aussi grand nombre l'invitation. Bref, on s'amusera grandement en votre compagnie cette année.

Vous ferez sûrement quelques efforts pour vous offrir des escapades et des expéditions qui vous plairont tout particulièrement. Cependant, vous serez la meilleure personne pour organiser ce genre d'activité, ou alors vous devrez vous abonner ou vous inscrire à un regroupement quelconque qui organisera des voyages pour des groupes importants. Bref, vous ne voyagerez pas seul, et vous le ferez en excellente compagnie. Même si vous êtes en couple, les voyages s'effectueront en autocar ou en vol nolisé avec des amis ou des gens qui feront partie du même groupe que vous.

Si vous êtes le moindrement sportif, vous pourriez très bien vous hisser à un niveau international et parcourir le monde pour pratiquer votre sport. Vous êtes un marathonien ? Cette année, vous pourriez décider de vous rendre dans des continents où vous n'étiez pas encore allé. Peut-être aussi que de jeunes Poissons qui performent dans leur sport ou dans leur art seront repérés par d'importants agents qui leur feront connaître une carrière internationale impressionnante. C'est l'année pour accomplir ses rêves de voyages et d'aventures.

Peu importe votre âge, vous songerez sérieusement à retourner aux études pour obtenir un diplôme, bref, vous recevrez une attestation très importante qui confirmera vos connaissances et vos compétences dans le domaine que vous avez choisi. Il s'agit peut-être aussi d'une carrière dans le domaine universitaire, et vous serez surpris de constater que ce qui était un plaisir pour vous devient maintenant un gagne-pain considérable.

Professionnellement, vos talents d'enseignant seront requis et vous devrez diffuser vos connaissances à un groupe restreint au départ, qui s'agrandira sans cesse. Si vous êtes dans la vente, dans la représentation ou si vous exercez un métier qui implique un contact avec une vaste clientèle, vous mettrez à profit les différentes technologies de communication pour rejoindre un large public qui vous sera extrêmement profitable. Vous serez surpris de l'immense succès qui vous arrivera comme par enchantement. De plus, vous pourriez obtenir une promotion sur un plateau d'argent, et même si le nouvel emploi s'avère exigeant, vous réussirez à vous y habituer et à y être très à l'aise. D'autant plus que vous pourriez conserver ce poste jusqu'à votre retraite. Si vous êtes le moindrement ambitieux, différentes occasions se présenteront et vous n'aurez rien d'autre à faire que de les suivre. Si vous avez des aspirations politiques ou communautaires, le chemin sera parsemé d'émotions ; d'ailleurs, il est possible que vous empruntiez cette voie parce que vous serez témoin d'une situation où vous monterez aux barricades pour défendre la cause avec conviction, et surtout avec succès. Les foules seront derrière vous.

Si vous êtes à la recherche d'un emploi, il y a de bonnes chances que vous deviez suivre une formation avant de réussir à décrocher quoi que ce soit. De plus, vous devrez éplucher les offres d'emploi pour réussir à vous faire une idée du domaine qui vous intéresse. Heureusement, vous réussirez à découvrir un travail qui vous passionnerait : on pourrait même vous engager immédiatement après la première entrevue, mais on vous demandera inévitablement de suivre en parallèle une formation. La chance et la facilité seront derrière vous toute l'année : vous obtiendrez une note parfaite et vous aurez droit au meilleur salaire que l'entreprise peut vous offrir.

L'amour sera tout aussi intéressant et passionnant que les autres sphères de votre vie. L'intensité des sentiments et des émotions se vivra dans la joie et le plaisir. Vous ferez sûrement quelques beaux voyages ou des escapades romantiques avec votre amoureux, et vous y vivrez des moments mémorables qui rehausseront l'intérêt de poursuivre votre histoire d'amour pour de nombreuses années encore. Vous serez proactif et proposerez des activités de couple pour que le plaisir soit partie prenante de votre vie amoureuse. Notamment, vous pourriez vous inscrire à des cours de danse en couple et ainsi vous retrouver au sein d'un nouveau cercle d'amis des plus intéressants. De plus, cette activité pourrait devenir compétitive : vous vous retrouverez rapidement à faire le tour de la province à démontrer vos talents et à remporter les honneurs.

Si votre relation est toute jeune, vous vous permettrez de faire plusieurs voyages et de vous amuser pleinement tout en apprenant à mieux connaître cette personne dont vous devenez de plus en plus amoureux. Chaque jour sera une nouvelle occasion de vivre une aventure ; l'adrénaline se manifestera au moment présent et elle se fera sentir pratiquement en permanence. De plus, les idées d'activités ne feront jamais défaut ; si vous êtes épuisé, vous vous installerez tout simplement devant la télé, qui sera aussi un événement agréable à vivre. Cependant, il faut être conscient que cette magnifique passion du départ ne pourra demeurer éternellement : tôt ou tard, votre histoire d'amour deviendra banale. Certains d'entre vous pourraient choisir de terminer la relation lorsque l'état passionnel s'estompera, tandis que d'autres s'investiront dans des projets à long terme et iront vivre ensemble d'ici la fin de l'année. Bref, il vous appartient de déterminer vous-même la suite des événements.

Vous êtes célibataire ? Vous n'aurez probablement jamais été aussi heureux de faire votre vie comme bon vous semble et de ne pas avoir de comptes à rendre à qui que ce soit. Vous découvrirez un nouveau réseau d'amis, ou alors vous redécouvrirez vos amis, mais une chose est sûre, vous serez passablement occupé dans cette vie sociale très active. Vous vous ferez sûrement courtiser à quelques reprises, mais vous préférerez garder votre liberté. Vous profiterez sûrement du plaisir que vous apportera une séance de séduction intensive ; on rivalisera d'imagination pour vous plaire et vous écouterez attentivement celui qui réussira à vous faire rire, mais aussitôt que l'on tentera de vous ramener les deux pieds sur terre, vous reprendrez en main votre bonheur.

Côté santé, certains malaises pourraient se développer considérablement au cours de l'année. Mais ce sera simplement pour mieux voir, définir et diagnostiquer le problème de santé. Vous ne pourrez donc pas laisser les choses s'aggraver, et vous serez suivi de près par votre médecin. Évitez la tentation de tomber dans les excès et abus de toutes sortes. Vous serez particulièrement épicurien en appréciant la bonne chère : les effets sur votre poids et votre tour de taille seront instantanés.

Vous êtes retraité ? Que vous soyez fortuné ou non, vous aurez l'occasion de voyager davantage et d'explorer le monde. Du moins, vous ressentirez une forme de dépaysement que vous vivrez comme une belle aventure et un retour à votre ancienne jeunesse. Vous pourriez réussir à vivre davantage votre spiritualité avec un nouveau groupe d'individus, ou encore découvrir ou redécouvrir une pratique particulière qui collera plus sérieusement à vos valeurs.

Poissons et ses ascendants en 2018

Poissons ascendant Bélier

Rêveur et entreprenant, vous possédez une personnalité particulière et difficile à définir. Vous vous nourrissez d'action et vous avez une préférence pour les sports individuels, ou alors vous demeurez dans votre bulle lorsque vous êtes dans le feu de l'action. Vous êtes une personne plutôt réservée en général. Mais la pression populaire, celle de vos amis, de vos proches et de votre entourage, vous encourage fortement à sortir de votre zone de confort et à entreprendre des actions dans une vie sociale beaucoup plus active. Les changements seront à l'honneur, et vous vous transformerez vous-même afin de passer outre à un blocage quelconque. Vous vous libérerez d'un fardeau, ce qui vous permettra de voir l'avenir avec davantage d'enthousiasme.

Poissons ascendant Taureau

Doté d'une intelligence exceptionnelle, vous parvenez à marier la raison à la sensibilité. Vous connectez l'esprit et le cœur afin d'être en mesure d'avoir une perception de la réalité qui englobe pratiquement l'essentiel de l'humanité. Vous êtes quelqu'un de dévoué et rempli de compassion. Vous serez sûrement très ouvert à donner du temps pour faire du bénévolat ; vous avez besoin de vous sentir en harmonie avec votre communauté et vous déploierez le justicier en vous pour combattre toute forme d'injustice auprès des plus démunis. Vous accorderez une attention toute particulière à votre relation amoureuse. Votre amoureux vous demandera en mariage, ou alors il vous confirmera ses sentiments d'une manière spectaculaire. Vous vous investirez sûrement dans l'apprentissage d'une autre langue pour profiter de meilleures ouvertures professionnelles ou pour voyager.

Poissons ascendant Gémeaux

Votre personnalité est charismatique et rayonnante, vous faites preuve aussi d'une grande sagesse même si vous dégagez une forme d'éternelle jeunesse que l'on pourrait envier par moments. Que vous connaissiez des difficultés financières ou non, vous demeurez d'une immense générosité auprès des gens que vous aimez ; toutefois, vous devrez apprendre à budgéter pour ne pas faillir à vos obligations. Professionnellement, vous mettrez les efforts nécessaires pour améliorer votre situation financière. Vous pourriez même changer d'emploi pour un meilleur salaire, même si cela ne fait pas partie de vos valeurs en général. Si vous avez évolué dans la pauvreté toute votre vie, le courage de vous en sortir se manifestera avec conviction, et votre rapport avec l'argent vous permettra d'en accumuler dorénavant.

Poissons ascendant Cancer

Véritable univers de sensibilité, vous rayonnez de bonheur. Votre sourire est très contagieux et votre générosité, illimitée. Peut-être que certaines personnes sont tentées d'en abuser par moments ! À vous d'imposer vos limites, et on les respectera. D'ailleurs, vous devriez réussir à imposer vos limites à ne pas franchir en ce qui concerne le respect, et parallèlement vous deviendrez une personne que l'on admire, une référence en quelque sorte. En ce qui concerne l'amour, si vous êtes célibataire, les prétendants seront nombreux : vous recevrez des cadeaux et des éloges comme jamais auparavant. Par contre, vous ne parviendrez peut-être pas à arrêter votre cœur sur une personne en particulier. Laissez-vous désirer, ce sera excellent pour votre orgueil ainsi que pour votre estime personnelle qui a grandement besoin d'être rehaussée.

Poissons ascendant Lion

Douceur, compassion, dévouement et don de soi : voilà votre nature profonde. Mais il n'en demeure pas moins que vous possédez un immense ego qu'il faut impérativement respecter. Du moins, vous êtes généralement fier de votre personne. Vous pourriez avoir tendance à vous mettre sur la défensive pour protéger cet orgueil dominant. Vous possédez un puissant pouvoir de séduction, et vous êtes capable d'envoûter tout un chacun. Vous passerez beaucoup de temps à la maison, vous aurez plein de trucs à faire, à réparer et à installer. Vous vous investirez dans une nouvelle décoration, et ce, sans avoir peur de l'ampleur de la tâche ; vous vivrez ces travaux comme une sorte de pèlerinage, ce qui vous apportera bien des réponses à vos questions existentielles. Vous êtes célibataire ? Préparez votre univers intérieur avant d'ouvrir votre cœur à l'amour.

Poissons ascendant Vierge

Vous dégagez de l'harmonie partout où vous passez et vous savez plaire à tout le monde : vous êtes un ange. Votre douceur est remarquable. Vous pouvez très bien vous démarquer professionnellement, vous n'avez pas peur de déployer de gros efforts et vous êtes minutieux dans votre travail. Vous êtes généralement très attiré par la politique, le communautaire, la santé ou les médias. Vous serez sûrement appelé à prononcer plusieurs discours devant les gens et à exprimer vos idées. Votre maîtrise de la parole vous placera sur une sorte de piédestal. Votre première réaction sera probablement de fuir les projecteurs, car vous ne voudrez pas subir cette pression. Heureusement, vous gagnerez rapidement en confiance et vous commencerez à apprécier cette forme de pouvoir. Un pouvoir qui aura aussi un impact sur votre vie amoureuse à plus long terme.

Poissons ascendant Balance

Vous êtes une personne travaillante, à cheval sur les petits détails, et vous êtes continuellement à la recherche de la perfection. Il est possible que l'on vous perçoive comme une personne superficielle, mais il n'en est rien. Vous êtes quelqu'un de très généreux qui ne compte pas le temps et l'argent que vous donnez. D'autant plus que vous réussirez à décrocher le gros lot en jouant avec l'immobilier, ou à la suite d'une histoire familiale. Vous ferez preuve d'une grande générosité auprès de vos enfants. Le retour de l'enfant prodigue est possible, ou alors vous devrez accueillir vos vieux parents que vous préférez voir avec vous plutôt que dans un établissement où ils risquent d'être négligés. Un déménagement pourrait réveiller une forme de nostalgie, ou encore une blessure émotionnelle que vous aviez délibérément oubliée.

Poissons ascendant Scorpion

Vous êtes passionné et vous avez le cœur à la bonne place. Vous êtes parfois rigoureusement protocolaire, alors qu'en d'autres temps vous êtes un grand rebelle. À la fois enthousiaste et réservé, vous ne manquez pas d'audace en général. Vous déployez une force psychique impressionnante. Certains prétendent que vous êtes une personne manipulatrice à ses heures, mais vous êtes simplement hypersensible. Vous passerez souvent à l'action avant de réfléchir, vous préférerez les gestes concrets aux longues conversations qui tournent en rond. Côté cœur, vous ne mâcherez pas vos mots s'il y a le moindre conflit avec votre amoureux. Quelques doutes au sujet de la fidélité risquent de provoquer passablement de perturbations entre vous.

Poissons ascendant Sagittaire

Optimiste, vous offrez toujours un large sourire à tous ceux que vous croisez et vous êtes continuellement à l'affût d'un moment de plaisir. Vous pourriez ressentir une certaine pression qui freine votre sourire. De nature spirituelle, vous vous tournerez vers un cheminement conforme à vos aspirations pour trouver les solutions qui s'imposent. Vous pourriez également avoir droit à une forme d'illumination qui vous inspirera la suite des événements ; vous pourrez ainsi passer à travers la tempête. Toutes les sphères de votre vie se trouvent en attente. Ce sera en vous installant dans le confort de votre foyer que vous découvrirez le bonheur. Vous apprécierez également la lecture, les films et les séries télévisées, parfois vous ferez l'effort d'aller au cinéma ou au musée. Que vous soyez en couple ou non, vous prendrez un certain recul par rapport à vos émotions.

Poissons ascendant Capricorne

Réservé et peut-être même austère, il n'en demeure pas moins que vous êtes une personne qui communique ouvertement, sans passer par quatre chemins. Lorsque l'on vous ouvre la porte à la conversation, vous en profitez pour vous exprimer sur tous les sujets à la fois. En raison de la Lune Noire en Capricorne pendant une bonne partie de l'année, vos angoisses et vos inquiétudes seront dominantes, au point de vous paralyser par moments. Rien de mieux que d'entretenir une vie sociale active pour pallier ce problème. D'ailleurs, sur le plan professionnel, vous réussirez à rassembler d'importants groupes et à élargir considérablement votre clientèle. Ou alors vous décrocherez un poste qui vous mettra en contact direct avec les clients. La famille pourrait vous faire vivre des moments de haute tension.

Poissons ascendant Verseau

Pragmatique et imaginatif, vous êtes un Einstein en puissance, mais vous ne le savez pas toujours. Vous avez le cœur sur la main, toujours prêt à aider les autres. Vous tenterez de cacher vos faiblesses et vous éviterez de manifester votre insécurité, sauf que vous aurez un grand besoin d'être réconforté. Hypersensible et dévoué auprès des autres, vous vous camouflerez derrière une puissante carapace des plus frigides par moments. Seuls quelques proches arriveront à percevoir votre sensibilité. Vous préférerez démontrer que vous êtes solide comme un bloc et que rien ne peut vous atteindre. Il est possible que vous ayez à préparer un voyage d'une grande importance aussi bien pour le travail que pour des vacances. De nombreux détails seront à considérer : tâchez de bien calculer les délais pour que vous ayez tout en main à la date du départ.

Poissons ascendant Poissons

Insaisissable, il est presque impossible de vous définir. Selon la position exacte de votre ascendant, vous pouvez être très dynamique ou, au contraire, très réservé. Dans un cas comme dans l'autre, vous êtes sensible, dévoué, déterminé et totalement imprévisible ! Même si on peut avoir l'impression que vous êtes une personne influençable, il n'en est rien. Vous vivez l'instant présent, vous écoutez vos émotions et vous suivez à la lettre les indications de votre petite voix intérieure. Le maître rêveur que vous êtes pourra enfin concrétiser un grand voyage ou effectuer un retour aux études. Si vous avez le moindrement de l'audace, vous pourriez négocier avec l'étranger : les dénouements seront plus lucratifs que ce à quoi vous

vous attendiez. Vous conclurez de bonnes affaires avec des gens de diverses nationalités. Vous vous ferez aussi courtiser ouvertement par un étranger.

POISSONS – JANVIER

Les meilleurs jours ce mois-ci pour:

* Jouer à la loterie: 9, 10 et 11
* Le social et les jeux en groupe: 14, 15 et 16
* L'amour: 5, 6 et 7
* La sphère professionnelle: 3, 4 et 5

En général

Naturellement calme et passif, vous trouverez qu'il y a un peu trop d'action autour de vous ce mois-ci. Vos amis ne cesseront de vous inviter dans de nombreux événements où vous aurez un rôle important à tenir. Peut-être avez-vous promis à certaines personnes de les voir avant 2018: vous vous empresserez donc de remplir votre promesse, même avec quelques semaines de retard. Avant de reprendre le chemin du boulot, vous pourriez décider de faire un voyage de dernière minute ou même de vous lancer dans une formation très importante.

Travail – Finances

Il y aura sûrement une immense structure à laquelle vous aurez à consacrer temps et énergie afin de rassembler beaucoup de gens autour de vous. On vous demandera aussi d'être l'organisateur de plusieurs réunions et de vous investir dans un événement qui regroupera une foule record. Si vous travaillez dans un secteur où règnent des histoires syndicales conflictuelles, vous serez des plus actifs pour trouver des solutions qui sauront plaire à la vaste majorité. Vous serez en quelque sorte un excellent politicien.

♥♥ Amour – couple

Une autre personne que votre amoureux pourrait vous faire des avances: vous n'y resterez pas indifférent. L'inverse est aussi vrai, c'est-à-dire que votre partenaire se fera courtiser, et une certaine jalousie pourrait vous envahir. Heureusement, cette situation aura le mérite de susciter un nouvel intérêt entre vous ; il n'en faudra pas plus pour donner un coup de pouce à la romance : de belles soirées d'hiver en perspective avec l'être aimé.

♥ Amour - Célibataire

Nombreux seront les prétendants, et vous pourriez même être frappé par un coup de foudre puissant. Cependant, vous n'aurez pas nécessairement le désir de vous investir dans une vie de couple, et l'intérêt pour cette personne pourrait bien s'évanouir au fil des prochaines semaines. En voyage, vous pourriez vivre une histoire d'amour magique : elle durera le temps d'une aventure. Bien qu'elle soit éphémère, elle restera gravée à jamais dans votre cœur.

Santé

Rhumatismes et articulations douloureuses au programme : vous devrez impérativement vous accorder un peu de répit afin de faire diminuer votre niveau de stress. Votre mobilité sera freinée ou ralentie en raison de ces douleurs. L'activité physique pratiquée régulièrement en compagnie des gens que vous aimez pourrait s'avérer une recette miracle tant pour vos douleurs que pour votre nervosité.

POISSONS – FÉVRIER

Les meilleurs jours ce mois-ci pour :

* Jouer à la loterie : 6, 7 et 8
* Le social et les jeux en groupe : 11, 12 et 13
* L'amour : 25, 26 et 27
* La sphère professionnelle : 8, 9 et 10

En général

Vivre et laisser vivre, telle est votre devise. La vie se chargera de placer sur votre chemin les différentes expériences à vivre, mais elle vous demandera d'y mettre un peu du vôtre en vous confiant momentanément de lourdes responsabilités, fort probablement familiales. Heureusement, ces mêmes efforts vous conduiront directement vers une grande joie de vivre. Peut-être que vous entreprendrez les démarches pour faire un voyage des plus impressionnants.

Travail - Finances

Au cours de la première moitié de février, vous serez plus souvent seul à tenir le bureau, ce que vous réussirez avec brio. Ce sera également noté favorablement à votre dossier d'évaluation : vous pourriez ainsi obtenir de belles occasions pour de l'avancement prochainement. Votre détermination en surprendra plus d'un, et vous accomplirez vos tâches avec une efficacité redoutable. Bref, vous démontrerez une telle volonté que vous décrocherez la promotion désirée.

Amour - couple

Avant la Saint-Valentin, vous pourriez avoir l'impression d'être oublié par votre amoureux. Heureusement, c'est tout l'inverse : il prépare plutôt en cachette une surprise pour cette fête afin de vous surprendre comme jamais auparavant. Il ne serait pas étonnant qu'il vous propose de partir en voyage, histoire de vivre de grands moments romantiques ensemble, ou une belle escapade pendant un week-end, ce qui aura tout autant d'effets sur votre vie amoureuse. Prenez le temps d'apprécier ensemble chaque instant.

Amour - Célibataire

Si vous êtes de nature plutôt solitaire, vous commencerez à faire des efforts pour sortir de votre cocon afin de vous adonner à quelques activités sociales au cours des prochaines semaines. Il est possible que vos collègues vous obligent à sortir après le bureau, ainsi vous pourrez entrevoir la possibilité de faire des rencontres. Avant d'entreprendre la moindre relation amoureuse, vous préférerez nettement développer une forme d'amitié et vous découvrir sous cet angle lors d'activités sociales.

Santé

Les rhumes et grippes sont souvent la résultante d'un certain épuisement. Si vous traînez justement ces microbes depuis déjà longtemps, vous réussirez enfin à mettre la main sur un traitement qui s'avérera très efficace. Votre vitalité reviendra, mais attention de ne pas recommencer à brûler la chandelle par les deux bouts. Votre santé exige un mode de vie plus sain.

POISSONS – MARS

Les meilleurs jours ce mois-ci pour:

- ✶ Jouer à la loterie: 5, 6 et 7
- ✶ Le social et les jeux en groupe: 10, 11 et 12
- ✶ L'amour: 1, 2 et 3
- ✶ La sphère professionnelle: 7, 8 et 9

En général

On ne devrait pas oublier votre anniversaire cette année, et il est possible que l'on vous fête longtemps, tous vos proches ayant envie de vous voir et de vous gâter. Vous serez sollicité pour participer très souvent à des activités sociales, et vous vous engagerez dans une équipe sportive ou artistique avec qui vous aurez bien du plaisir. Vous pourriez également œuvrer dans un organisme communautaire et vous impliquer auprès des plus démunis. S'il s'agit d'une collecte de fonds, elle sera un succès dont vous serez particulièrement fier.

Travail – Finances

N'hésitez pas à postuler à un poste de prestige: même si vous ne possédez pas tous les critères d'embauche, vous devriez obtenir cette promotion. Vous méritez certainement ce poste depuis longtemps en raison d'efforts colossaux et de stress subi dernièrement. Si vous êtes au cœur d'un conflit de travail, il ne serait pas étonnant que vous fassiez des gains très intéressants.

♥♥ Amour – couple

Ce mois-ci, vous pourriez prendre un certain recul qui fera comprendre davantage vos besoins affectifs auprès de votre amoureux. Celui-ci, sentant votre éloignement, pourrait très bien venir vous chercher comme un prince charmant pour vivre des moments romantiques hors de l'ordinaire. L'aspect affectif doit prendre beaucoup de place: ce sera un sujet en pleine évolution, vous voudrez définitivement mettre un terme à une longue séquence de carences sur ce plan.

♥ Amour – Célibataire

Peut-être prendrez-vous le temps d'échanger des messages virtuels avec certaines personnes, mais ce sera probablement le plus loin que vous irez avec qui que ce soit. Il ne serait pas impossible que votre approche à propos de la sexualité change radicalement, mais cela ne vous aidera toujours pas à arrêter votre choix sur un candidat en particulier. D'ailleurs, en ce moment, vous n'êtes probablement pas encore prêt à vous investir avec beaucoup de sérieux.

Santé

Les sorties entre amis ne favorisent pas vraiment les bonnes habitudes alimentaires, surtout si vous fréquentez les restos avec des repas bien arrosés. De plus, ce genre d'activité est souvent pénible pour le budget, ce qui vous imposera un stress supplémentaire. Un bon ménage parmi votre cercle d'amis devrait améliorer considérablement votre qualité de vie.

POISSONS – AVRIL

Les meilleurs jours ce mois-ci pour :

- Jouer à la loterie : 1, 2 et 3
- Le social et les jeux en groupe : 6, 7 et 8
- L'amour : 20, 21 et 22
- La sphère professionnelle : 22, 23 et 24

En général

Un de vos amis pourrait connaître des difficultés financières : vous serez certainement prêt à faire de grands sacrifices pour l'aider. Par contre, il y a de fortes chances que vous ne revoyiez plus votre argent ; même si cet ami est d'une grande honnêteté, la vie risque de lui enlever la possibilité de se refaire financièrement à court terme. À la maison, vous pourriez bénéficier de revenus supplémentaires auprès des gouvernements si vous devez prendre en charge un membre de la famille. À la suite d'un voyage, la culture que vous découvrirez pourrait devenir un nouveau mode de vie.

Ce sera une expérience très enrichissante, ne serait-ce que le fait d'apprendre la langue rapidement.

Travail – Finances

À votre compte ou non, l'aspect financier risque de susciter un peu d'inquiétude. Il y aura continuellement beaucoup de gens autour de vous, lesquels ne seront pas toujours là pour améliorer votre situation financière ; vous devrez régler des retours de marchandises, par exemple. Même si vous êtes un simple employé, vous ferez beaucoup plus d'heures pour le même salaire. Prenez le temps d'éplucher vos factures et de bien évaluer la pertinence de chacune d'elles, vous pourriez réaliser que vous pouvez faire de grandes économies d'échelle.

♥♥ Amour – couple

Vous opterez pour une vie sociale active en compagnie de votre amoureux. Il semble y avoir un peu d'obstination de temps en temps. Heureusement, chaque petit conflit se terminera sur l'oreiller, ce qui démontre l'intensité de vos sentiments mutuels. Une petite escapade romantique de quelques jours devrait vous être bénéfique à tous les deux. Vous pourriez entreprendre les démarches pour fonder une famille si vous êtes un jeune couple, ou du moins une famille reconstituée.

♥ Amour – Célibataire

C'est avec beaucoup de facilité que vous pourriez faire des rencontres ce mois-ci. Vous croiserez des gens qui vous feront vivre une abondance de plaisirs. Vous n'aurez pas la langue dans votre poche, ce qui attirera les regards de votre côté. Même si vous êtes une personne timide de nature, vous serez clair avec les gens qui vous abordent. Vous réussirez à dire exactement ce que vous voulez et ce que vous ne voulez pas dans une relation amoureuse, et ce, dès le premier rendez-vous.

Santé

Avec l'alternance des températures chaudes et froides, vous pourriez souffrir d'une extinction de voix. Du moins, la région de la gorge semble être particulièrement sensible. Le système endocrinien pourrait connaître également de petites défaillances. Si vous ressentez une grande fatigue ou des chaleurs anormales, tâchez de voir votre médecin pour qu'il vérifie votre glande thyroïde.

POISSONS – MAI

Les meilleurs jours ce mois-ci pour:

* Jouer à la loterie: 26, 27 et 28
* Le social et les jeux en groupe: 4, 5 et 6
* L'amour: 22, 23 et 24
* La sphère professionnelle: 1, 2 et 3

En général

Si vous voulez acquérir une nouvelle voiture, il ne serait pas mauvais que vous ameniez un ami pour vous conseiller ou pour négocier un meilleur prix. Si vous vous cherchez une maison ou un logement, vous finirez par négocier un prix qui vous convient parfaitement, il faudra seulement être patient. Peut-être devrez-vous aussi trouver un logement pour un de vos parents, ou encore une garderie ou une école pour un de vos enfants. Vous pourriez également vous investir dans une forme de bénévolat.

Travail – Finances

Soyez prudent avec l'immobilier! Prenez bien soin de magasiner votre hypothèque, surtout si vous devez la renouveler prochainement. Que vous soyez dans la vente ou simplement à la réception d'une entreprise, vous aurez à vous obstiner, à faire valoir vos arguments ou à accueillir des gens qui n'ont pas nécessairement le sourire facile. Heureusement, vous serez en excellente position pour remettre de la lumière autour de vous et vous réussirez à détendre l'atmosphère dans votre milieu de travail.

♥♥ Amour – couple

Si votre relation est récente, il ne serait pas étonnant que vous décidiez de vivre ensemble très bientôt, même s'il est question de former une famille reconstituée. De plus, si vous êtes en âge de procréer, vous pourriez très bien décider de songer à fonder une famille. Une connaissance pourrait vous faire des avances même si vous êtes déjà en couple. Il s'agit d'une situation extrêmement délicate, mais vous n'y serez pas insensible.

♥ Amour - Célibataire

À la suite d'une rencontre avec une personne, vos enfants, ou même les siens, n'accepteront pas cette nouvelle histoire, ce qui freinera considérablement vos ardeurs. Ou encore cette personne mettra votre patience à rude épreuve en ne cessant de remettre les rendez-vous. Tandis que vous ferez des efforts considérables pour sortir de chez vous et faire des activités, vous êtes confronté à des individus qui ne cherchent qu'une simple aventure.

Santé

Avec l'été qui s'amorce, vous songerez plus sérieusement à votre silhouette : vous penserez à entreprendre un régime qui rehaussera votre estime personnelle. Vous serez surpris de l'efficacité de ce régime, d'autant plus que vous ne vous priverez pas tant que ça. Vous pourriez également prendre soin d'un membre de votre famille. Vous êtes une personne dévouée en général, et on compte souvent sur vous pour ce genre de responsabilité.

POISSONS – JUIN

Les meilleurs jours ce mois-ci pour :

* Jouer à la loterie : 22, 23 et 24
* Le social et les jeux en groupe : 27, 28 et 29
* L'amour : 1 et 2
* La sphère professionnelle : 25, 26 et 27

En général

Si vous avez de jeunes enfants, vous pourriez vous impliquer activement dans les différentes activités de fin d'année. Ils seront très fiers de vous voir participer avec eux. Il ne serait pas étonnant que vous entrepreniez d'importants travaux à la maison ; vous lui donnerez véritablement un nouveau charme également, mais il est possible que ce soit un peu plus long que prévu, et le temps deviendra une denrée de plus en plus rare. D'ailleurs, si vous déménagez, il est clair que vous ne lésinerez ni sur les moyens ni sur les efforts pour rendre votre nouvel environnement conforme à vos goûts.

Travail – Finances

Il est possible que vous marquiez des points en ce qui concerne une forme de vote de confiance, ce qui pourrait vous amener à obtenir un poste de direction ou à rendre votre leadership plus confortable. Vous pourriez être inspiré pour démarrer votre propre entreprise ou vous lancer en affaires avec des membres de votre famille. Peut-être qu'un recul s'impose : pourquoi ne pas prendre des vacances durant la dernière semaine de juin ? Ce sera une période ressourçante et révélatrice pour vous.

♥♥ Amour – couple

La famille pourrait s'agrandir : une grossesse, le retour de l'enfant prodigue, ou encore vous pourriez accueillir vos vieux parents à la maison. Le quotidien pourrait être une source de conflits ou de frustrations. Notamment, vous ne serez pas nécessairement sur la même longueur d'onde au sujet des tâches à partager à la maison. Essayez de concentrer vos responsabilités vers votre vie de couple. Quelques petits soupers à la chandelle à la maison seraient magnifiques pour vous deux.

♥ Amour – Célibataire

Vous dégagez un puissant charme et vous vous exprimerez de manière à envoûter tout le monde. Vous êtes un idéaliste en amour ; la relation parfaite existe selon vous et vous êtes persuadé de pouvoir y arriver. D'ailleurs, vous aurez tendance à attendre le prince charmant avant d'ouvrir le moindrement votre cœur. Un client ou un collègue avec qui vous avez eu certaines tensions pourrait bien renverser la vapeur et enterrer la hache de guerre pour commencer une relation hors du cadre professionnel.

Santé

S'il y a des périodes de chaleur intense ce mois-ci, vous pourriez ralentir un peu, votre cœur connaîtra peut-être quelques petites faiblesses. Si vous souffrez d'embonpoint, vous aurez la motivation nécessaire à réduire votre poids considérablement au cours de l'été. Avec les festivités à la fin du mois, il ne serait pas impossible que vous ayez besoin de jouer à l'infirmière auprès d'un membre de la famille qui a abusé des bonnes choses.

POISSONS – JUILLET

Les meilleurs jours ce mois-ci pour:

* Jouer à la loterie: 20, 21 et 22
* Le social et les jeux en groupe: 24, 25 et 26
* L'amour: 11, 12 et 13
* La sphère professionnelle: 13, 14 et 15

En général

Vous avez déménagé dernièrement? Vous passerez pas mal de temps à la maison pour ranger vos choses, pour rafraîchir la peinture et pour effectuer quelques travaux. Il est possible que vous fassiez un voyage, qui pourrait même prendre la forme de pèlerinage. Vous avez bien quelques visées d'ordre spirituel en ce moment afin de retrouver votre mieux-être. En vacances, n'hésitez pas à sortir de la maison si vous avez de jeunes enfants. Autrement, vous risquez de ne pas arrêter pour respirer et vous détendre, et vous passerez votre temps à servir tout le monde et à faire du ménage.

Travail - Finances

Vous pourriez apporter du travail durant vos vacances, autrement vous ne seriez même pas parti! En fait, vous aurez tendance à faire du zèle au bureau; d'ailleurs, le repos ne se retrouve que dans la satisfaction du devoir accompli. Il est possible aussi que vous fassiez de nombreuses heures supplémentaires, ce qui garnira considérablement votre portefeuille pour vos prochaines vacances.

Amour - couple

Vous retrouverez le fil romantique avec votre amoureux, et si vous partez en vacances, elles seront des plus extraordinaires. Vous aurez besoin d'explorer plus intensément la passion qui existe entre vous. De plus, il ne serait pas étonnant que l'être aimé vous demande en mariage, ou encore qu'il renouvelle ses vœux de manière spectaculaire. Peut-être vous apportera-t-il des roses sur un cheval blanc! Vous avez aussi le droit de rêver et de transposer ce même rêve dans votre réalité quotidienne.

♥ Amour – Célibataire

Il y aura sûrement un collègue qui ne voudra pas vous laisser partir en vacances avant que vous lui ayez donné votre numéro de téléphone. Voilà sûrement l'occasion pour lui de vous exprimer ses sentiments, et ce sera des plus flatteurs. Vous pourriez bien prendre quelques jours pour y penser, mais vous n'attendrez pas d'être revenu au travail pour entrer en contact avec lui. Une belle chimie naîtra entre vous, et il semble qu'elle sera là pour rester.

Santé

Vous adopterez sûrement une alimentation beaucoup plus saine, ce qui aura un impact bénéfique sur votre santé. En fait, il est possible que vous vous investissiez dans un régime à la suite d'abus ou même après un empoisonnement alimentaire. Vous pourriez aussi ressentir des malaises au niveau intestinal ce mois-ci : peut-être est-ce simplement la chaleur qui provoque cette situation.

POISSONS – AOÛT

Les meilleurs jours ce mois-ci pour :

- Jouer à la loterie : 16, 17 et 18
- Le social et les jeux en groupe : 21, 22 et 23
- L'amour : 12, 13 et 14
- La sphère professionnelle : 18, 19 et 20

En général

Si vous prenez des vacances ce mois-ci, essayez d'en profiter pour vous offrir des soins de toutes sortes. Vous avez autant besoin de relaxer, de décompresser, de vous faire dorloter que de vous refaire une beauté. Évidemment, vous ne regarderez pas à la dépense et vous ne vous imposerez pas trop de restrictions budgétaires. Si vous devez être plus économe, vous aurez sûrement l'imagination nécessaire pour trouver une activité plaisante.

Travail – Finances

Vous devriez vous retrouver en excellente position: vous serez dans le secret des dieux et on aura une confiance aveugle en vous au bureau. On exigera de vous beaucoup de minutie et de méthodologie. Ces qualités vaudront bien de l'or! Cependant, soyez conscient que vous ne pouvez plus tourner les coins ronds et que vous n'avez d'autre choix que d'y consacrer le temps nécessaire, même si vous êtes pressé.

Amour – couple

Ce sont les petits détails et les petites attentions qui feront toute la différence. Vous aurez besoin de beaucoup de délicatesse de la part de votre partenaire. On est aussi en plein cœur de la saison des mariages, et si vous avez dernièrement participé à une cérémonie, il y a de bonnes chances que cette histoire ait inspiré grandement votre amoureux: il vous offrira à son tour cette bague qui signale un engagement sérieux entre vous. Aussi, si votre couple ne vous convient plus, et ce, même si vous êtes ensemble depuis des années, vous seriez bien capable d'y mettre un terme.

Amour – Célibataire

Vous pourriez très bien ressentir une certaine déception, et même croire pendant un moment que vous avez rencontré l'âme sœur, le prince charmant et l'être parfait. Mais après quelques rencontres, l'aspect sexuel n'était que ce qu'il recherchait. Il est possible aussi qu'un ex se manifeste pour les mêmes raisons. Prudence, vous êtes plutôt fertile et vous ne voulez pas d'un enfant dans ce genre de circonstance plutôt complexe.

Santé

Il semble y avoir plusieurs aspects qui vous préoccupent. Peut-être y a-t-il un léger problème amplifié par le Soleil et Mercure qui traversent le Lion. Voilà une excellente occasion de consulter votre médecin pour que celui-ci mette le doigt sur le bobo facilement et vous offre les traitements adéquats. L'hygiène est à prendre au sérieux, particulièrement au niveau des parties génitales.

POISSONS – SEPTEMBRE

Les meilleurs jours ce mois-ci pour:

* Jouer à la loterie: 12, 13 et 14
* Le social et les jeux en groupe: 17, 18 et 19
* L'amour: 8, 9 et 10
* La sphère professionnelle: 6, 7 et 8

En général

D'une personnalité généreuse et dévouée, vous vous mettez naturellement au service des gens, vous leur accordez toute votre attention, votre énergie, et aussi votre argent si vous en avez. Même si les autres passent avant vous-même, vous aurez un puissant sentiment de bien-être. D'ailleurs, chaque personne à qui vous venez en aide vous le rendra à sa manière. Vous êtes un signe d'eau qui vit d'émotions avant tout; alors, quand on vous offre de la gratitude, ça pourrait équivaloir pour vous à tout l'or du Pérou.

Travail - Finances

Vous devriez connaître un mois véritablement exceptionnel en ce qui concerne les ventes, les entrées d'argent, l'efficacité et la productivité. Vous pourriez faire affaire avec des gens de diverses nationalités: vous aurez avec eux beaucoup de plaisir à apprendre leur langage et leurs coutumes. S'il y a, ou s'il y a eu, des conflits de travail autour de vous, il est clair que les tensions ne sont pas encore estompées, et vous pourriez avoir l'impression de marcher sur des œufs avec certains collègues.

Amour - couple

Peu importe l'état de votre relation, il serait bon pour vous deux de prévoir un beau voyage, même si ce n'est que pour l'hiver prochain. Votre couple a besoin d'un peu de renouveau et surtout de s'amuser, de s'accorder du plaisir plus régulièrement. Rien de mieux que de se planifier une évasion en amoureux. Il y aura beaucoup de romance dans l'air, du moins vous rechercherez davantage les occasions de vivre des moments romantiques à deux.

♥ Amour - Célibataire

Les prétendants sont nombreux à frapper à votre porte. Peut-être que certains ne sont intéressés que par une aventure. Cependant, il faut parfois prendre des risques pour connaître les véritables intentions de certaines personnes. Avec un peu de patience, vous découvrirez la perle rare, qui vous fera faire le tour du monde. Si vous êtes devant la justice avec un ex, vous aurez gain de cause et vous pourrez alors tourner la page.

Santé

Il est possible que vous trouviez enfin les origines de vos maux de tête, c'était fort probablement un stress relié au passé qui vous hantait. Se reprendre en main demande toujours de gros efforts, vous serez particulièrement heureux de votre progression. Votre thérapeute pourrait ne pas être très doux, mais sa méthode plutôt rude aura rapidement des résultats tangibles sur vous.

POISSONS – OCTOBRE

Les meilleurs jours ce mois-ci pour:

* Jouer à la loterie: 10, 11 et 12
* Le social et les jeux en groupe: 14, 15 et 16
* L'amour: 1, 2 et 3
* La sphère professionnelle: 3, 4 et 5

En général

Voici un mois qui sera généralement chanceux pour vous: profitez-en pour remplir des coupons de tirage, vous pourriez remporter un voyage, par exemple. Vous chercherez une forme de ressourcement. Vous pourriez aborder la spiritualité avec un peu plus de sérieux, ne serait-ce que pour vous offrir une forme de détente. Il s'agit d'une excellente méthode pour voir les choses avec une perspective différente et trouver des solutions originales à toute forme de mal de vivre. Ainsi, vous réussirez à apaiser les conflits qui peuvent régner autour de vous.

Travail – Finances

Il est possible que l'entreprise pour laquelle vous travaillez connaisse une expansion considérable vers l'étranger, et vous serez un acteur très important dans ce développement. On vous offrira sûrement la possibilité de parfaire votre anglais ou même de faire au moins un voyage d'affaires. Du moins, des changements importants pourraient prendre place au boulot en raison d'un accroissement de votre clientèle d'une culture différente de la vôtre. Vous ferez sans doute plus de commerce avec les membres de cette communauté ethnique.

♥♥ Amour – couple

Si votre partenaire ne range pas ses choses ce mois-ci, vos réactions peuvent être légèrement démesurées. Nul besoin d'être magicien pour entretenir une relation : c'est avec des efforts et de la bonne volonté que l'on parvient à passer à travers des moments plus difficiles. N'ayez pas peur de faire garder vos enfants pendant quelques jours pour vous accorder de courtes vacances en amoureux, histoire de reconstruire le désir et la passion entre vous.

♥ Amour – Célibataire

Vous êtes en instance de séparation ou de divorce ? Il est clair que vous vivrez cette situation avec beaucoup d'intensité. Prévoyez des activités plus régulièrement avec vos amis, vous pourrez ainsi vous sortir la tête de l'eau par moments. Il ne serait pas impossible que vous receviez des avances de la part de l'un de vos supérieurs au travail. Il vous fera des faveurs au bureau très rapidement, et la situation pourrait devenir problématique, voire engendrer des conflits d'intérêts.

Santé

L'aspect hormonal retient toute l'attention. Vous devriez trouver la médication adéquate pour régler définitivement le problème. Le cancer est une maladie sournoise, et il est important de faire régulièrement vos propres tests et de signaler le moindre détail à votre médecin pour qu'il puisse investiguer avec précision si nécessaire. Ce n'est certainement pas sans vous inquiéter, mais heureusement ce sera une fausse alerte.

POISSONS – NOVEMBRE

Les meilleurs jours ce mois-ci pour:

* Jouer à la loterie: 6, 7 et 8
* Le social et les jeux en groupe: 11, 12 et 13
* L'amour: 29 et 30
* La sphère professionnelle: 1 et 2

En général

Vous aurez tendance à planifier quelque chose d'assez imposant comme réception, et vous devrez déjà commencer les préparatifs, du moins vous pourriez convaincre quelques personnes de s'impliquer davantage. De plus, pour éviter la cohue dans les magasins et centres commerciaux, vous commencerez déjà à penser à vos décorations et à entamer la course folle aux cadeaux de Noël. À quelques semaines de Noël, vous serez heureux d'apprendre qu'il y aura de grandes réconciliations dans la famille. Vous serez enfin en mesure de préciser qui recevra et qui participera aux festivités.

Travail – Finances

Le temps est une denrée rare pour bien du monde, il est clair que vous devrez gérer votre temps très minutieusement. Vous ferez d'importants préparatifs pour que les choses puissent avancer comme vous le souhaitez. L'idée de démarrer votre propre entreprise pourrait se manifester, du moins vous aurez la tête pleine de projets. Cependant, avec le temps des fêtes qui approche, vous pourriez être légèrement freiné dans vos démarches.

Amour – couple

La planète Mars s'amène dans votre signe: elle ne facilitera pas l'harmonie à la maison, votre patience sera mise à rude épreuve. Planifiez des activités sportives à deux, ou séparément, pour améliorer la situation. Il y aura sûrement de bonnes discussions très animées, et la tension pourrait devenir palpable par moments. Peut-être y a-t-il certaines frustrations vécues par l'un d'entre vous: exprimez-les!

♥ Amour – Célibataire

Il est peu probable que vous ayez le temps ou même le désir de faire des rencontres. Vous serez probablement débordé par la vie professionnelle et familiale, d'où le manque d'intérêt pour sortir. Par contre, il ne serait pas impossible qu'une personne vous ait remarqué au cours d'une activité sociale : elle tentera de vous proposer un premier rendez-vous. Celle-ci aura un charme des plus envoûtants.

✚ Santé

Le moindre malaise au foie vous invitera à suivre une cure draconienne qui aura des résultats bénéfiques très rapidement. La saison froide annonce bien souvent des problèmes au niveau des articulations et des os. Vous ne serez pas épargné par ce phénomène. De plus, il est possible de connaître certains problèmes de peau, laquelle pourrait s'assécher et démanger considérablement.

POISSONS – DÉCEMBRE

Les meilleurs jours ce mois-ci pour :

* Jouer à la loterie : 3, 4 et 5
* Le social et les jeux en groupe : 8, 9 et 10
* L'amour : 22, 23 et 24
* La sphère professionnelle : 6, 7 et 8

En général

Que ce soit pour le travail, vos amis ou la famille, il est clair que vous organiserez plusieurs réceptions de grande envergure. Vous mettrez la main à la pâte pour que les réceptions du temps des fêtes soient des plus réussies. Vous avez beaucoup de goût, et vous ne lésinerez pas sur les moyens pour en impressionner plus d'un. Même si les préparatifs sont colossaux, ardus et longs à organiser, le jeu en vaudra la chandelle. Ce sera certainement un mois de décembre inoubliable.

Travail – Finances

Vous serez sûrement la personne toute désignée pour vous occuper de tout pendant les vacances : vous prendrez la chaise du patron pendant son absence. On pourrait aussi vous confier des secrets, ou alors vous réussirez à établir des stratégies d'affaires qui seront extrêmement profitables. Vous serez animé par de grandes ambitions. Vous profiterez possiblement de vos propres vacances pour vous avancer dans un projet qui marquera considérablement la suite de votre carrière.

♥♥ Amour – couple

Vous courrez probablement toutes les activités auxquelles vous serez invité, et ce sera certainement l'occasion de vous amuser follement avec votre amoureux. Peut-être qu'une escapade romantique ou encore un voyage vous rapprochera considérablement. Quelques jours à l'hôtel, dans un centre de villégiature ou de détente vous feront vivre des moments hautement romantiques. Il pourrait y avoir un léger blocage communicationnel : même si certaines fantaisies vous traversent l'esprit, vous ne saurez pas trop comment les exprimer ou les explorer avec votre partenaire.

♥ Amour – Célibataire

Avec l'alcool, bien des langues peuvent se délier, et vous pourriez recevoir une déclaration d'amour de la part d'un beau-frère qui réussira à créer un certain malaise. Votre charme sera puissant et vous attirerez les regards de votre côté. Cependant, vous pourriez jeter votre dévolu sur la personne qui sera la plus difficile à séduire, vous aimez bien les gens indépendants ou qui résistent à votre jeu.

Santé

Votre peau et vos articulations pourraient s'avérer sensibles. N'hésitez pas à consulter un médecin si vous remarquez la moindre détérioration de votre état. Vous n'avez surtout pas envie qu'une crise d'urticaire s'étende partout sur votre visage pour les fêtes. Vous n'êtes pas le genre de personne qui se plaint souvent, et il vous en faut beaucoup avant d'aller voir le médecin.

Position de la Lune en 2018

Janvier 2018

Lundi	01/01/2018	Lune en Cancer	à partir de 3 h 20
Mardi	02/01/2018	Lune en Cancer	
Mercredi	03/01/2018	Lune en Lion	à partir de 2 h 30
Jeudi	04/01/2018	Lune en Lion	
Vendredi	05/01/2018	Lune en Vierge	à partir de 3 h 20
Samedi	06/01/2018	Lune en Vierge	
Dimanche	07/01/2018	Lune en Balance	à partir de 7 h 20
Lundi	08/01/2018	Lune en Balance	
Mardi	09/01/2018	Lune en Scorpion	à partir de 15 h 10
Mercredi	10/01/2018	Lune en Scorpion	
Jeudi	11/01/2018	Lune en Scorpion	
Vendredi	12/01/2018	Lune en Sagittaire	à partir de 2 h 10
Samedi	13/01/2018	Lune en Sagittaire	
Dimanche	14/01/2018	Lune en Capricorne	à partir de 14 h 50
Lundi	15/01/2018	Lune en Capricorne	
Mardi	16/01/2018	Lune en Capricorne	
Mercredi	17/01/2018	Lune en Verseau	à partir de 3 h 40
Jeudi	18/01/2018	Lune en Verseau	
Vendredi	19/01/2018	Lune en Poissons	à partir de 15 h 30
Samedi	20/01/2018	Lune en Poissons	
Dimanche	21/01/2018	Lune en Poissons	
Lundi	22/01/2018	Lune en Bélier	à partir de 1 h 40
Mardi	23/01/2018	Lune en Bélier	
Mercredi	24/01/2018	Lune en Taureau	à partir de 8 h 50
Jeudi	25/01/2018	Lune en Taureau	
Vendredi	26/01/2018	Lune en Gémeaux	à partir de 12 h 50
Samedi	27/01/2018	Lune en Gémeaux	
Dimanche	28/01/2018	Lune en Cancer	à partir de 14 h 00
Lundi	29/01/2018	Lune en Cancer	
Mardi	30/01/2018	Lune en Lion	à partir de 14 h 00
Mercredi	31/01/2018	Lune en Lion	

Février 2018

Jeudi	01/02/2018	Lune en Vierge	à partir de 14 h 20
Vendredi	02/02/2018	Lune en Vierge	
Samedi	03/02/2018	Lune en Balance	à partir de 16 h 50
Dimanche	04/02/2018	Lune en Balance	
Lundi	05/02/2018	Lune en Scorpion	à partir de 23 h 00

Mardi	06/02/2018	Lune en Scorpion	
Mercredi	07/02/2018	Lune en Scorpion	
Jeudi	08/02/2018	Lune en Sagittaire	à partir de 9h00
Vendredi	09/02/2018	Lune en Sagittaire	
Samedi	10/02/2018	Lune en Capricorne	à partir de 21h30
Dimanche	11/02/2018	Lune en Capricorne	
Lundi	12/02/2018	Lune en Capricorne	
Mardi	13/02/2018	Lune en Verseau	à partir de 10h20
Mercredi	14/02/2018	Lune en Verseau	
Jeudi	15/02/2018	Lune en Poissons	à partir de 21h50
Vendredi	16/02/2018	Lune en Poissons	
Samedi	17/02/2018	Lune en Poissons	
Dimanche	18/02/2018	Lune en Bélier	à partir de 7h10
Lundi	19/02/2018	Lune en Bélier	
Mardi	20/02/2018	Lune en Taureau	à partir de 14h20
Mercredi	21/02/2018	Lune en Taureau	
Jeudi	22/02/2018	Lune en Gémeaux	à partir de 19h20
Vendredi	23/02/2018	Lune en Gémeaux	
Samedi	24/02/2018	Lune en Cancer	à partir de 22h10
Dimanche	25/02/2018	Lune en Cancer	
Lundi	26/02/2018	Lune en Lion	à partir de 23h50
Mardi	27/02/2018	Lune en Lion	
Mercredi	28/02/2018	Lune en Lion	

Mars 2018

Jeudi	01/03/2018	Lune en Vierge	à partir de 1h00
Vendredi	02/03/2018	Lune en Vierge	
Samedi	03/03/2018	Lune en Balance	à partir de 3h20
Dimanche	04/03/2018	Lune en Balance	
Lundi	05/03/2018	Lune en Scorpion	à partir de 8h30
Mardi	06/03/2018	Lune en Scorpion	
Mercredi	07/03/2018	Lune en Sagittaire	à partir de 17h10
Jeudi	08/03/2018	Lune en Sagittaire	
Vendredi	09/03/2018	Lune en Sagittaire	
Samedi	10/03/2018	Lune en Capricorne	à partir de 5h00
Dimanche	11/03/2018	Lune en Capricorne	
Lundi	12/03/2018	Lune en Verseau	à partir de 17h50
Mardi	13/03/2018	Lune en Verseau	
Mercredi	14/03/2018	Lune en Verseau	
Jeudi	15/03/2018	Lune en Poissons	à partir de 5h20
Vendredi	16/03/2018	Lune en Poissons	
Samedi	17/03/2018	Lune en Bélier	à partir de 14h00
Dimanche	18/03/2018	Lune en Bélier	
Lundi	19/03/2018	Lune en Taureau	à partir de 20h10
Mardi	20/03/2018	Lune en Taureau	
Mercredi	21/03/2018	Lune en Taureau	
Jeudi	22/03/2018	Lune en Gémeaux	à partir de 1h00
Vendredi	23/03/2018	Lune en Gémeaux	
Samedi	24/03/2018	Lune en Cancer	à partir de 4h00
Dimanche	25/03/2018	Lune en Cancer	
Lundi	26/03/2018	Lune en Lion	à partir de 6h50
Mardi	27/03/2018	Lune en Lion	

Mercredi	28/03/2018	Lune en Vierge	à partir de 9 h 40
Jeudi	29/03/2018	Lune en Vierge	
Vendredi	30/03/2018	Lune en Balance	à partir de 13 h 00
Samedi	31/03/2018	Lune en Balance	

Avril 2018

Dimanche	01/04/2018	Lune en Scorpion	à partir de 18 h 00
Lundi	02/04/2018	Lune en Scorpion	
Mardi	03/04/2018	Lune en Scorpion	
Mercredi	04/04/2018	Lune en Sagittaire	à partir de 2 h 00
Jeudi	05/04/2018	Lune en Sagittaire	
Vendredi	06/04/2018	Lune en Capricorne	à partir de 13 h 10
Samedi	07/04/2018	Lune en Capricorne	
Dimanche	08/04/2018	Lune en Capricorne	
Lundi	09/04/2018	Lune en Verseau	à partir de 1 h 50
Mardi	10/04/2018	Lune en Verseau	
Mercredi	11/04/2018	Lune en Poissons	à partir de 13 h 40
Jeudi	12/04/2018	Lune en Poissons	
Vendredi	13/04/2018	Lune en Bélier	à partir de 22 h 30
Samedi	14/04/2018	Lune en Bélier	
Dimanche	15/04/2018	Lune en Bélier	
Lundi	16/04/2018	Lune en Taureau	à partir de 4 h 00
Mardi	17/04/2018	Lune en Taureau	
Mercredi	18/04/2018	Lune en Gémeaux	à partir de 7 h 10
Jeudi	19/04/2018	Lune en Gémeaux	
Vendredi	20/04/2018	Lune en Cancer	à partir de 9 h 30
Samedi	21/04/2018	Lune en Cancer	
Dimanche	22/04/2018	Lune en Lion	à partir de 12 h 20
Lundi	23/04/2018	Lune en Lion	
Mardi	24/04/2018	Lune en Vierge	à partir de 15 h 50
Mercredi	25/04/2018	Lune en Vierge	
Jeudi	26/04/2018	Lune en Balance	à partir de 20 h 20
Vendredi	27/04/2018	Lune en Balance	
Samedi	28/04/2018	Lune en Balance	
Dimanche	29/04/2018	Lune en Scorpion	à partir de 2 h 20
Lundi	30/04/2018	Lune en Scorpion	

Mai 2018

Mardi	01/05/2018	Lune en Sagittaire	à partir de 10 h 20
Mercredi	02/05/2018	Lune en Sagittaire	
Jeudi	03/05/2018	Lune en Capricorne	à partir de 21 h 10
Vendredi	04/05/2018	Lune en Capricorne	
Samedi	05/05/2018	Lune en Capricorne	
Dimanche	06/05/2018	Lune en Verseau	à partir de 9 h 50
Lundi	07/05/2018	Lune en Verseau	
Mardi	08/05/2018	Lune en Poissons	à partir de 22 h 10
Mercredi	09/05/2018	Lune en Poissons	
Jeudi	10/05/2018	Lune en Poissons	
Vendredi	11/05/2018	Lune en Bélier	à partir de 7 h 50
Samedi	12/05/2018	Lune en Bélier	
Dimanche	13/05/2018	Lune en Taureau	à partir de 13 h 20

Lundi	14/05/2018	Lune en Taureau	
Mardi	15/05/2018	Lune en Gémeaux	à partir de 15h50
Mercredi	16/05/2018	Lune en Gémeaux	
Jeudi	17/05/2018	Lune en Cancer	à partir de 16h50
Vendredi	18/05/2018	Lune en Cancer	
Samedi	19/05/2018	Lune en Lion	à partir de 18h20
Dimanche	20/05/2018	Lune en Lion	
Lundi	21/05/2018	Lune en Vierge	à partir de 21h10
Mardi	22/05/2018	Lune en Vierge	
Mercredi	23/05/2018	Lune en Vierge	
Jeudi	24/05/2018	Lune en Balance	à partir de 2h00
Vendredi	25/05/2018	Lune en Balance	
Samedi	26/05/2018	Lune en Scorpion	à partir de 8h50
Dimanche	27/05/2018	Lune en Scorpion	
Lundi	28/05/2018	Lune en Sagittaire	à partir de 17h30
Mardi	29/05/2018	Lune en Sagittaire	
Mercredi	30/05/2018	Lune en Sagittaire	
Jeudi	31/05/2018	Lune en Capricorne	à partir de 4h30

Juin 2018

Vendredi	01/06/2018	Lune en Capricorne	
Samedi	02/06/2018	Lune en Verseau	à partir de 17h10
Dimanche	03/06/2018	Lune en Verseau	
Lundi	04/06/2018	Lune en Verseau	
Mardi	05/06/2018	Lune en Poissons	à partir de 6h00
Mercredi	06/06/2018	Lune en Poissons	
Jeudi	07/06/2018	Lune en Bélier	à partir de 16h30
Vendredi	08/06/2018	Lune en Bélier	
Samedi	09/06/2018	Lune en Taureau	à partir de 23h10
Dimanche	10/06/2018	Lune en Taureau	
Lundi	11/06/2018	Lune en Taureau	
Mardi	12/06/2018	Lune en Gémeaux	à partir de 2h00
Mercredi	13/06/2018	Lune en Gémeaux	
Jeudi	14/06/2018	Lune en Cancer	à partir de 2h30
Vendredi	15/06/2018	Lune en Cancer	
Samedi	16/06/2018	Lune en Lion	à partir de 2h30
Dimanche	17/06/2018	Lune en Lion	
Lundi	18/06/2018	Lune en Vierge	à partir de 3h50
Mardi	19/06/2018	Lune en Vierge	
Mercredi	20/06/2018	Lune en Balance	à partir de 7h30
Jeudi	21/06/2018	Lune en Balance	
Vendredi	22/06/2018	Lune en Scorpion	à partir de 14h20
Samedi	23/06/2018	Lune en Scorpion	
Dimanche	24/06/2018	Lune en Sagittaire	à partir de 23h30
Lundi	25/06/2018	Lune en Sagittaire	
Mardi	26/06/2018	Lune en Sagittaire	
Mercredi	27/06/2018	Lune en Capricorne	à partir de 11h00
Jeudi	28/06/2018	Lune en Capricorne	
Vendredi	29/06/2018	Lune en Verseau	à partir de 23h40
Samedi	30/06/2018	Lune en Verseau	

Juillet 2018

Dimanche	01/07/2018	Lune en Verseau	
Lundi	02/07/2018	Lune en Poissons	à partir de 12h40
Mardi	03/07/2018	Lune en Poissons	
Mercredi	04/07/2018	Lune en Poissons	
Jeudi	05/07/2018	Lune en Bélier	à partir de 1h00
Vendredi	06/07/2018	Lune en Bélier	
Samedi	07/07/2018	Lune en Taureau	à partir de 8h00
Dimanche	08/07/2018	Lune en Taureau	
Lundi	09/07/2018	Lune en Gémeaux	à partir de 12h00
Mardi	10/07/2018	Lune en Gémeaux	
Mercredi	11/07/2018	Lune en Cancer	à partir de 13h00
Jeudi	12/07/2018	Lune en Cancer	
Vendredi	13/07/2018	Lune en Lion	à partir de 12h40
Samedi	14/07/2018	Lune en Lion	
Dimanche	15/07/2018	Lune en Vierge	à partir de 12h40
Lundi	16/07/2018	Lune en Vierge	
Mardi	17/07/2018	Lune en Balance	à partir de 14h50
Mercredi	18/07/2018	Lune en Balance	
Jeudi	19/07/2018	Lune en Scorpion	à partir de 20h20
Vendredi	20/07/2018	Lune en Scorpion	
Samedi	21/07/2018	Lune en Scorpion	
Dimanche	22/07/2018	Lune en Sagittaire	à partir de 5h20
Lundi	23/07/2018	Lune en Sagittaire	
Mardi	24/07/2018	Lune en Capricorne	à partir de 17h00
Mercredi	25/07/2018	Lune en Capricorne	
Jeudi	26/07/2018	Lune en Capricorne	
Vendredi	27/07/2018	Lune en Verseau	à partir de 5h50
Samedi	28/07/2018	Lune en Verseau	
Dimanche	29/07/2018	Lune en Poissons	à partir de 18h30
Lundi	30/07/2018	Lune en Poissons	
Mardi	31/07/2018	Lune en Poissons	

Août 2018

Mercredi	01/08/2018	Lune en Bélier	à partir de 6h00
Jeudi	02/08/2018	Lune en Bélier	
Vendredi	03/08/2018	Lune en Taureau	à partir de 15h00
Samedi	04/08/2018	Lune en Taureau	
Dimanche	05/08/2018	Lune en Gémeaux	à partir de 20h40
Lundi	06/08/2018	Lune en Gémeaux	
Mardi	07/08/2018	Lune en Cancer	à partir de 23h00
Mercredi	08/08/2018	Lune en Cancer	
Jeudi	09/08/2018	Lune en Lion	à partir de 23h20
Vendredi	10/08/2018	Lune en Lion	
Samedi	11/08/2018	Lune en Vierge	à partir de 23h10
Dimanche	12/08/2018	Lune en Vierge	
Lundi	13/08/2018	Lune en Vierge	
Mardi	14/08/2018	Lune en Balance	à partir de 1h00
Mercredi	15/08/2018	Lune en Balance	
Jeudi	16/08/2018	Lune en Scorpion	à partir de 4h00
Vendredi	17/08/2018	Lune en Scorpion	

Samedi	18/08/2018	Lune en Sagittaire	à partir de 11h50
Dimanche	19/08/2018	Lune en Sagittaire	
Lundi	20/08/2018	Lune en Capricorne	à partir de 23h10
Mardi	21/08/2018	Lune en Capricorne	
Mercredi	22/08/2018	Lune en Capricorne	
Jeudi	23/08/2018	Lune en Verseau	à partir de 12h00
Vendredi	24/08/2018	Lune en Verseau	
Samedi	25/08/2018	Lune en Verseau	
Dimanche	26/08/2018	Lune en Poissons	à partir de 1h00
Lundi	27/08/2018	Lune en Poissons	
Mardi	28/08/2018	Lune en Bélier	à partir de 11h40
Mercredi	29/08/2018	Lune en Bélier	
Jeudi	30/08/2018	Lune en Taureau	à partir de 20h40
Vendredi	31/08/2018	Lune en Taureau	

Septembre 2018

Samedi	01/09/2018	Lune en Taureau	
Dimanche	02/09/2018	Lune en Gémeaux	à partir de 3h10
Lundi	03/09/2018	Lune en Gémeaux	
Mardi	04/09/2018	Lune en Cancer	à partir de 7h10
Mercredi	05/09/2018	Lune en Cancer	
Jeudi	06/09/2018	Lune en Lion	à partir de 9h00
Vendredi	07/09/2018	Lune en Lion	
Samedi	08/09/2018	Lune en Vierge	à partir de 9h30
Dimanche	09/09/2018	Lune en Vierge	
Lundi	10/09/2018	Lune en Balance	à partir de 10h30
Mardi	11/09/2018	Lune en Balance	
Mercredi	12/09/2018	Lune en Scorpion	à partir de 13h20
Jeudi	13/09/2018	Lune en Scorpion	
Vendredi	14/09/2018	Lune en Sagittaire	à partir de 19h50
Samedi	15/09/2018	Lune en Sagittaire	
Dimanche	16/09/2018	Lune en Sagittaire	
Lundi	17/09/2018	Lune en Capricorne	à partir de 6h20
Mardi	18/09/2018	Lune en Capricorne	
Mercredi	19/09/2018	Lune en Verseau	à partir de 19h00
Jeudi	20/09/2018	Lune en Verseau	
Vendredi	21/09/2018	Lune en Verseau	
Samedi	22/09/2018	Lune en Poissons	à partir de 7h30
Dimanche	23/09/2018	Lune en Poissons	
Lundi	24/09/2018	Lune en Bélier	à partir de 18h10
Mardi	25/09/2018	Lune en Bélier	
Mercredi	26/09/2018	Lune en Bélier	
Jeudi	27/09/2018	Lune en Taureau	à partir de 2h20
Vendredi	28/09/2018	Lune en Taureau	
Samedi	29/09/2018	Lune en Gémeaux	à partir de 8h30
Dimanche	30/09/2018	Lune en Gémeaux	

Octobre 2018

Lundi	01/10/2018	Lune en Cancer	à partir de 13h00
Mardi	02/10/2018	Lune en Cancer	
Mercredi	03/10/2018	Lune en Lion	à partir de 16h20

Jeudi	04/10/2018	Lune en Lion	
Vendredi	05/10/2018	Lune en Vierge	à partir de 18h30
Samedi	06/10/2018	Lune en Vierge	
Dimanche	07/10/2018	Lune en Balance	à partir de 20h20
Lundi	08/10/2018	Lune en Balance	
Mardi	09/10/2018	Lune en Scorpion	à partir de 23h10
Mercredi	10/10/2018	Lune en Scorpion	
Jeudi	11/10/2018	Lune en Scorpion	
Vendredi	12/10/2018	Lune en Sagittaire	à partir de 5h00
Samedi	13/10/2018	Lune en Sagittaire	
Dimanche	14/10/2018	Lune en Capricorne	à partir de 14h30
Lundi	15/10/2018	Lune en Capricorne	
Mardi	16/10/2018	Lune en Capricorne	
Mercredi	17/10/2018	Lune en Verseau	à partir de 2h40
Jeudi	18/10/2018	Lune en Verseau	
Vendredi	19/10/2018	Lune en Poissons	à partir de 15h30
Samedi	20/10/2018	Lune en Poissons	
Dimanche	21/10/2018	Lune en Poissons	
Lundi	22/10/2018	Lune en Bélier	à partir de 2h10
Mardi	23/10/2018	Lune en Bélier	
Mercredi	24/10/2018	Lune en Taureau	à partir de 9h40
Jeudi	25/10/2018	Lune en Taureau	
Vendredi	26/10/2018	Lune en Gémeaux	à partir de 14h50
Samedi	27/10/2018	Lune en Gémeaux	
Dimanche	28/10/2018	Lune en Cancer	à partir de 18h30
Lundi	29/10/2018	Lune en Cancer	
Mardi	30/10/2018	Lune en Lion	à partir de 21h50
Mercredi	31/10/2018	Lune en Lion	

Novembre 2018

Jeudi	01/11/2018	Lune en Lion	
Vendredi	02/11/2018	Lune en Vierge	à partir de 1h00
Samedi	03/11/2018	Lune en Vierge	
Dimanche	04/11/2018	Lune en Balance	à partir de 4h10
Lundi	05/11/2018	Lune en Balance	
Mardi	06/11/2018	Lune en Scorpion	à partir de 8h10
Mercredi	07/11/2018	Lune en Scorpion	
Jeudi	08/11/2018	Lune en Sagittaire	à partir de 14h00
Vendredi	09/11/2018	Lune en Sagittaire	
Samedi	10/11/2018	Lune en Capricorne	à partir de 23h00
Dimanche	11/11/2018	Lune en Capricorne	
Lundi	12/11/2018	Lune en Capricorne	
Mardi	13/11/2018	Lune en Verseau	à partir de 10h50
Mercredi	14/11/2018	Lune en Verseau	
Jeudi	15/11/2018	Lune en Poissons	à partir de 23h50
Vendredi	16/11/2018	Lune en Poissons	
Samedi	17/11/2018	Lune en Poissons	
Dimanche	18/11/2018	Lune en Bélier	à partir de 11h00
Lundi	19/11/2018	Lune en Bélier	
Mardi	20/11/2018	Lune en Taureau	à partir de 18h50
Mercredi	21/11/2018	Lune en Taureau	
Jeudi	22/11/2018	Lune en Gémeaux	à partir de 23h20

Vendredi	23/11/2018	Lune en Gémeaux	
Samedi	24/11/2018	Lune en Gémeaux	
Dimanche	25/11/2018	Lune en Cancer	à partir de 1h40
Lundi	26/11/2018	Lune en Cancer	
Mardi	27/11/2018	Lune en Lion	à partir de 3h40
Mercredi	28/11/2018	Lune en Lion	
Jeudi	29/11/2018	Lune en Vierge	à partir de 6h10
Vendredi	30/11/2018	Lune en Vierge	

Décembre 2018

Samedi	01/12/2018	Lune en Balance	à partir de 10h00
Dimanche	02/12/2018	Lune en Balance	
Lundi	03/12/2018	Lune en Scorpion	à partir de 15h00
Mardi	04/12/2018	Lune en Scorpion	
Mercredi	05/12/2018	Lune en Sagittaire	à partir de 22h00
Jeudi	06/12/2018	Lune en Sagittaire	
Vendredi	07/12/2018	Lune en Sagittaire	
Samedi	08/12/2018	Lune en Capricorne	à partir de 7h10
Dimanche	09/12/2018	Lune en Capricorne	
Lundi	10/12/2018	Lune en Verseau	à partir de 18h50
Mardi	11/12/2018	Lune en Verseau	
Mercredi	12/12/2018	Lune en Verseau	
Jeudi	13/12/2018	Lune en Poissons	à partir de 7h50
Vendredi	14/12/2018	Lune en Poissons	
Samedi	15/12/2018	Lune en Bélier	à partir de 19h50
Dimanche	16/12/2018	Lune en Bélier	
Lundi	17/12/2018	Lune en Bélier	
Mardi	18/12/2018	Lune en Taureau	à partir de 4h50
Mercredi	19/12/2018	Lune en Taureau	
Jeudi	20/12/2018	Lune en Gémeaux	à partir de 9h40
Vendredi	21/12/2018	Lune en Gémeaux	
Samedi	22/12/2018	Lune en Cancer	à partir de 11h40
Dimanche	23/12/2018	Lune en Cancer	
Lundi	24/12/2018	Lune en Lion	à partir de 12h10
Mardi	25/12/2018	Lune en Lion	
Mercredi	26/12/2018	Lune en Vierge	à partir de 13h00
Jeudi	27/12/2018	Lune en Vierge	
Vendredi	28/12/2018	Lune en Balance	à partir de 15h30
Samedi	29/12/2018	Lune en Balance	
Dimanche	30/12/2018	Lune en Scorpion	à partir de 20h30
Lundi	31/12/2018	Lune en Scorpion	

Sommaire

Suivez-nous sur le Web

Consultez nos sites Internet et inscrivez-vous à l'infolettre pour rester informé en tout temps de nos publications et de nos concours en ligne. Et croisez aussi vos auteurs préférés et notre équipe sur nos blogues !

QUEBEC-LIVRES.COM
EDITIONS-HOMME.COM
EDITIONS-JOUR.COM
EDITIONS-PETITHOMME.COM
EDITIONS-LAGRIFFE.COM
RECTOVERSO-EDITEUR.COM
EDITIONS-LASEMAINE.COM